DYDDIAU OLAF OWAIN GLYNDŴR

Er cof am fy nhad
William Ernest Williams
Prifathro Ysgol Gynradd Glyndyfrdwy 1946–62
a'm dysgodd gyntaf am Owain Glyndŵr

DYDDIAU OLAF OWAIN GLYNDŴR

Gruffydd Aled Williams

Lluniau gan Iestyn Hughes

Argraffiad cyntaf: 2015

Dymuna'r cyhoeddwyr gydnabod cymorth ariannol Cyngor Llyfrau Cymru

Rhif Llyfr Rhyngwladol: 978 1 78461 156 9

Cyhoeddwyd, rhwymwyd ac argraffwyd yng Nghymru gan
Y Lolfa Cyf., Talybont, Ceredigion SY24 5HE
gwefan www.ylolfa.com
e-bost ylolfa@ylolfa.com
ffôn 01970 832 304
ffacs 832 782

Rhagair

FE GYHOEDDIR Y gyfrol hon i gyd-fynd â chwechanmlwyddiant tebygol marw Owain Glyndŵr – chwechanmlwyddiant y tueddodd Cymru i anghofio amdano – yn y gobaith y bydd o ddiddordeb i ddarllenwyr sy'n ymddiddori yn hynt a hanes un o'n harwyr cenedlaethol mwyaf.

Mae'n briodol cyflwyno'r gyfrol gyda gair o rybudd. Mae ambell ddirgelwch na ellir byth ei ddatrys yn derfynol. Un o'r rheiny yw dirgelwch dyddiau olaf Owain Glyndŵr: gellir proffwydo'n bur hyderus na chanfyddir gweddillion Owain wedi eu claddu o dan unrhyw faes parcio ac na chaiff unrhyw wyddonydd chwilfrydig gyfle i brofi DNA ei esgyrn! Ni luniwyd y gyfrol, felly, gyda'r bwriad o ddatgelu'n derfynol ymhle y bu Owain farw nac ymhle y'i claddwyd (a dylid cofio, efallai, i'r 'brudwyr' wadu iddo farw o gwbl). Yr hyn a wneir ynddi yn hytrach yw cyflwyno ac archwilio'r gwahanol draddodiadau a darnau o dystiolaeth a gofnodwyd ynghylch diwedd Owain a'u pwyso a'u mesur hyd y gellir. Er bod haneswyr, hynafiaethwyr a rhamantwyr wedi cyfeirio at nifer o'r traddodiadau a'u trafod o bryd i'w gilydd, ni chafwyd yr un ymdriniaeth estynedig na thrylwyr â'r pwnc. Fy mwriad – un rhyfygus efallai – yw ceisio llenwi bwlch yn hyn o beth.

Er bod y rhan fwyaf o'r traddodiadau a'r lleoliadau a gysylltir â diwedd Glyndŵr yn rhai a grybwyllwyd o'r blaen ac a fydd yn gyfarwydd i ddarllenwyr sy'n hyddysg yn hanes Owain, gobeithiaf imi ychwanegu peth gwybodaeth newydd a chynnig ystyriaethau na thrafodwyd mohonynt o'r blaen ynglŷn ag ambell un ohonynt. Trafodir yma hefyd un neu ddau leoliad cwbl newydd yn sgil fy ymchwiliadau, lleoliadau y credaf y gall eu bod yn arwyddocaol. Er gwaethaf yr amhendantrwydd anorfod sydd ynglŷn â'r pwnc, credaf fod rhai o'r traddodiadau a'r lleoliadau yn haeddu mwy o ystyriaeth na'i gilydd. Credais hefyd ei bod yn werth trafod rhai lleoliadau sy'n amlwg yn annilys ac yn annhebygol – weithiau yn eithafol felly – er mwyn arbed amser ac egni awduron y dyfodol ac oherwydd, mae'n rhaid cyfaddef, bod ystyried y rhain yn waith difyr ynddo'i hun. Yn achos y lleoliadau sy'n cael eu trafod, ceisiais durio'n ddyfnach drwy archwilio ffynonellau llawysgrif ac archifyddol yng Nghymru a'r tu hwnt, heb ddibynnu'n unig ar y ffynonellau printiedig cyfarwydd.

Mae arnaf lawer o ddyledion, ac mi hoffwn fynegi fy niolch i'r canlynol am gymorth o sawl math: Yr Athro Anne Curry, David Curtis, Brian A. Evans, Chris Evans, Oliver Fairclough, Elgan Griffiths, Arwyn Lloyd Hughes, Dr John Hughes, Dr Bleddyn Huws, Richard Ireland, Lloyd James, Adrien Jones, Huw Ceiriog Jones, Sally Roberts Jones, Nicholas Kaye, David Lovelace, Jan Lucas-Scudamore, Dr Ann Malpas, Anthony J. Malpas, Joyce Marston, Benjamin Morgan, Heather Morgan, Richard Morgan, Chris Phillips, Nia Watcyn Powel, Y Parch. Will Pridie, Ruth Richardson, Yr Athro Patrick Sims-Williams, y diweddar Warren Skidmore, Dr David Skydmore, Yr Athro J. Beverley Smith, Dr Llinos Smith, Richard Stokes a'r teulu, Michel Timacheff a Sarah Walter. O reidrwydd mae arnaf ambell ddyled sy'n fwy na'i gilydd. Man cychwyn fy niddordeb yn y pwnc a mynegbost i'm gwaith ar gyfer y gyfrol hon oedd erthygl ac iddi'r teitl 'When did Owain Glyndŵr die?' y bu'r Athro J. R. Seymour Phillips mor garedig â rhoi cyfle imi ei darllen cyn iddo'i chyhoeddi pan oedd y ddau ohonom yn ddarlithwyr ifainc yng Ngholeg y Brifysgol, Dulyn flynyddoedd lawer yn ôl. Fel unrhyw un a ysgrifennodd am Owain Glyndŵr yn y cyfnod diweddar, y mae fy nyled i'r ddau hanesydd gwych a draethodd mor awdurdodol arno, Syr J. E. Lloyd a Syr Rees Davies, yn un sylweddol. Mae arnaf ddyled arbennig i Daniel Huws – y prif awdurdod ar lawysgrifau Cymru – am gyfeiriad amhrisiadwy at un ffynhonnell lawysgrif dra phwysig ac i

Gledwyn Fychan am ei garedigrwydd yn darparu'n ddigymell nifer o gyfeiriadau at ddeunyddiau llên gwerin yn ymwneud â Glyndŵr. Pleser fu cael cwmni Iestyn Hughes ar sawl taith ddifyr i fannau yn Swydd Henffordd ac yng Nghymru; ef a dynnodd bob un o'r lluniau sy'n harddu'r gyfrol oni nodir yn wahanol. Mae arnaf ddyled i amryw lyfrgelloedd, ac yn arbennig i Lyfrgell Genedlaethol Cymru a'i staff ddieithriad hynaws a chymwynasgar. Bu'n bleser ymwneud â staff gyfeillgar a phroffesiynol y Lolfa, yn enwedig Nia Peris a lywiodd y gwaith drwy'r wasg. Hoffwn ddiolch i William Howells hefyd am lunio'r mynegai. Ond mae fy nyled bennaf i'm gwraig Éimear: cyfrannodd ddeunydd ar gyfer Atodiad y gyfrol, ond, yn bwysicach, fe fu'n dra amyneddgar yn ystod y ddwy flynedd ddiwethaf pan dreuliais ormod o amser yn pendroni ynghylch dyddiau olaf Owain Glyndŵr.

Gruffydd Aled Williams
Medi 2015

Cynnwys

RHAN I

Y CEFNDIR

1. Llanw a thrai y gwrthryfel
2. 'Nythaid teg o benaethau'
3. 'Hanes Owain Glyndŵr'
4. Marwolaeth Owain Glyndŵr

1

Llanw a thrai y gwrthryfel[1]

ER NA CHAFODD Owain Glyndŵr lwyddiant milwrol di-dor yn ystod y blynyddoedd yn union ar ôl ei gyhoeddi'n Dywysog Cymru yng Nglyndyfrdwy ym Medi 1400 fe ymddangosai, er hynny, fod y llanw yn llifo'n gryf o'i blaid am bron bum mlynedd ar ôl iddo gychwyn ei wrthryfel, er gwaethaf gwrthwynebiad penderfynol Harri IV, brenin Lloegr. Fe ellid yn deg honni mai dyma flynyddoedd mawr y gwrthryfel, blynyddoedd cynhyrfus pan lwyddodd Owain i danio dychymyg llaweroedd o'i gyd-wladwyr drwy Gymru benbaladr, yn wreng ac yn fonedd, a'u denu i ymuno â'i rengoedd. Blynyddoedd oedd y rhain o lwyddiannau milwrol trawiadol, o oresgyn cestyll a difrodi bwrdeistrefi Seisnig, o fuddugoliaethau megis rhai Mynydd Hyddgen (1401) a'r Bryn Glas (1402) ar faes y gad, o beri braw a difrod nid bychan yn siroedd Seisnig y gororau, o gipio carcharorion pwysig fel Reginald Grey ac Edmund Mortimer, ei fab-yng-nghyfraith a'i gefnogwr maes o law. Yn ystod y cyfnod hwn fe siglwyd y drefn Seisnig drefedigaethol yng Nghymru i'w sail. Ac nid llwyddiannau milwrol yn unig a gafwyd ychwaith, ond rhai gwleidyddol a diplomataidd arwyddocaol yn ogystal. Fe fentrwyd i drobwll gwleidyddiaeth bendefigaidd y dydd yn Lloegr a llwyddo i ymgynghreirio â ffigurau pwysig fel Henry Percy, iarll Northumberland, a'i fab Henry Hotspur, er mai seithug fu canlyniad y cynghreirio hwn maes o law. Yn bwysicach, dyma flynyddoedd pan lwyddodd Owain i osod seiliau egin-wladwriaeth Gymreig, un a chanddi Senedd – cynullodd Owain rai ym Machynlleth yn 1404 ac yn Harlech yn 1405 – a'i huchel swyddogion, ei Changhellor a'i llysgenhadon a fu'n trafod yn llysoedd brenhinol yr Alban a Ffrainc. Cynnyrch y rhaglen wleidyddol uchelgeisiol a luniwyd gan wŷr fel y rhain maes o law oedd Llythyr Pennal. Symbol trawiadol o hyder y blynyddoedd hyn oedd Sêl Fawr Owain, a'i darluniai'n urddasol ar ei orsedd fel 'Owenus Dei gratia princeps Wallie' [Owain drwy ras Duw Tywysog Cymru].

Ond bregus oedd llwyddiannau Owain mewn gwirionedd ac anodd oedd eu cynnal yn wyneb grym teyrnas Lloegr. Fe ddechreuodd 1405 yn addawol i Owain, gyda chadarnhau cytundeb rhyngddo ef a brenin Ffrainc ym mis Ionawr a selio'r Cytundeb Tridarn enwog rhyngddo ef a'i gynghreiriaid Edmund Mortimer a Henry Percy ddiwedd Chwefror, dogfen ryfeddol a amlinellai gynllun i rannu'r deyrnas rhyngddynt gan ymestyn tiriogaeth Owain i berfeddion Lloegr. Ond yr oedd trefniant o'r fath ar drugaredd amgylchiadau. Ymhen llai na phythefnos ar ôl arwyddo'r Cytundeb Tridarn fe ddaeth y gyntaf o ddwy fuddugoliaeth ysgubol i'r Saeson, y ddwy ohonynt yng ngororau de-ddwyrain Cymru. Yn y frwydr gyntaf ger y Grysmwnt (Grosmont) yn arglwyddiaeth Mynwy ym mis Mawrth fe fu lladdfa fawr o'r Cymry, cynifer efallai ag wyth gant neu fil ohonynt. Yr oedd yr ail frwydr, a ymladdwyd mewn man o'r enw'r Pwll Melyn gerllaw Brynbuga ym mis Mai, yn drychineb yr un mor alaethus i Owain. Yn y frwydr fe laddwyd ei frawd Tudur a'r abad Siôn ap Hywel o Lantarnam, cefnogwr pybyr i Owain; ar ben hynny fe gymerwyd Gruffudd, mab hynaf Owain, yn garcharor, ynghyd â Hopcyn ap Tomas, noddwr enwog Llyfr Coch Hergest ond, yn bwysicach yng nghyswllt y gwrthryfel, un y mae'n debyg ei fod yn un o brif gefnogwyr milwrol Glyndŵr ym Morgannwg. Wedi'r frwydr fe ddienyddiwyd trichant o filwyr Owain o flaen castell Brynbuga. Mae'n wir nad y colledion milwrol hyn oedd diwedd y gwrthryfel o bell ffordd. Cafodd Owain lwyddiant pellach yn haf y flwyddyn honno pan laniodd byddin o Ffrainc yn Aberdaugleddau i'w gynorthwyo; fe lwyddodd y fyddin o Gymry a Ffrancwyr i gipio nifer o drefi yn ne-orllewin Cymru ac, yn ôl un croniclydd Ffrengig, i dreiddio maes o law ymhell dros y ffin i gyffiniau Caerwrangon (Worcester), er na wynebwyd byddin Harri IV ar faes y gad. Ond gellir deall efallai pam yr oedd croniclydd o Gymro, wrth edrych yn ôl yn ddiweddarach yn y bymthegfed ganrif, wedi nodi ar ôl sôn am frwydr y Pwll Melyn 'yna y bv dechrav yr ymchwel [= troad] ar owain ai wyr'. Er gwaethaf llwyddiannau achlysurol pellach, yn raddol yr oedd y rhod yn dechrau troi yn erbyn Owain. Seithug fu'r gobaith am fwy o gymorth milwrol o Ffrainc ac ni ddaeth cymorth o'r Alban ychwaith. Fe ddaeth trychinebau milwrol eraill i'w ran yn 1407, y gwaethaf ohonynt ar 23 Ebrill – dydd dathlu gŵyl San Siôr i'r Saeson ond diwrnod du i'r Cymry – pan laddwyd dros fil o filwyr Owain mewn brwydr na wyddom ei lleoliad, yn eu plith un arall o'i feibion. Dan wasgfa pwysau milwrol y Saeson, y cyni economaidd a barodd y rhyfela a'r diffygio anorfod yn sgil blynyddoedd o ymdrech a chaledi a tharfu ar fywyd beunyddiol, nid rhyfedd i gynifer o rannau o Gymru a fu gynt yn gefnogol i Owain ddigalonni a heddychu, er gwaethaf y dirwyon trwm a orfodid ar unigolion a chymunedau yn sgil hynny. Fe ildiodd Morgannwg yn 1405 ar ôl brwydr y Pwll Melyn, Gŵyr, Ystrad Tywi, Ceredigion a Môn yn 1406, a rhannau helaeth o'r gogledd – Sir y Fflint, Maelor Gymraeg, Iâl, Swydd y Waun, Croesoswallt a Maelor Saesneg – yn 1407. Er na olygai hyn fod y rhannau hyn o'r wlad yn gwbl heddychlon wedyn, yr oedd y digwyddiadau hyn yn arwyddocaol.[2]

Mae'n wir fod dau droedle pwysig yn dal ym meddiant Owain, sef cestyll cedyrn Aberystwyth a Harlech ar arfordir Bae Ceredigion, a enillwyd ganddo yn 1404. Ond troedleoedd oedd y rhain a gâi eu llygadu'n chwannog gan y Saeson, a sylweddolai eu gwerth strategol a seicolegol i'r Cymry. Yn haf 1407 dechreuodd gwarchae hir ar gastell Aberystwyth gan fyddin Seisnig gref – chwe chant o wŷr arfog a deunaw cant o saethyddion – dan arweiniad y Tywysog Harri, mab Harri IV. Fe'i harfogwyd â gynnau mawr, un ohonynt yn anghenfil 5,000 pwys o'r enw *Messager* y ffrwydrodd ef a'i gymar *Neelpot* yn rhagluniaethol wrth eu tanio! Ond er i Owain fygwth gwae ar Rys Ddu, capten y garsiwn Cymreig, pe bai'n ildio'r castell, ildio fu raid yn y diwedd, yn 1408. Cyrchfan nesaf y Saeson oedd castell Harlech – lle bu Owain yn cynnal ei Senedd yn 1405 a lle llochesai ef a'i deulu yn awr – a bu gwarchae hir a blin yno gan fyddin Seisnig o drichant o wŷr arfog a chwe chant o saethyddion (ac fe ffrwydrodd un arall o ynnau mawr y Saeson, *The King's Daughter*, yn Harlech hefyd!). Fe fu ergydio magnelau'r Saeson a newyn yn drech na'r gwarchodwyr o Gymry yn y diwedd, a bu'n rhaid iddynt ildio yn gynnar yn 1409. Fe fu colli Harlech yn fwy nag ergyd filwrol yn unig i Owain; yr oedd hefyd yn ddyrnod bersonol enbyd iddo. Ymhlith lladdedigion niferus y gwarchae yr oedd Edmund Mortimer, ei fab-yng-nghyfraith a'i gynghreiriad pwysig, ac ymhlith y rhai a gymerwyd yn garcharorion a'u hanfon i Dŵr Llundain yr oedd gwraig Owain, Marged Hanmer, dwy o'i ferched, gan gynnwys gwraig Mortimer, a thair merch iddi, wyresau ifainc Glyndŵr. Fe lwyddodd Owain ei hun rywfodd i ddianc o'r gwarchae, ond bellach yr oedd ei haul yn dechrau machlud. Fe gyflëir ei argyfwng ar ôl cwymp Harlech yn ddramatig gan y croniclydd Adda o Frynbuga, un a fu gynt mewn cyswllt ag Owain a'i gefnogwyr ar ôl iddo lanio yn y Bermo o Ffrainc yn 1408. Ar ôl colli'r castell fe adroddodd Adda fel y bu'n rhaid i Owain wedyn encilio gyda Maredudd, ei fab, gan orfod cuddio yn ei drueni (*miserime*) – mae'r geiriad yn arwyddocaol – mewn ogofeydd anghysbell a mynydd-diroedd coediog. Yn 1414 yr ysgrifennai Adda'r rhan hon o'i gronicl, gan adlewyrchu efallai sefyllfa Owain erbyn hynny, a fyddai'n waeth o gryn dipyn nag ydoedd ar ôl cwymp Harlech bum mlynedd ynghynt. Dyma ddechrau llunio'r darlun o flynyddoedd olaf Glyndŵr a ddaeth yn gyffredin yng ngweithiau croniclwyr a haneswyr diweddarach, yn enwedig yn oes y Tuduriaid, darlun o ffoadur truenus a phris ar ei ben, yn cuddio mewn mannau anghyfannedd, gyda'r holl ansicrwydd ac enbydrwydd a olygai hynny. Hawdd credu bod y darlun yn un cywir yn ei hanfod.[3]

Ar ôl colli Harlech yr oedd ergydion eraill i ddod, yn 1410 ac 1411. Yn dilyn cyrch aflwyddiannus gan wŷr Owain ar ororau Sir Amwythig fe gymerwyd dau o arweinwyr ei fyddin yn garcharorion, Rhys Ddu o Geredigion, capten Aberystwyth gynt, a Philpod Skydmore o Went Uwch Coed, brawd i ŵr Alys, merch Glyndŵr, a gŵr a ddaeth i gefnogi Owain er gwaethaf ei wasanaeth gynt i'r brenin fel capten castell Carreg Cennen. Tynged y ddau oedd cael eu dwyn i'w 'llusgaw ac iw chwartoriaw [= chwarteru]' chwedl y croniclydd, Rhys Ddu yn Llundain a Skydmore yn Amwythig; yn null egr yr oes, fe arddangoswyd pennau'r ddau yn rhybudd i wrthryfelwyr a bradwyr, pen Rhys Ddu am flwyddyn a mwy ar Bont Llundain a phen Skydmore ger un o bontydd Amwythig, yn ôl pob tebyg 'y Bont Gymreig' a arweiniai tua Chymru. Tua'r un adeg, ac efallai yn yr un cyrch, fe ddaliwyd Rhys ap Tudur o Erddreiniog ym Môn, cefnder Owain a fu'n gefnogwr pwysig iddo ers blynyddoedd ac a fu'n gyfrifol gyda'i frawd Gwilym am gipio castell Conwy yn 1401; fe'i dienyddiwyd yntau yng Nghaer. Yr oedd colli arweinwyr a chanddynt brofiad milwrol helaeth fel y rhain yn gryn ddyrnod i Owain: arwyddocaol yw geiriau'r croniclydd a ychwanegodd ar ddiwedd ei gofnod am ddal a dienyddio Rhys Ddu a Philpod Skydmore 'ac o hynny allan ni wnaeth Owain gyrch mawr oni aeth mewn difant [= diflannu]'. Yn ystod y blynyddoedd hyn fe ddioddefodd Owain golledion personol hefyd, er na allwn fyth wybod a ddaeth i glywed amdanynt. Ac yntau yn y ddalfa ers 1405 fe symudwyd Gruffudd, ei fab, o garchar yn Nottingham i Dŵr Llundain ym Mawrth 1411, lle bu farw o'r pla yn fuan wedyn. Ddwy flynedd yn ddiweddarach, yn Rhagfyr 1413, fe fu farw ei ferch, gweddw Edmund Mortimer, a'i phlant yn Nhŵr Llundain a'u claddu yn eglwys Sant Swithin. Fe wyddom fod Marged, gwraig Owain, hithau yn garcharor yn y Tŵr gyda'i merch a'i hwyrion chwe mis ynghynt (dan ofal swyddog drwgenwog o'r enw John Wele, 'fals Wele' fel y'i galwyd gan un Cymro unwaith). Ni ellir ond dyfalu ei thynged maes o law. Rhaid rhestru'r 'wraig orau o'r gwragedd' a fu'n mwynhau esmwythfyd Sycharth gynt ymhlith 'diflanedigion' y gwrthryfel.[4]

Pan gyhoeddodd Harri IV bardwn cyffredinol i'w holl elynion yn Rhagfyr 1411 y mae'n arwyddocaol fod Owain yn un o ddim ond dau drwy'r deyrnas a gafodd eu heithrio'n benodol wrth eu henwau. Thomas Trumpington – ymhonnwr a hawliai mai ef oedd Rhisiart II, y brenin a ddisodlwyd gan Harri IV – oedd y llall. Ond camgymeriad fyddai dehongli hyn i olygu bod Owain bellach yn berygl gwirioneddol a chanddo'r gallu milwrol i fygwth y Saeson o ddifrif, er bod ei ffyddloniaid mwyaf anghymodlon a di-ildio – gweddillion teyrngar ei luoedd – yn dal yn ddraenen yn ystlys yr awdurdodau mewn rhannau o Gymru. Digwyddiad i godi calon Glyndŵr yn 1412, mae'n siŵr, oedd llwyddiant rhai o'i ganlynwyr yn dal a charcharu Dafydd Gam, gŵr o arglwyddiaeth Aberhonddu a fu'n gefnogwr brwd i'r Goron ac a fu'n elyn anghymodlon i Owain: yn ôl traddodiad y gellir ei olrhain mor bell yn ôl â'r unfed ganrif ar bymtheg, fe geisiodd fradychu a dal Owain yn ei Senedd ym Machynlleth yn 1404. Fe berswadiwyd Harri IV ei hunan i ymyrryd ac awdurdodi trafodaethau â'r 'gwrthryfelwr a'r bradwr Owain Glyndyfrdwy' ynghylch rhyddhau Dafydd Gam, a threfnu i dalu pridwerth sylweddol yn y man i sicrhau hynny. Y dial melys hwn ar hen elyn oedd y weithred benodol olaf y gwyddom amdani y gellir ei chysylltu ag Owain a'r gwrthryfel.[5]

Ond os diffoddwyd fflamau'r gwrthryfel, yr oedd ei ysbryd yn parhau i fudlosgi'n gyndyn yn y tir, anhrefn ac aflywodraeth yn rhemp, rhenti heb eu casglu, a'r swyddogion Seisnig yng Nghymru yn aml yn anesmwyth a drwgdybus. Ac, yn fwy na dim, yr oedd Owain yn dal a'i draed yn rhydd: yn Chwefror 1413 fe dalwyd punt – a fyddai'n cyfateb i tua £600 heddiw – yn wobr i fradwr o Gymro a aeth i Lundain i ddatgelu gwybodaeth i'r awdurdodau ynghylch cynlluniau'r anfad 'Ewain Glendourdy'. Ym Medi'r flwyddyn honno, a Harri V bellach yn frenin ar ôl ei dad, drych o ansicrwydd yr awdurdodau oedd y gorchymyn i bob Cymro a oedd yn byw yn Lloegr ddychwelyd i'w wlad erbyn dydd Nadolig i gynorthwyo i wrthsefyll gelynion y brenin yno; fe ofnid y gallasai Syr John Oldcastle o Swydd Henffordd, arweinydd y Lolardiaid – gwrthwynebwyr radicalaidd y drefn grefyddol – gydweithio â Glyndŵr a'i fab ac y gallasent gyda'i gilydd ymroi i ailennyn fflam y gwrthryfel. Ond di-sail oedd pryder o'r fath mewn gwirionedd. Ym mis Mawrth 1414 fe fu digwyddiad arwyddocaol yn y Bala, nid nepell o hen gynefin Owain yng Nglyndyfrdwy. Ar eu gliniau gerbron ustusiaid penodedig Harri V, fe dyngodd chwe chant o wŷr Sir Feirionnydd lw o deyrngarwch iddo, gan ddiolch i Dduw am roi iddynt frenin mor drugarog, ac ymwrthod yn ffurfiol â'u gwrthryfel. Cyn hyn, Meirionnydd oedd sir fwyaf anghymodlon Cymru, gwlad beryglus o safbwynt swyddogion a lluoedd Lloegr (fe fu'n rhaid anfon 180 o filwyr i'r Bala a Chymer i gadw'r heddwch mor ddiweddar ag 1412). Ar ôl i wŷr Meirionnydd ymostwng i'r brenin yn y Bala fe fu digwyddiadau eraill tebyg ymhen dyddiau lle gwrogaethodd gwŷr Sir Gaernarfon a Sir Fôn yng Nghaernarfon a Biwmares. I bob diben, dyma bennod olaf drist 'Rhyfel Owain'. Nid rhyfedd fod cofnodion Senedd Llundain ddiwedd 1414 yn cyfeirio at y gwrthryfel mewn geiriau sy'n awgrymu ei fod bellach ar ben. Ond cwynai'r Senedd yr un pryd fod gwrthryfelwyr Cymreig yn dal i wneud cyrchoedd ar siroedd Seisnig y gororau gan ysbeilio a herwgipio a dwyn carcharorion i guddfannau anghysbell yng Nghymru a hawlio arian am eu rhyddhau. Fe'n hatgoffir o gywydd nodedig Llywelyn ab y Moel i'w guddfan ef a'i gyd-herwyr yng Nghoed y Graig Lwyd ger Llanymynech, ar y ffin â Sir Amwythig – cynnyrch y blynyddoedd hyn mae'n dra phosib. Mae Llywelyn yn ymffrostio ynghylch 'dwyn Sais a'i ddiharneisio' ac am 'ransymiaw Sais', gan arddel ei deyrngarwch i Lyndŵr yn feiddgar agored: 'gwerin Owain' [= llu Owain] oedd ei ddisgrifiad balch ohono ef a'i gyd-herwyr. Ond ni all asbri'r cywydd guddio'r ffaith mai niwsans ymylol a digyfeiriad – tebyg i weithredoedd gwylliaid didoreth y dydd mewn rhannau o Loegr – yn hytrach na bygythiad difrifol i'r oruchafiaeth Seisnig yng Nghymru oedd anturiaethau gweddillion 'gwerin Owain' bellach. Er bod Gruffudd Young, Canghellor Owain gynt, a Philip Hanmer, ei frawd-yng-nghyfraith, ym Mharis mor ddiweddar â Chwefror 1415 i geisio ailfegino cefnogaeth y Ffrancwyr, yr oedd eu hachos yn un anobeithiol; adlewyrchiad o'r realiti yng Nghymru oedd y ffaith i laweroedd o gyn-filwyr Owain – yn y gobaith o ennill pardynau am eu rhan yn y gwrthryfel – ymuno â byddin Harri V a hwyliodd o Loegr i oresgyn Ffrainc yn haf y flwyddyn honno. Fe wrthododd Maredudd, mab Owain, gymodi â'r awdurdodau Seisnig am rai blynyddoedd eto – ni dderbyniodd bardwn terfynol tan 1421 – ond, mewn gwlad a oedd wedi ei gwasgu a'i llethu, ofer fu ei ymdrechion i ailennyn y fflam a gyneuwyd ac a gynhaliwyd gyhyd gan ei dad gynt.[6]

Tasg anodd i ni heddiw, mewn oes mor drwyadl wahanol ei hysbryd a'i safonau, yw ceisio dirnad seicoleg gŵr a oedd yn byw chwe chan mlynedd yn ôl, yn enwedig o ystyried nad oes modd manteisio ar unrhyw dystiolaeth uniongyrchol berthnasol o'r cyfnod. Yn ffenestr y dychymyg yn unig y gellir dirnad cyflwr meddwl Owain yn ei flynyddoedd olaf, ac nid yw'r darlun sy'n ymgynnig yn un braf. Yr oedd ei golledion personol yn enbyd: fe chwalwyd ac fe ddinistriwyd ei deulu; fe ddiflannodd ei wraig i garchar Seisnig, ac fe fu farw nifer o'i blant naill ai ar faes y gad neu yng ngharchar; fe gollodd hefyd ei eiddo a'i diroedd, hen dreftadaeth ei dylwyth. Fe fyddai'n gwybod hefyd iddo golli llawer o gyfeillion da a dewr a fu'n ffyddlon i'w achos, ac fe fyddai'n ymwybodol iddo fod yn gyfrifol am arwain llaweroedd o'i gyd-wladwyr o bob gradd i bydew trueni a chyni ac yn aml iawn i'w tranc, testun chwithdod mae'n siŵr, er na fyddai Owain, mae'n sicr, yn meddu ar gydwybod heddychwr. Yn enbydrwydd tebygol ei stad pan oedd ar encil, yn byw, fe ellid tybio, yn anghysurus o'r llaw i'r genau, yn symud efallai o guddfan i guddfan ddirgel a'r perygl o gael ei fradychu yn bryder parhaus, mae'n rhaid mai atgof pellennig a phoenus yn unig oedd esmwythyd braf y dyddiau gynt yn Sycharth a Glyndyfrdwy. Ar ben pob peth, yr oedd yr ing o wybod mai methiant fu ei wrthryfel ac mai ofer i bob golwg fu'r holl ymdrech a'r aberth; ni allai Owain fod wedi rhag-weld yr ysbrydoliaeth a fu ei ymdrechion i oesoedd diweddarach. Yr oedd ei obeithion ar ran ei genedl yn deilchion, pob uchelgais gwleidyddol yn lludw, a'r teitl 'Tywysog Cymru' yr ymfalchïai ynddo gynt yn ddim ond atgof a edliwiai iddo goegni ac oferedd breuddwydion dynion. Mae ansicrwydd ynghylch blwyddyn geni Owain, ond dros ddegawd ar ôl cychwyn ei wrthryfel yr oedd yn ŵr a oedd, ar y gorau, yn dechrau heneiddio yn ôl safonau'r oes: fe all ei bod yn arwyddocaol mai fel 'Owain Hen' y cofid amdano'n aml gan genedlaethau diweddarach. A fu i faich siom a thorcalon ddwysáu trymder ei henaint? Mae hynny'n fwy na phosib. Ble bynnag a sut bynnag y bu farw, fe all mai gollyngdod i gorff lluddedig ac i enaid toredig oedd hynny yn y diwedd.[7]

2

‘Nythaid teg o benaethau’

Fe gofir i Iolo Goch, ar ymweliad â llys Owain Glyndŵr yn Sycharth, gyfeirio’n hoffus at blant Owain a’i wraig Marged: ‘A’i blant a ddeuant bob ddau, / Nythaid teg o benaethau.’ Yn sicr, mae gwybod am blant Owain yn bwysig o safbwynt pwnc y gyfrol hon. Ond nid mater bach yw cael hyd i wybodaeth ddibynadwy amdanynt. At ambell un ohonynt yn unig y cyfeirir yn nogfennau’r cyfnod, a rhaid dibynnu am ein gwybodaeth brin ynghylch y gweddill ar lyfrau achau, llawysgrifau a luniwyd weithiau gan feirdd ond gan amlaf gan hynafiaethwyr, gwŷr a ymddiddorai yn hen hanes eu gwlad, neu, ambell dro, gan herodron proffesiynol. Fe ysgrifennwyd ambell un o’r llawysgrifau hyn yn yr unfed ganrif ar bymtheg, ond mae’r rhan fwyaf ohonynt yn perthyn i’r ail ganrif ar bymtheg a rhai i’r ddeunawfed ganrif. Mae llawer ohonynt yn dilyn ei gilydd ac felly’n cytuno o ran yr wybodaeth a geir ynddynt – er nad yw hynny’n gwarantu eu cywirdeb – ond mae llawer ohonynt hefyd yn ddryslyd anghyson â’i gilydd. Mae’n rhaid felly bod yn ochelgar ac yn feirniadol wrth ystyried tystiolaeth y llawysgrifau achau. Ond ni ellir dibynnu’n ddall ar ffynonellau achyddol printiedig sy’n nes at ein dyddiau ni ychwaith, gan mai o’r llawysgrifau y tynnant hwy bron y cyfan o’u gwybodaeth. O ran gwybod am blant Owain mae hyd yn oed y ffynonellau achyddol printiedig gorau yn gamarweiniol weithiau oherwydd eu bod yn dibynnu ar nifer fechan o lawysgrifau yn unig am eu gwybodaeth.[8]

Fe allwn fod yn go sicr ynghylch enwau meibion Owain, ond nid hwy sydd bwysicaf o safbwynt pwnc y gyfrol hon. Mae'r rhan fwyaf o'r llawysgrifau yn enwi chwe mab cyfreithlon iddo, sef Gruffudd, Madog, Maredudd, Tomas, Siôn a Dafydd, er na chaiff Dafydd ei enwi bob tro (ac mae un ffynhonnell yn awgrymu nad oedd yn fab cyfreithlon). Mae nifer fechan o lawysgrifau – nad oes reswm dros amau eu tystiolaeth – yn rhestru mab anghyfreithlon iddo o'r enw Ieuan hefyd, gŵr yr oedd ei ddisgynyddion yn byw yng ngogledd-ddwyrain Cymru, mewn ardaloedd fel y Waun, Glyn Ceiriog, Rhiwabon, Marchwiail a Llandegla; yr oedd Catrin, gwraig y bardd a'r achydd Gruffudd Hiraethog (m. 1564), yn orwyres iddo. Mae un o gywyddau'r bardd Llawdden yn cyfeirio at ŵr o'r enw Siancyn y Glyn mewn cyd-destun sy'n awgrymu ei fod yntau'n fab i Owain, ac nid yw'n gwbl amhosib mai yr un gŵr oedd hwn â Ieuan (yn sylfaenol, amrywiadau ar yr un enw yw Ieuan, Siôn a Siencyn). O'r chwe mab cyfreithlon, Gruffudd a fu farw yn Nhŵr Llundain yn 1411 a enwir yn gyntaf yn yr achau bob tro, sy'n awgrymu mai ef oedd y mab hynaf. Mae'n ymddangos mai'r unig un o'r meibion cyfreithlon i oroesi'r gwrthryfel oedd Maredudd, a dderbyniodd bardwn y brenin yn 1421, ac nid oes cofnod fod gan yr un o'r meibion hyn blant. Annhebygol yw'r hanes a gofnododd yr hynafiaethydd Browne Willis yn 1720 fod meibion Owain wedi ffoi i Iwerddon ar ôl y gwrthryfel ac i un ohonynt ymsefydlu yn Nulyn a mabwysiadu'r cyfenw Baulf neu Paulf.[9]

Os yw ein gwybodaeth ynghylch meibion Owain yn bur ddibynadwy, nid felly y mae yn achos ei ferched, a hwy sydd fwyaf perthnasol o ddigon o ran trafod ei hynt yn ei flynyddoedd olaf. Yn wir, nid gormodiaith yw dweud bod y llyfrau achau yn llanast dryslyd o ran yr wybodaeth a geir ynddynt ynghylch merched Owain. Ystyrier yr enghraifft waethaf o hyn i ddechrau. Mae tystiolaeth gwbl ddibynadwy mewn dogfennau a chroniclau o'r cyfnod fod un o'i ferched wedi priodi Syr Edmund Mortimer ddiwedd 1402 ar ôl i Owain ei gymryd yn garcharor ym mrwydr y Bryn Glas yn haf y flwyddyn honno; yn draddodiadol fe dybir mai Catrin oedd enw'r ferch honno. Eto, yn rhyfedd iawn, y mae'r briodas hon â Mortimer yn cael ei hanwybyddu yn y llawysgrifau achau Cymreig (o edrych ar lawer o lawysgrifau, ni welais i gymaint ag un cyfeiriad ati). Yn lle hynny, maent yn sôn am briodas rhwng merch i Lyndŵr o'r enw Siân (Jane/Joan) a Henry Grey, arglwydd Rhuthun. Er i hyn gael ei ailadrodd droeon – fe'i gwelais mewn cynifer ag 11 o lawysgrifau a ysgrifennwyd rhwng yr unfed ganrif ar bymtheg a diwedd y ddeunawfed ganrif – mae'n sicr na fu y fath briodas erioed! Mae'r esboniad yn syml. Yn 1402 fe ddaliodd Glyndŵr nid yn unig Mortimer ond hefyd ei hen elyn Reginald Grey, arglwydd Rhuthun, y gŵr y bu'r gynnen ynghylch tir rhyngddo ac Owain yn sbardun i'r gwrthryfel. Wrth gopïo gwaith a elwid y *Brut*, cronicl hanesyddol Seisnig mwyaf poblogaidd diwedd yr oesoedd canol, fe wnaeth rhyw gopïydd gamgymeriad a rhedeg y ddau gofnod gwahanol am garcharu Grey a Mortimer ynghyd drwy adael allan yn ddamweiniol frawddegau yn sôn am frwydr y Bryn Glas. O gywasgu'r hanes am Grey a Mortimer yn un fe ddaeth un grŵp o destunau'r *Brut* i sôn am briodas rhwng Grey a merch Glyndŵr, yn hytrach nag am briodas rhyngddi a Mortimer. Cymaint oedd poblogrwydd y *Brut* – fe geir dros 180 o lawysgrifau o'r fersiwn Saesneg ac fe'i hargraffwyd 13 o weithiau rhwng 1480 ac 1528 – fel bod y camgymeriad hwn wedi dylanwadu ar yr achyddion Cymreig a pheri iddynt hwythau sôn am briodas rhwng Grey (gan droi Reginald yn Henry!) a merch Glyndŵr. Fe gafodd y briodas â Mortimer ei disodli'n llwyr o'r traddodiad achyddol Cymreig. Wfftiai'r Cymry a ysgrifennodd ynghylch Glyndŵr nad oedd awdurdod mewn ffynonellau Cymreig am y briodas rhwng merch Glyndŵr a Mortimer, ac fe aeth Thomas Pennant mor bell â honni mai 'mistake of the *English* historians' oedd y sôn am y briodas hon! Ond, ysywaeth, y Cymry a oedd yn camgymryd mewn gwirionedd. Gan fod y llawysgrifau achau yn unfryd mai Siân (Jane/Joan) oedd enw'r ferch i Lyndŵr a briododd yr Arglwydd Grey, mae'n rhaid gofyn pa mor sicr mewn gwirionedd yw'r traddodiad mai Catrin oedd enw'r ferch a briododd Edmund Mortimer? Sut bynnag, gan i wraig Mortimer gael ei charcharu yn 1409 ar ôl cwymp castell Harlech a marw yn 1413 yn Nhŵr Llundain tra oedd ei thad eto'n fyw, ni fu'n ymwneud ag Owain yn ystod ei flynyddoedd olaf.[10]

Rhaid inni droi felly i ystyried merched cyfreithlon eraill Owain, merched a briododd bob un ohonynt ag uchelwyr o Swydd Henffordd (ac ni ddylem anghofio mai gŵr o Swydd Henffordd oedd Syr Edmund Mortimer yntau). Mae'r cymysgu gwaed hwn â theuluoedd o'r gororau yn ffaith ddiddorol ynddi ei hun, a hynny o fwy nag un safbwynt. Yn sgil ei gefndir teuluol a'i gysylltiadau cymdeithasol, fe all y byddai Owain yr un mor gyfforddus ymhlith uchelwyr Eingl-Normanaidd y Mers ag yr oedd ymhlith cydnabod a oedd yn Gymry o waed coch cyfan: Elizabeth Lestrange o'r Cnwcin (Knockin) yn Sir Amwythig oedd ei nain a Marged Hanmer o Faelor Saesneg oedd ei wraig; yn ŵr ifanc fe all ei fod wedi treulio cyfnod yn llys Iarll Arundel, ei gymydog pwerus yn arglwyddiaeth y Waun, ac fe fu wedyn yn gydymaith i nifer o ysgwieriaid y gororau ym myddinoedd Lloegr. O gofio hefyd fod un o Ddeddfau Penyd Harri IV yn 1402 wedi gwahardd Saeson a briodasai â merched o Gymry rhag dal swyddi yng Nghymru ac arglwyddiaethau'r Mers, mae'n ddiddorol ei bod yn debygol fod rhai o briodasau merched Owain â gwŷr o Swydd Henffordd wedi digwydd yn ystod y gwrthryfel.[11]

O'r teuluoedd uchelwrol presennol yn Swydd Henffordd y priododd merch i Lyndŵr un o'u hynafiaid, nid oes gan yr un well hawl na'r Croftiaid i honni eu bod yn ddisgynyddion uniongyrchol i Owain. Fe allwn fod yn bur sicr fod merch i Owain o'r enw Sioned – mae Jonet, Jonett a Jennetta yn digwydd fel ffurfiau Saesneg yr enw – wedi priodi Syr John (de) Croft o Croft Castle ger Mortimer's Cross yng ngogledd Swydd Henffordd, gŵr y mae'n bosib i Owain ddod i'w adnabod pan oedd y ddau ohonynt yn gyd-aelodau o fyddin Lloegr a oresgynnodd yr Alban yn 1385. Y mae 16 o lawysgrifau achyddol a welais i – a thraddodiad teuluol y Croftiaid – yn gytûn o ran cofnodi'r briodas ac o ran cofnodi enw merch Owain fel Sioned. Ond nid yw pethau lawn mor syml â hynny ychwaith! Llawysgrif sy'n frawychus o gymysglyd ynghylch y mater hwn yw Peniarth 128, a ysgrifennwyd gan Edward ap Roger o Riwabon (m. 1587), lle cyfeirir sawl tro ar dudalennau gwahanol at briodas rhwng merch o linach Glyndŵr a Syr John Croft. Mae Edward ap Roger yn ei galw'n Sioned a hefyd yn Forfydd, yn ei gwneud yn fodryb, chwaer ei dad, i Owain (yn ferch i Ruffudd o'r Rhuddallt) a hefyd yn chwaer i Owain (yn ferch i Ruffudd Fychan ap Gruffudd o'r Rhuddallt). Yn y diwedd mae'n penderfynu 'Sioned oedd hi ferch Gr or Ruddallt ap Mad Fychan', gan ei gwneud unwaith eto yn chwaer i'w dad! Mae un o lawysgrifau'r bardd a'r achydd Gruffudd Hiraethog (Peniarth 177) hefyd yn cytuno mai Sioned, chwaer i dad Glyndŵr, oedd gwraig Syr John, tra noda Harley 2141, un o lawysgrifau'r Llyfrgell Brydeinig a ysgrifennwyd gan yr herodr Randle Holme III (1627–1700), fod 'one of the Crofts' wedi priodi 'Johan', chwaer i Lyndŵr. Mae Peniarth 287, llawysgrif achyddol bwysig gan Robert Vaughan o'r Hengwrt, a thair llawysgrif arall, yn ogystal â chyfeirio at briodas rhwng Sioned a Syr John Croft, hefyd yn cyfeirio at briodas rhwng Syr Richard Croft a Morfydd, chwaer Owain. Mae'n drawiadol na cheir sôn yn achau'r Croftiaid am unrhyw Richard Croft a oedd yn perthyn i genhedlaeth hŷn na chenhedlaeth Syr John Croft. Ac er bod y llyfrau achau yn rhestru chwaer i Lyndŵr o'r enw Morfydd, fe nodir ei gŵr fel rheol fel Dafydd ab Ednyfed Gam o deulu'r Pengwern, Llangollen. Nid yw'n gwbl amhosib fod merch o'r llinach, boed yn chwaer neu'n fodryb i Owain – na wyddom amdani – wedi priodi rhyw Syr Richard Croft, ac nad priodas merch i Lyndŵr â Syr John Croft oedd yr unig enghraifft o gymysgu gwaed rhwng y ddau deulu. Ond fe all hefyd mai camgymeriad a dryswch oedd troi'r ferch a briododd un o'r Croftiaid yn chwaer neu'n fodryb i Lyndŵr. Sut bynnag, mae baich y dystiolaeth lawysgrifol yn gryf o blaid credu mai merch i Lyndŵr o'r enw Sioned a briododd Syr John Croft.[12]

Mae traddodiad cryf fod un o ferched Glyndŵr wedi priodi gŵr o'r enw Syr Richard Mon(n)ington – mae sillafiad yr enw'n anghyson – aelod o un arall o deuluoedd uchelwrol Swydd Henffordd. Darn o dystiolaeth bwysig sy'n ategu'r traddodiad yw cyfeiriad un o herodron y Coleg Arfau yn 1531 at gosbi'r teulu Monington am eu cysylltiad â Glyndŵr trwy warafun iddynt yr hawl i arddel pais arfau. Ond ni ellir gwybod i sicrwydd beth oedd enw'r ferch i Owain a briododd Syr Richard. Yn un llawysgrif, Llyfr Baglan (Caerdydd 2.278), a ysgrifennwyd yn ystod degawd cyntaf yr ail ganrif ar bymtheg, fe'i gelwir yn 'Ane', ond nid yw'r llawysgrif hon yn ddibynadwy bob amser a hi yw'r unig un, hyd y gwn i, sy'n rhoi'r enw hwn. Mewn achau sydd ynghlwm wrth y cofiant i Lyndŵr a luniwyd yn yr ail ganrif ar bymtheg gan Robert Vaughan a/neu Thomas Ellis ac y ceir copi ohono yn llawysgrif LlGC 14587B fe restrir ymhlith merched Owain 'Marg. w. [sef 'wife'] of Monington of Herefordsh': dyma'r enghraifft gynharaf a welais i o nodi enw Marged yn y cyswllt hwn. Yn 1778 fe gyhoeddodd Thomas Pennant hanes Owain Glyndŵr yn ei *A Tour in Wales*, wedi ei seilio'n rhannol ar gofiant Vaughan/Ellis; fe honnodd Pennant am Lyndŵr 'His youngest daughter, *Margaret*, was married to *Roger Monnington* of *Monnington,* in the county of *Hereford*.' Yn llawysgrif achyddol Robert Vaughan, Peniarth 287, fe restrir Marged ymhlith merched Glyndŵr heb nodi enw ei gŵr. Ond yn ystod chwarter olaf y ddeunawfed ganrif fe ychwanegodd Evan Herbert, hynafiaethydd o gylch Dolgellau, nodyn at lawysgrif Vaughan yn enwi ei gŵr yn Roger Monnington. Mae'n sicr mai yng nghyfrol Pennant y cafodd Herbert ei wybodaeth, fel y dengys ei waith yn enwi gŵr merch Glyndŵr yn Roger Monnington (yn hytrach nag yn Richard Monnington), camgymeriad a welir gyntaf yng ngwaith Pennant. O ran yr ardal y cysylltir Richard Mon(n)ington â hi, rhaid nodi bod rhai ffynonellau yn cymysgu rhwng y cyfenw Mon(n)ington â lleoedd o'r enw Monnington, sef Monnington-on-Wye neu

Monnington Straddle, ac yn ei gamleoli yno, tra bod eraill yn ei gamgysylltu â'r gangen o'i deulu a drigai yn Sarnesfield, i'r gorllewin o Weblai (Weobley) nid nepell o'r ffin â Chymru. Mae gwell tystiolaeth o lawer o blaid ei gysylltu ag ardal Canon Pyon i'r gogledd-orllewin o ddinas Henffordd.[13]

Fe soniwyd eisoes am Sioned, merch Owain Glyndŵr, a briododd Syr John Croft. Er gwaethaf yr enghreifftiau a nodwyd o alw gwraig Syr Richard Monington yn Ann neu'n Farged, mae mwy o ffynonellau – fe ganfûm i bum llawysgrif i gyd – yn ei galw'n Sioned, gan nodi ei bod yn weddw Syr John Croft (mae dwy o'r llawysgrifau hyn, Harley 1969 a Harley 1975, yn nodi ymhellach iddi briodi deirgwaith, gan gymryd gŵr o'r enw Syr John Upton yn drydydd gŵr). Y ffynhonnell hynaf sy'n enwi Sioned yn y cyswllt hwn yw llawysgrif 20898E yn y Llyfrgell Genedlaethol, a luniwyd rhwng tua 1590 a thua 1604 gan Edward Pilstwn o Drefalun, sy'n nodi 'Jonet maried to John croft Lo of croft & aftr to Sr monington knight of Sarnffield'. Nid yw'r holl fanylion achyddol yn llawysgrif Pilstwn yn gywir: mae'n camgymryd drwy gysylltu gŵr Sioned â'r gangen o'r teulu Monington a oedd yn byw yn Sarnesfield yng ngorllewin Swydd Henffordd (ac mae'n ailadrodd y camgymeriad cyffredin fod un o ferched Glyndŵr wedi priodi'r Arglwydd Grey). Eto, ni thâl inni anwybyddu ei dystiolaeth: yr oedd Pilstwn yn ddisgynnydd i Lowri, chwaer Owain Glyndŵr, ac efallai ei fod yn cofnodi traddodiad teuluol wrth nodi bod Sioned yn ei gweddwdod wedi priodi aelod o'r teulu Monington. Ni allwn wybod i sicrwydd pryd yn union y bu farw ei gŵr Syr John Croft, ond yr oedd yn sicr yn fyw yn 1410. Gan iddo ymladd yn yr Alban yn 1385 yr un pryd â Glyndŵr, mae'n debyg ei fod o'r un genhedlaeth â'i dad-yng-nghyfraith a bod ei wraig felly gryn dipyn yn iau nag ef ac yn debyg o fod mewn oedran i ailbriodi ar ôl ei farw. O gofio hyn, a bod mwy o'r llawysgrifau achau yn galw gwraig Syr Richard Monington yn Sioned yn hytrach nag yn Ann neu'n Farged, ac o gofio perthynas waed Edward Pilstwn â llinach Glyndŵr, fy nhuedd fyddai derbyn mai Sioned oedd y ferch i Lyndŵr a briododd Syr Richard Monington ac iddi wneud hynny ar ôl marw ei gŵr cyntaf.[14]

O blith priodasau merched Glyndŵr ag uchelwyr o Swydd Henffordd, priodas un ohonynt â Syr John Skydmore o Gwrt Llan-gain (Kentchurch Court) yn Ergyng – a hefyd o La Verne yn Bodenham ger Llanllieni – sydd fwyaf hysbys. (Yn y gyfrol hon defnyddir y ffurf 'Skydmore' ar y cyfenw, yn hytrach na'r ffurf 'Scudamore', na ddaethpwyd i'w ddefnyddio'n gyson gan y gangen hon o'r teulu tan yr unfed ganrif ar bymtheg.) O droi at y llawysgrifau achyddol fe welir mai Elisabeth (yn ei ffurf Saesneg *Elizabeth*) yw'r enw a roir i wraig Syr John yn y mwyafrif mawr ohonynt: dyna'r enw a welais i mewn 17 o lawysgrifau. Ond mewn nifer llawer llai o lawysgrifau – rhyw bedair yn unig o'r rhai a welais i – fe'i gelwir yn Alys (*Alice*), tra ceir y ddau enw, Alys ac Elisabeth, mewn tair llawysgrif. Yn annisgwyl braidd, fe gofnododd Robert Vaughan o'r Hengwrt ei henw fel Lleucu yn ogystal ag Elisabeth. Mae'r dryswch a'r amrywio hwn yn dangos pa mor gamarweiniol y gall y llawysgrifau achau fod, oherwydd mae'n sicr mai Alys oedd enw gwraig Syr John mewn gwirionedd. Fe ddangosir hynny'n ddigamsyniol gan gofnodion Senedd Lloegr o gyfnod ymhell wedi'r gwrthryfel, pan oedd Harri VI bellach yn teyrnasu. Oherwydd iddo godi mewn gwrthryfel, yr oedd Owain wedi cael ei amddifadu o'i holl diroedd; yn fuan wedi dechrau'r gwrthryfel yn 1400, fe'u rhoddwyd gan Harri IV i'w hanner brawd, John Beaufort, iarll Somerset. Ddechrau'r 1430au, pan oedd y trydydd iarll Somerset – perchennog y tiroedd erbyn hynny – yn garcharor rhyfel yn Ffrainc, fe welodd Syr John Skydmore ei gyfle a dechrau proses gyfreithiol i hawlio hen diroedd Owain yng Nglyndyfrdwy a Chynllaith Owain yn ôl ar sail y ffaith mai ei wraig oedd etifedd Glyndŵr. Fe wrthwynebwyd y cais yn gryf gan deulu Somerset, ac mae cofnodion y Senedd sy'n ymwneud â'r helynt yn cyfeirio'n ddiamwys sawl tro at wraig Syr John fel Alys (megis 'Johan Skydemore chivaler, et Alice sa femme'). Ond colli'r dydd yn drychinebus a wnaeth Syr John ac Alys; methasant adfeddiannu tiroedd Owain, ac ar ben hynny fe ddiswyddwyd Syr John – gŵr a ddaliai lawer o swyddi cyhoeddus, nifer ohonynt yn nhywysogaeth de Cymru – o bob un o'i swyddi Cymreig ar ôl i frawd Somerset dynnu sylw at un o Ddeddfau Penyd 1402 a bennai na châi unrhyw berthynas neu gefnogwr i Lyndŵr ddal swydd gyhoeddus yng Nghymru. Fe ddisgrifiwyd Alys yn un o'r dogfennau swyddogol yn ymwneud â'r helynt fel 'merch ac etifedd Owen ap [*sic*] Glendourdy y bradwr'; yr oedd cof hir a milain yn Lloegr am y Cymro a ddechreuodd ei wrthryfel yn erbyn y drefn Seisnig yng Nghymru dros ddeng mlynedd ar hugain ynghynt.[15]

Mae mwy i'w ddweud am ŵr Alys ac am eu priodas. Yn ystod gwrthryfel Glyndŵr fe fu Syr John Skydmore yn amlwg iawn yng ngwasanaeth y Goron yng Nghymru, yn arbennig yn Sir Gaerfyrddin: yn 1402–3 ef oedd cwnstabl castell Carreg Cennen. Yng Ngorffennaf 1403 fe oresgynnodd Owain a'i luoedd Sir Gaerfyrddin. A'i gastell dan fygythiad difrifol gan luoedd Owain, fe ysgrifennodd Skydmore lythyr at swyddog Seisnig yn Aberhonddu yn adrodd fel y bu iddo gyfarfod Owain yng nghastell Dryslwyn i geisio trefnu saffcwndid (*safe conduct*) ar gyfer ei wraig a'i mam fel y gallent adael Carreg Cennen yn ddiogel. Mae'n adrodd bod Owain wedi gwrthod y cais, gan fynd rhagddo yn ei lythyr i annog dial y brenin ar y 'false traytours', fel y disgrifiai'r Cymry. Fe all, wrth gwrs, fod Skydmore yn chwarae gêm fwriadol dwyllodrus. Yn ôl tystiolaeth fanwl lleidr gwartheg o'r enw John Oke a ddaliwyd yn Swydd Lincoln yn 1405, fe fu Skydmore yn gweithredu yn y dirgel fel math o drysorydd i Owain, gan drosglwyddo arian iddo oddi wrth wŷr eglwysig yn Lloegr a'i cefnogai. Mae'n anodd gwybod faint o goel i'w roi ar hyn, ond cofier i frawd Syr John, Philpod Skydmore, gael ei ddienyddio yn 1411 fel un o gefnogwyr amlwg Owain. Ond, a bwrw bod Syr John yn dweud y gwir yn ei lythyr, yr oedd gwrthodiad Glyndŵr i warantu diogelwch y merched yn syfrdanol os Alys, ei ferch ei hun, a'i mam, Marged Hanmer, ei wraig ei hun, oeddynt! Fe all fod yr esboniad yn syml. Fe ddadleuodd achydd Americanaidd o'r enw Warren Skidmore (1926–2013), a dreuliodd flynyddoedd lawer yn ymchwilio i achau'r Sgidmoriaid, mai ail wraig oedd Alys i Syr John ac mai merch i uchelwr o Swydd Henffordd o'r enw Syr Thomas Brut oedd ei wraig gyntaf; byddai hyn yn esbonio gwrthodiad Glyndŵr i roi saffcwndid i wraig a mam-yng-nghyfraith Syr John yn 1403. Tystiolaeth anuniongyrchol – ond go awgrymog, er hynny – a nododd Warren Skidmore, ond fe geir tystiolaeth fwy cadarn fod Syr John wedi priodi ddwywaith yn llawysgrif achyddol Harley 1140 a ysgrifennwyd gan yr herodr William Penson (m. 1637). Fe gofnododd ef enw gwraig Syr John Skydmore fel Margaret, merch Syr Thomas Brut, ond mewn ôl-nodyn ar ymyl y ddalen mewn ysgrifen lai fe ychwanegodd enw Elisabeth, merch Owain Glyndŵr – hynny yw, fe gofnododd enwau dwy wraig i Skydmore. Ni wyddom pryd y priododd Syr John Alys – dyfaliadau di-sail yw'r dyddiadau pendant a gynigiwyd o bryd i'w gilydd – ond fe geir tystiolaeth bosib mewn un ddogfen ei fod ef ac Alys yn briod erbyn 1412. Os derbynnir hyn – ac os derbynnir nad Alys oedd y wraig a oedd gyda Skydmore yng Ngharreg Cennen yn 1403 – mae'n rhaid ei fod wedi ei phriodi yn ystod y gwrthryfel (gan ledawgrymu unwaith eto amwysedd ei deyrngarwch gwleidyddol). Yr oedd mab i Syr John – yntau'n John hefyd – yn ddigon hen i fod yn ymladd yn Ffrainc yn 1429/30 a bu fyw hyd 1475. Yn arwyddocaol efallai, fe'i disgrifiwyd mewn dogfen yn 1431 fel perthynas ac etifedd i Syr Thomas Brut ac fel ysgutor gwraig Brut, awgrym efallai nad mab i Alys ond i Margaret Brut, gwraig gyntaf Syr John, ydoedd. Er bod cenedlaethau diweddar Sgidmoriaid Cwrt Llan-gain yn ymfalchïo'n gyfiawn yng nghysylltiad eu llinach ag Owain Glyndŵr, rhaid amau mai disgyn o briodas gyntaf Syr John y maent mewn gwirionedd yn hytrach nag o'i briodas ag Alys, merch Owain.[16]

Yn ogystal â'r merched a drafodwyd hyd yma, yr oedd gan Owain hefyd ferched anghyfreithlon. (O ran ei blanta dilyffethair, nid oedd Owain yn wahanol i lawer o uchelwyr y cyfnod.) Mae'r llyfrau achau yn gytûn mai un o'i ferched anghyfreithlon oedd Myfanwy, a briododd ŵr o'r enw Llywelyn ab Adda ap Dafydd o Gamhelig ym mhlwyf Llansilin. Mae

Thomas Wiliems o Drefriw yn cofnodi bod merch ddienw i Owain wedi priodi Meredydd ap Llywelyn ap Tudur Llwyd; tebyg mai'r un oedd hon â'r ferch ddienw anghyfreithlon y dywed 'Hanes Owain Glyndŵr' iddi briodi'r 'heire of Gwernen/ Gwernan'. Dyna'r cyfan a wyddom am y merched hyn. Ond yr oedd merch anghyfreithlon arall i Owain sy'n ffigur llawer llai rhithiol, ac sy'n haeddu sylw o safbwynt pwnc y gyfrol hon. Unwaith eto, mae tystiolaeth y llyfrau achau yn ddryslyd. Fe'i gelwir yn Farged (Margaret) gan nifer o achyddwyr yr ail ganrif ar bymtheg, ond yn Gwenllian gan eraill. Mae'n sicr mai Gwenllian sy'n gywir gan i dri o feirdd y bymthegfed ganrif – Llawdden, Lewys Glyn Cothi a Ieuan Gyfannedd – ganu iddi hi a'i gŵr, Phylib ap Rhys o Genarth ym mhlwyf Saint Harmon yn Sir Faesyfed: fe'i gelwir yn Wenllian yn ddieithriad gan y beirdd. Er na wyddom enw mam Gwenllian, fe wyddom bellach ei bod yn ferch i Ieuan ap Maredudd o Geulan ger Tal-y-bont ym mhlwyf Llanfihangel Genau'r-Glyn yng Ngheredigion. Yr oedd cysylltiadau achyddol Gwenllian o du ei mam yn ddiddorol: ei nain, mam ei mam, oedd Mallt ferch Aron, y dywed llên gwerin i'w brawd Ednyfed ab Aron, gŵr o Langelynnin yn Sir Feirionnydd, lochesu a bwydo Owain Glyndŵr mewn ogof ar lan y môr yno. Fe fu i ŵr Gwenllian, Phylib ap Rhys, yntau ran yn y gwrthryfel neu yn nherfysg y blynyddoedd a'i dilynodd: fe ganodd y bardd Llawdden iddo pan oedd ar herw yn Arwystli gan ei gymharu o ran ei herwriaeth â'i dad-yng-nghyfraith enwog, ac yn ddiweddarach, pan oedd Phylib yn byw'n heddychlon yng Nghenarth, mae'r un bardd yn cofio fel y bu'n gyfarwydd gynt â 'hafog [= dinistr] a thir rhyfel'. (Pan ganodd Lewys Glyn Cothi gywydd gofyn i Phylib dros Siancyn y Glyn, plentyn anghyfreithlon arall i Owain, mae'n debyg, fe all ei bod yn arwyddocaol mai gofyn am rodd o gleddyf a bwcled – math o darian fechan – a wnaeth!) Yn eu canu i Wenllian a'i gŵr fe ymhyfrydai'r beirdd yn agored ym mherthynas waed Gwenllian â Glyndŵr: 'merch o'r Glyn' ydoedd yn ôl Ieuan Gyfannedd; 'merch glaer, hil Marchog y Glyn' a 'hyloywawr [= merch ddisglair] o hil Owain' ydoedd yn ôl Llawdden, ac fe'i cyfarchwyd ddwywaith gan Lewys Glyn Cothi fel merch 'Owain hen' a'i gŵr fel 'Mab yng nghyfraith ... i'r Hen Gwyn'. Pan fu farw dau o feibion Gwenllian a Phylib fe ganodd Lewys Glyn Cothi gywydd marwnad iddynt a darlunio dau lew rampant Glyndŵr ar arfbais y tynnodd lun ohoni uwchben ei gopi o'r gerdd yn llawysgrif Peniarth 109. Pan fu farw Gwenllian ei hunan fe ganodd Lewys gywydd marwnad cynnes iddi: mae'n crybwyll yr enwau trwmlwythog eu cysylltiadau, Sycharth a'r Rhuddallt (maenor Owain yng Nglyndyfrdwy gynt), yn cyfeirio ati fel 'lleuad Owain', yn dwyn ar gof ddyddiau bri Owain – 'a'i thad oedd d'wysog cadarn, / a holl Gymru fu'n ei farn' – cyn cloi ei gerdd drwy ei galw'n 'Luned wen o Lyndŵr'. Mae amlder cyfeiriadau o'r fath yn y canu iddi hi a Phylib yn dangos yn eglur fod Gwenllian yn ymwybodol iawn o'i thras ac yn ymfalchïo ynddo: hi, yng ngolwg y beirdd a enwyd, oedd etifeddes Glyndŵr; yr oedd yn ymgorfforiad gweladwy o'r cof amdano, ac yn ddolen fyw rhwng eu cenhedlaeth hwy a blynyddoedd cyffrous y gwrthryfel.[17]

3

'Hanes Owain Glyndŵr'

YR OEDD YN anorfod y byddai hanes digwyddiad mor drawiadol a phwysig â gwrthryfel Glyndŵr yn denu sylw croniclwyr a haneswyr mewn oesoedd diweddarach. Rywdro cyn canol y bymthegfed ganrif fe luniodd rhyw awdur dienw gronicl Cymraeg byr yn adrodd hanes y gwrthryfel, cronicl y cadwyd y copi cynharaf ohono yn llawysgrif Peniarth 135 a ysgrifennwyd gan y bardd Gruffudd Hiraethog (m. 1564). Mae'r cronicl hwn yn bwysig fel y gwaith Cymreig cyntaf i ganolbwyntio ar adrodd hynt y gwrthryfel, ac fe gyhoeddwyd testun ohono gan Syr J. E. Lloyd yn ei gyfrol *Owen Glendower/Owen Glyn Dŵr* (1931). Ymgais gynnar arall i lunio hanes Glyndŵr oedd y gwaith Cymraeg y dywedir i feddyg o Fiwmares o'r enw Dafydd Bulkley (David Bulkeley) ei lunio yn 1520, ond diflannodd y gwaith hwn, er iddo adael peth o'i ôl ar *Hanes Owain Glandwr*, pamffledyn a gyhoeddodd William Owen ('William Owen y Pab') – brodor o Fiwmares – yn 1833.[18]

Pwysicach o safbwynt pwnc y gyfrol hon, fodd bynnag, yw'r cofiant i Lyndŵr a luniwyd yn yr ail ganrif ar bymtheg ac y rhoddwyd iddo'r teitlau 'History of Owen Glendower/Glyndwr' a 'Memoirs of Owen Glendowr/Glendwr'. (Mae sillafiad y teitl yn amrywio, ac er hwylustod fe gyfeirir at y gwaith o hyn ymlaen fel 'History of Owen Glendower' neu 'Hanes Owain Glyndŵr'.) Fe gadwyd y testun cynharaf ohono yn llawysgrif 14587B yn y Llyfrgell Genedlaethol, llawysgrif o ddiwedd yr ail ganrif ar bymtheg a fu unwaith yn eiddo i'r Esgob Humphrey Humphreys (1648–1712) ac a ddarganfuwyd maes o law, yn ffodus, yng Nghaergybi yn 1943 yn sgil ymgyrch i gasglu papur gwastraff yn ystod yr Ail Ryfel Byd. Fe gadwyd copïau eraill ohono gan Evan Evans, 'Ieuan Brydydd Hir' (1731–88), yn llawysgrif Panton 53, a chan gopïydd dienw ychydig yn ddiweddarach mewn llawysgrif yn Llyfrgell Dinas Caerdydd (Caerdydd 2.71) lle y'i gelwir yn *Memoirs of Owen Glendwr*. Fe ddywed Evan Evans iddo gopïo'i destun o lawysgrif a oedd yn perthyn i'r Esgob Humphrey Humphreys, ond nid yw'r testun, er ei debyced, yn cyfateb yn hollol i'r testun yn LlGC 14587B: mae'n fwy na thebyg fod gan Humphreys fwy nag un copi o'r gwaith. Mae copïydd Caerdydd 2.71 yn honni iddo gopïo'i destun o lawysgrif a fu'n eiddo i William Maurice, yr hynafiaethydd o Gefn-y-braich, Llansilin, y llosgwyd y rhan fwyaf o'i lawysgrifau mewn tân ym mhlasty Wynnstay yn 1858. Yn ôl y gyfrol *A History of the Island of Anglesey* (1775), lle cynhwyswyd *Memoirs of Owen Glendowr* fel atodiad – y copi argraffedig cyntaf o'r gwaith – yr oedd copi ohono unwaith hefyd yn llyfrgell Coleg Iesu, Rhydychen. Cyn hyn fe welsai'r hanesydd o Sais Thomas Carte destun o'r gwaith ymhlith llawysgrifau Humphrey Humphreys a chyfeirio ato yn *A General History of England* (1750). Fe welodd Thomas Pennant yntau ryw gopi o'r gwaith a'i ddefnyddio fel un o'i ffynonellau niferus ar gyfer yr adran helaeth ar Owain Glyndŵr a gynhwysodd yn *A Tour in Wales* (1778), yr ymdriniaeth fwyaf cynhwysfawr a dylanwadol â hanes Glyndŵr cyn yr ugeinfed ganrif. Er mai bychan oedd cyfraniad y gwaith i ymdriniaeth fanwl Pennant, mae geiriad ei waith ef o bryd i'w gilydd yn dangos yn ddigamsyniol ddylanwad y gwaith cynharach arno, ac fe ddengys rhai manion nad y testun a gyhoeddwyd yn *A History of the Island of Anglesey* yn 1775 oedd yr un a welodd.[19]

Problem ddyrys nad oes dim datrys terfynol arni – er gwaethaf rhai honiadau gorbendant a wnaed o bryd i'w gilydd – yw awduraeth yr 'History'. Fe gafodd y gwaith ei gysylltu â dau hynafiaethydd, sef yr enwog Robert Vaughan o'r Hengwrt (1592?–1667) a'i gyfaill Dr Thomas Ellis (1625–73), is-brifathro Coleg Iesu, Rhydychen a benodwyd yn rheithor Dolgellau yn 1666. Yr oedd Robert Vaughan yn hynafiaethydd digymar ei fri, ond fe ddisgrifiwyd Ellis yntau fel 'a person of great abilities and learning'. Mae nodyn gan Humphrey Humphreys y tu mewn i glawr LlGC 14587B yn cysylltu'r gwaith â Thomas Ellis, fel y gwna Thomas Carte yn *A General History of England* a'r testun a argraffwyd yn *A History of the Island of Anglesey,* ond er i Evan Evans godi ei destun o lawysgrif a fu'n eiddo i Humphrey Humphreys, fe gyfeiriodd ef at y testun a gynhwysodd yn Panton 53 fel 'The History of Ywein Glyn Dwr supposed to be compiled by Mr Robert Vaughan'. Yn yr ugeinfed ganrif fe drafodwyd awduraeth y gwaith gan yr ysgolheigion Syr J. E. Lloyd, Dr E. D. Jones a'r Athro Seymour Phillips. Dadleuodd Lloyd a Phillips mai gwaith Robert Vaughan ydoedd, ac mai copïydd neu olygydd yn unig oedd Thomas Ellis. Rhoesant hwy bwyslais ar sylw gan Edward Lhuyd wrth drafod hanes Dafydd Gam ac Owain Glyndŵr yn argraffiad 1695 o *Britannia* William Camden, lle mae'n cyfeirio at ei ffynhonnell fel 'some notes of the learned and judicious Antiquary Robert Vaughan of Hengwrt Esq'. Ond ni wyddent am lawysgrif LlGC 14587B – y testun cynharaf o'r 'History', lle cysyllta Humphrey Humphreys y gwaith â Thomas Ellis – nac am drafodaeth Dr E. D. Jones ar destun y llawysgrif honno, lle tueddir i ffafrio awduraeth Ellis, gan gydnabod yr un pryd y gall ei fod wedi derbyn peth o'i ddeunydd gan Vaughan. Ni wyddent ychwaith am gatalog o'r llawysgrifau yn llyfrgell Humphrey Humphreys a luniodd Edward Lhuyd yn 1696 sy'n cyfeirio at lawysgrif a oedd yn cynnwys 'The warres of Owen Glyndwr, together with some other collections, by Mr. Thomas Ellis', cofnod sy'n haeddu ei ystyried lawn cymaint â'i sylw yn *Britannia* 1695 ynghylch nodiadau Robert Vaughan ar Lyndŵr. Rhwng popeth, er bod

Vaughan yn fwy adnabyddus nag Ellis ac y gellid yn hawdd gredu mai ef oedd awdur y gwaith, ni ellir ychwaith warafun y posibilrwydd fod i Ellis o leiaf ryw ran ynddo ac y gallai'r testun fod i ryw raddau yn ffrwyth cydweithio rhwng y ddau gyfaill.[20]

Tasg nad aeth neb i'r afael â hi eto yw dadansoddi'n fanwl yr hanes a adroddir yn yr 'History' o ran ceisio olrhain ac adnabod ei ffynonellau. Ond mae'n eglur fod yr awdur yn gyfarwydd â'r cronicl Cymraeg a gadwyd yn Peniarth 135, llawysgrif y bu Robert Vaughan yn berchennog arni, ac mae'n cyfeirio hefyd at waith y croniclydd Seisnig Thomas Walsingham ac at argraffiad 1520 o gyfrol hanes gan William Caxton. Ond yn ogystal â ffynonellau ysgrifenedig a phrintiedig fel y rhain, mae'n amlwg i'r gwaith dynnu ambell dro ar draddodiadau llafar ynghylch Glyndŵr a oedd yn cylchredeg pan luniwyd ef yn yr ail ganrif ar bymtheg. Hanesyn o'r fath yw'r stori am ymwneud Owain â Hywel Sele – hanes y gallasai Vaughan neu Ellis fod wedi ei glywed yn ardal Dolgellau – ac mae'n fwy na thebyg fod cysgod y traddodiad llafar hefyd ar y deunydd yn y gwaith sy'n ymwneud â dyddiau olaf Glyndŵr.[21]

4

Marwolaeth Owain Glyndŵr[22]

AR ÔL Y sôn am ddal Dafydd Gam yn 1412, y mae Owain Glyndŵr yn cilio o'r cofnod hanesyddol, ac er mor fylchog yw hwnnw mae'n anodd credu ei fod wedi cymryd rhan filwrol weithredol o bwys wedi hynny. Yr oedd yn dal yn fyw yn Chwefror 1413 pan dalodd yr awdurdodau yn Llundain arian i ysbïwr o Gymro am wybodaeth amdano. Ond bellach gellir tybio mai ffoadur pur druenus ei stad ydoedd, yn byw o'r llaw i'r genau mewn ansicrwydd parhaus, gan symud o loches i loches ar drugaredd cefnogwyr a cheraint. Mewn amgylchiadau o'r fath, yn ogystal â chryn dipyn o lwc, fe fyddai angen ymarfer cyfrwystra i ddianc rhag swyddogion a lluoedd y Goron. Pa mor hanesyddol ddilys ydyw ai peidio, mae'n ddiddorol bod Elis Gruffudd, y milwr o Galais, yn ei gronicl a luniwyd tua chanol yr unfed ganrif ar bymtheg, yn cyfeirio at ystryw honedig o'r eiddo Owain a'i ganlynwyr er mwyn hyrwyddo'i 'ddiflaniad', sef angladd ffug yn eglwys Llanrhaeadr-ym-Mochnant:

> ac i diualannodd ef yn ddisdaw o blith i bobyl drwy ordeinio i serttein o wyr o'i gyurinach gymerud korf [= corff] gwr a viasai varw y nosol hono a dywedud mae i gorf ef ydoed hwnnw hrag ovyn i neb i geishio ef o'r ddydd hwnw allan. Yr hyn a wnaeth i wassnaethwyr ef drwy gladdv y korf hwn o'r ttu dehau i Eglwys Lanhrayadyr y Mochnant.

Mewn ffynhonnell ddiweddar, *Hanes Owain Glandwr,* a gyhoeddodd William Owen ('William Owen y Pab') yn 1833, fe geir hanes unigryw am Owain. O dan y flwyddyn 1415 mae'n sôn am Owain yn ei enbydrwydd yn cuddio gydag ychydig filwyr ym mynyddoedd Eryri:

> a'r un amser yr oedd y wlad yn llawn o filwyr Lloegr, ar hyny Owain a welodd fod ei fywyd mewn perygl mawr ym mysg y Cymry gystal a'r Saeson, tua diwedd yr Haf canodd ffarwel â'i filwyr, yn dra galarus efe a hwythau, gan ddywedyd wrthynt ei fod yn myned i Ffraingc am gynnorthwy, ond ni chlywyd byth son amdano ef: fel hyn y terfynodd yr enwog ryfelwr yn mysg y Cymry.

Mae gwaith William Owen yn anodd ei gloriannu. Nododd Syr J. E. Lloyd ei wendidau amlwg, sef anwybodaeth yr awdur a'i ddibyniaeth ail-law drom ar waith Thomas Pennant. Ond nododd hefyd fod yn y gwaith rai pethau na cheir mohonynt yn unman arall ac y mae'n annhebyg i ŵr o alluoedd Owen eu dychmygu. Tybiodd Lloyd y gall fod peth o ddeunydd Owen yn deillio o hanes coll am Lyndŵr a luniodd David Bulkeley, meddyg o Fiwmares, yn 1520, ond gwaith yw hwnnw na ellir barnu yn ei gylch gan iddo ddiflannu. Ai hanes dilys yw'r sôn am Lyndŵr yn mynegi bwriad i fynd i Ffrainc, ynteu llên gwerin na chafodd ei gofnodi fel arall, ni ellir ond dyfalu.[23]

Yn enbydrwydd ei amgylchiadau ar ôl tua 1412, hawdd y gellir tybio mai dwysáu trueni Owain a wnâi'r ffaith ei fod bellach yn heneiddio. Yn ôl y cofnod sicraf ynghylch ei oed – ei dystiolaeth mewn perthynas ag achos herodrol Scrope a Grosvenor yn 1386 – yr oedd yn 'saith ar hugain oed neu fwy' (*del age xxvij anz et pluys*) yr adeg honno. Os derbynnir hyn, fe'i ganed yn 1359 neu ychydig cyn hynny, ond ni ellir llwyr ddiystyru ychwaith yr 'History of Owen Glendower' sy'n honni i Owain gael ei eni ar 'may 28. A.D. 1354, some say, 1349'. Dyfarnodd yr awdur canoloesol Bartholomaeus Sais (*c.* 1203–72) fod henaint (*senecta*) yn dechrau pan oedd gŵr tua phump a deugain neu hanner cant oed, ac fe awgrymwyd mai oddeutu hanner cant oedd y disgwyliad einioes cyffredin ym Mhrydain ar y pryd, os llwyddid i oroesi llencyndod. O gofio hyn oll, yr oedd Owain o leiaf ar drothwy henaint ym mlynyddoedd olaf ei wrthryfel. Nid rhyfedd efallai mai fel 'Owain Hen' y cyfeiriai rhai o'r beirdd ato yn ddiweddarach yn y bymthegfed ganrif.[24]

Pan esgynnodd Harri V i'r orsedd yn 1413, er gwaethaf y trafferthion ysbeidiol a achosid yma a thraw gan weddillion 'gwerin Owain', bychan, mewn gwirionedd, oedd y bygythiad milwrol i'r grym Seisnig yng Nghymru. Yr oedd bryd y brenin newydd ar sicrhau hawliau tybiedig coron Lloegr yn Ffrainc, ac yn Awst 1415 fe hwyliodd am Normandi gyda byddin nerthol, y ceid ymhlith ei niferoedd lawer o gyn-filwyr Owain yr addawyd pardynau iddynt yn dâl am eu gwasanaeth. Cam doeth o safbwynt y brenin oedd ceisio sicrhau a selio'r heddwch yng Nghymru pan oedd dramor. Dyna, yn sicr, yn hytrach nag unrhyw fawrfrydigrwydd ar ei ran, oedd bwriad ei weithred ar 5 Gorffennaf 1415, cyn hwylio am Ffrainc, yn awdurdodi Syr Gilbert Talbot, un o brif gynheiliaid y drefn Seisnig yng Nghymru a hen elyn i Owain, i drafod ag ef a gwrthryfelwyr eraill gyda golwg ar eu cael i'w derbyn i ufudd-dod y brenin. Ni wyddom a fu trafod rhwng Talbot ac Owain; sut bynnag, nid oes arwydd fod Owain wedi derbyn y cynnig hwn. Yn Chwefror 1416 fe awdurdodwyd Talbot gan y brenin drachefn i gysylltu â'r gwrthryfelwyr Cymreig i'r un perwyl. Y tro hwn, fodd bynnag, ni chyfeiriai'r cyfarwyddiadau a gafodd Talbot at Owain ond yn hytrach at ei fab, Maredudd. Yr oedd hyn yn arwyddocaol. Erbyn Chwefror 1416 y mae'n fwy na thebyg fod yr awdurdodau Seisnig yn tybio nad oedd Owain bellach ar gael i drafod gan iddynt glywed ei fod wedi marw. Fe geir sawl awgrym fod hynny wedi digwydd yn 1415.[25]

Y croniclydd cynharaf i gyfeirio at farwolaeth Owain oedd Adda o Frynbuga, ei gefnogwr ar un adeg. O dan bennawd y flwyddyn 1415 – ar ôl sôn am frwydr Agincourt a dychweliad buddugoliaethus Harri V o'i gyrch yn Ffrainc – fe geir ganddo gofnod tra diddorol sy'n sôn am gladdu Owain yn ddirgel ac am ailgladdu ei gorff wedyn i'w arbed rhag ei elynion:

> Moritur Owenus de Glyndor post quatuor annos quibus a facie regis et regni latitasset, et sub noctis tempestate per suos fautores sepilitur. Sed per suos emulos funere detecto, sepulture restituitur; sed ubi receptatus erat nesciri poterit.
>
> [Bu farw Owain Glyndŵr ar ôl pedair blynedd yn cuddio rhag wyneb y brenin a'r deyrnas, ac fe'i claddwyd liw nos gan ei ddilynwyr. Ond gan i'w fedd gael ei ganfod gan ei elynion, fe gafodd ei ailgladdu, ond nid oes modd gwybod ymhle y'i gosodwyd.]

Nid yw Adda yn cyfeirio at unrhyw ddyddiad penodol yn 1415, ond fe gyflenwir y diffyg gan ffynonellau eraill o'r bymthegfed ganrif. Yn y cronicl Cymraeg ynghylch y gwrthryfel a gadwyd yn llawysgrif Peniarth 135 ac y tybir iddo gael ei ysgrifennu cyn canol y ganrif fe geir datganiad sydd, er ei fod yn benodol o ran y dyddiad a nodir, sef Gŵyl Fathau yn y Cynhaeaf (21 Medi), eto'n ddiddorol amwys. Y mae'r awdur fel pe bai'n hwyrfrydig i gydnabod yn llwyr bod Owain wedi marw, gan awgrymu ei fod eisoes yn wrthrych gobeithion y daroganwyr:

> MCCCCxv ydd aeth Owain mewn difant y Gwyl Vathe yn y kynhayaf. O hynny allan ni wybwyd i ddifant. Rrann vawr a ddywaid i varw; y brvdwyr a ddywedant na bv.
>
> [Yn 1415 diflannodd Owain ar Ŵyl Fathau yn y Cynhaeaf. O hynny allan ni wybuwyd i ble y diflannodd. Dywed llawer iddo farw, ond dywed y daroganwyr na fu.]

Cyfeirio'n golygon at fis Medi 1415 hefyd a wna cofnod mewn Brut sy'n digwydd yn llaw'r bardd Gutun Owain (bl. tua 1451–98) yn un o lawysgrifau Coleg Iesu, Rhydychen. Yn y ffynhonnell hon fe ieuir yn symbolaidd ddau ddyddiad arwyddocaol yn hanes Owain, sef dyddiad ei ymosodiad ef a'i wŷr ar Ruthun ym Medi 1400 ar ddechrau'r gwrthryfel a dyddiad honedig ei farw bymtheng mlynedd yn ddiweddarach (prin fod arwyddocâd mawr i'r gwahaniaeth o ddiwrnod – noswyl Fathau yn hytrach na Gŵyl Fathau ei hunan – rhagor yr hyn a nodir gan groniclwr Peniarth 135):

> kanis nosswyl vathau nessaf at hyny [sef anghydfod Owain â Reginald Grey] y doeth Owain am benn tref Ruthun ai llo[s]gi a lladd kymaint a gavas o wyr ynthi. Ac o hyny hyt ymhen y XV mlynedd ir un nosswyl vathau ni bn heddwch gwastat ynghymry kanis yna y bu varw Owain.[26]

Pwysicach a mwy arwyddocaol na'r ffynonellau a nodwyd, fodd bynnag, yw tystiolaeth llawysgrif Peniarth 26 yn y Llyfrgell Genedlaethol. Fe'i ceir ar ddalen strae o femrwn a osodwyd yng nghanol llawysgrif y mae'r gweddill ohoni'n gasgliad o broffwydoliaethau a ysgrifennwyd ar ddalennau papur. Ar y ddalen femrwn fe geir casgliad o gofnodion hanesyddol byr a ysgrifennwyd gan yr un copïydd ar wahanol adegau yn y bymthegfed ganrif, efallai rhwng 1439 ac 1461. Mae rhai ohonynt yn cofnodi digwyddiadau hanesyddol ac eraill yn nodiadau sy'n cofnodi dyddiadau marw nifer o bobl o'r cyfnod. Fe ellir lleoli nifer o'r bobl a'r digwyddiadau y cyfeirir atynt yng ngororau gogledd-ddwyrain Cymru, yn fras y wlad o gwmpas Croesoswallt; da y disgrifiwyd y deunydd gan yr Athro Seymour Phillips fel math o gronicl teuluol o'r ardal honno. Yn ddiddorol iawn, ymhlith y dyddiadau marw a nodir y mae dyddiad marw Owain Glyndŵr:

> Obitus Owani Glyndwr die sancti Mathei apostoli anno domini millesimo CCCCXV.
>
> [Marwolaeth Owain Glyndwr ar ddydd Sant Mathew apostol ym mlwyddyn yr Arglwydd 1415.]

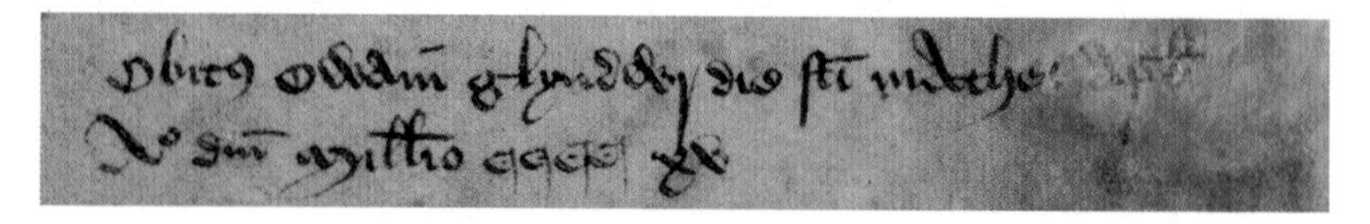

Cofnod dyddiad marw Owain Glyndŵr yn llsgr. Peniarth 26, t. 98

(Llun: Trwy garedigrwydd y prosiect digiDo, Llyfrgell Genedlaethol Cymru)

I werthfawrogi gwir arwyddocâd y cyfeiriad hwn rhaid ychwanegu at ymdriniaeth yr Athro Phillips a sylwi ar gysylltiadau teuluol rhai o'r bobl eraill y cofnodir dyddiadau eu marw yn Peniarth 26. Ymhlith y rhain y mae Ieuan ab Adda ap Iorwerth (m. 1448) o deulu'r Pengwern, Llangollen, Edward ap Dafydd (m. 1445) o Fryncunallt ym mhlwyf y Waun, a'i fab Robert Trefor (m. 1452). Yn arwyddocaol iawn, yr oedd Ieuan ab Adda ap Iorwerth yn nai i Owain, yn fab i'w chwaer Isabel. Gallai Edward ap Dafydd yntau arddel cysylltiad â thair o chwiorydd Owain: Morfydd, chwaer Owain, oedd ei fam wen, ail wraig ei dad; yr oedd yn gefnder i Adda ap Iorwerth, gŵr Isabel, a nith Owain, merch i Lowri Pilstwn, chwaer arall i Owain, oedd ei wraig a mam ei fab, Robert Trefor. Mae'r cysylltiadau hyn yn awgrymu'n gryf fod cofnodion Peniarth 26, gan gynnwys y cofnod ynghylch dyddiad marw Owain, yn gynnyrch rhywun a oedd yn adnabod neu'n perthyn i dylwythau'r Pengwern a Bryncunallt, tylwythau yr oedd iddynt gysylltiadau gwaed agos â llinach Owain. Fe ellir bod yn bur hyderus bod gwybodaeth ynghylch Owain a oedd yn deillio o gefndir o'r fath – a honno'n wybodaeth wedi ei chofnodi yn y bymthegfed ganrif – yn ddilys ac yn ddibynadwy.[27]

Er mai cyfeirio'n unig at flwyddyn marw Owain, heb nodi dyddiad penodol, a wna, y mae englyn y ceir llawer o gopïau ohono yn y llawysgrifau hefyd yn arwyddocaol. Mae'r copi cynharaf ohono yn digwydd mewn llawysgrif a ysgrifennwyd gan y dyneiddiwr William Salesbury tua 1564. Gan amlaf ni chofnodir enw'r bardd, er bod rhai llawysgrifau diweddar yn ei briodoli ar gam i Iolo Goch, a oedd yn enwog fel bardd Glyndŵr. Ond mwy arwyddocaol yw'r priodoliad a ddigwydd yn llawysgrif Caerdydd 18, a ysgrifennwyd tua 1597 gan ddyneiddiwr arall, Siôn Dafydd Rhys: mae ef yn tadogi'r englyn ar fardd o'r enw Rhys Pennardd a oedd yn ei flodau tua 1480. Yn niffyg sicrwydd ynghylch ei awduraeth, naturiol fyddai priodoli englyn o'r fath i fardd enwog fel Iolo Goch: mae priodoli'r englyn i fardd cymharol ddi-sôn-amdano fel Rhys Pennardd yn awgrymu nad dyfalu a wnâi Siôn Dafydd Rhys a bod y priodoliad yn llawer tebycach o fod yn gywir. Diddordeb y tadogiad hwn yw fod Rhys Pennardd wedi canu i Elisau ap Gruffudd o'r Maerdy, Gwyddelwern, mab Lowri, nith Glyndŵr (merch ei frawd Tudur), gŵr a fu'n berchennog Llyfr Gwyn Rhydderch ac a ganmolwyd gan y beirdd am ei wybodaeth o'r 'cronigl' ac o achau. Fel yn achos cofnod Peniarth 26, mae'n bosib fod y dyddiad y mae'r englyn yn ei gofnodi yn adlewyrchu traddodiad a oedd yn fyw ymhlith cangen o geraint Owain y byddai ganddynt ddiddordeb gwirioneddol yn hanes ac etifeddiaeth eu hil:

> Mil a phedwar cant, heb ddim mwy – cof ydyw –
> cyfodiad[a] Glyndyfrdwy,
> a phymtheg, praff ei saffwy,[b]
> bu Owain hen yn byw'n hwy.
> [[a]gwrthryfel; [b]gwaywffon][28]

Dychwelwn yn awr at yr 'History of Owen Glendower', a gysylltwyd â Robert Vaughan a Thomas Ellis. Yn ogystal â chynnig dyddiad ar gyfer marw Glyndŵr, fe geir yn y gwaith hwn sylwadau tra phwysig a diddorol ynghylch lle y bu farw a'i amgylchiadau yn ystod ei ddyddiau olaf:

> Death put a period to Owen's life & misery upon the Eve of S. Matthew A.D. 1415., some say, he dyed at his daughter Scudamores, others, at his daughter Moningtons house. they had both of them harboured him in his low, forlorne condition. they say, that he was faine to goe up and downe disguised in a shephards habit unto his daughters & other friend's houses.

O ran awduraeth y gwaith mae'n ddiddorol mai noswyl Gŵyl Fathau a gofnodir fel dyddiad marw Owain yma, fel yn llawysgrif Gutun Owain a gadwyd yng Ngholeg Iesu, Rhydychen, lle bu Thomas Ellis yn is-brifathro, ond yn wahanol i Peniarth 26 a Peniarth 135, llawysgrifau y bu Robert Vaughan yn berchen arnynt. Ond pennaf pwysigrwydd y cofnod, wrth gwrs, yw'r awgrym fod Owain wedi marw yng nghartref y naill neu'r llall o'i ferched a oedd yn wragedd i Syr John Skydmore a Syr Richard Monington yn Swydd Henffordd. Naws traddodiad llafar sydd i'r sôn am Owain yn gwisgo fel bugail fel na châi ei adnabod, a mwy na thebyg hefyd mai i draddodiad llafar y mae olrhain y sôn iddo farw yng nghartref y naill neu'r llall o'i ferched. Hynod ddiddorol yn y cyswllt hwn yw tystiolaeth yr hynafiaethydd John Aubrey (1626–97), gŵr y bu ganddo ef a'i deulu ystadau yn Swydd Henffordd. Ar ymweliad â'r sir i werthu'r ystadau yn 1671 fe ysgrifennodd fel a ganlyn at ei gyfaill Anthony à Wood yn Rhydychen:

> Quaere [= gofynna] if you can find of what howse the famous Owen Glendower was. He was of Lincolns Inne, and dyed obscurely (I know where) in this county, keeping of sheepe. ... Skydmore of Kenchurch married his sister, and ... Vaughan of Hergest was his kinsman; and these two mayntayned him secretly in the ebbe of his fortune.

Fe wnaeth Aubrey gamgymeriad drwy honni mai chwaer Glyndŵr yn hytrach na'i ferch a briododd John Skydmore, ac er ei fod yn gywir fod Skydmore a Syr Rhosier Fychan o Hergest (m. 1415) yn garennydd – yr oedd eu neiniau yn chwiorydd – mae'n anodd iawn credu bod Syr Rhosier, mab-yng-nghyfraith Dafydd Gam, archelyn Glyndŵr, wedi ei lochesu. Mae'r camgymryd ynghylch y briodas a'r honiad ynghylch Syr Rhosier Fychan yn awgrymu nad o'r 'History' – ar y pryd fe all fod copi yn Rhydychen, man yr ymwelai Aubrey ag ef – y deilliodd gwybodaeth Aubrey. Eto, er gwaethaf y mân wahaniaethau, yr un traddodiad yn ei hanfod ag a gofnodwyd yn yr 'History' a gofnododd Aubrey yntau, gan gynnwys y manylyn ynghylch Owain yn bugeilio defaid, ac mae'n fwy na thebyg mai clywed traddodiad o'r fath yn Swydd Henffordd a wnaeth. Teg yw casglu bod cofnod yr 'History' a llythyr Aubrey, fel peth o'r dystiolaeth arall a drafodir yn rhan nesaf y gyfrol, yn tystio i gryfder a bywiogrwydd y traddodiadau ynghylch diwedd Owain a oedd yn cylchredeg yn Swydd Henffordd yn yr ail ganrif ar bymtheg. Afraid dweud, wrth gwrs, bod cysylltu dyddiau olaf Owain â'r Sgidmoriaid yn yr 'History' a chan Aubrey yn elfen gyffredin drawiadol ac awgrymog.[29]

O ystyried tystiolaeth y ffynonellau a nodwyd – ynghyd â'r diffyg sôn am Owain yn 1416 pan awdurdodwyd Syr Gilbert Talbot i drafod â Maredudd, ei fab – credaf fod sail dros dybio mai ym Medi 1415 y bu farw Owain, er nad oes wybod ai ar noswyl Gŵyl Fathau (20 Medi) neu drannoeth, ar Ddygwyl Mathau (21 Medi), y bu hynny. Ond llai sicr o lawer yw ymhle y bu farw ac y'i claddwyd (ni ddatgelodd John Aubrey na neb arall y gyfrinach!), a dyna'r pwnc a gaiff sylw yng ngweddill y gyfrol.

Nodiadau

1 Mae'r disgrifiad a geir yma o hynt y gwrthryfel yn dra dyledus i gyfrolau J. E. Lloyd ac R. R. Davies, *Owen Glendower: Owen Glyn Dŵr* a *The Revolt of Owain Glyn Dŵr*, yr ymdriniaethau mwyaf safonol a chynhwysfawr â Glyndŵr a'i wrthryfel. Gall y sawl sydd am olrhain rhai o'r manylion ymhellach fanteisio ar fynegeion y gweithiau hynny. Am ymdriniaeth Gymraeg safonol a darllenadwy â gyrfa Glyndŵr gw. R. R. Davies, *Owain Glyn Dŵr: Trwy Ras Duw, Tywysog Cymru*. Cyfyngir y nodiadau yn yr adran hon i nodi gwybodaeth a godwyd gan mwyaf o weithiau eraill.

2 Milwriaeth Hopcyn ap Tomas: G. A. Williams, 'Gwrthryfel Glyndŵr: Dau Nodyn', *Llên Cymru*, 33 (2010), 180–7; cyrch hyd Gaerwrangon: cronicl Enguerrand de Monstrelet, gw. M. Livingston a J. K. Bollard (goln), *Owain Glyndŵr: A Casebook* [= *OGCasebook* o hyn ymlaen], 202–5; hanes brwydr y Pwll Melyn mewn cronicl Cymraeg (Peniarth 135): ibid., 174 (hefyd Lloyd, *Owen Glendower*, 152).

3 Byddinoedd a gynnau'r Saeson yn Aberystwyth a Harlech: C. Parry, *The Last Mab Darogan*, 263, 273, hefyd Rh. Griffiths, 'Y Tywysog Harri a Gwarchaeau Olaf Gwrthryfel Glyndŵr', *Dwned*, 20 (2014), 42–3; Adda o Frynbuga yn glanio yn y Bermo a hanes gwarchae Harlech a ffawd Owain wedyn: C. Given-Wilson (gol. a chyf.), *The Chronicle of Adam of Usk 1377–1421*, 238, 242; dyddiad cyfansoddi'r rhan berthnasol o gronicl Adda: ibid., xlvii.

4 Dienyddio Rhys Ddu a Philpod Skydmore ac edwino achos Owain

wedi hynny: cronicl Peniarth 135, *OGCasebook*, 174 (hefyd Lloyd, *Owen Glendower*, 154); arddangos pennau Rhys Ddu a Philpod Skydmore: Parry, *The Last Mab Darogan*, 284; Given-Wilson (gol. a chyf.), *The Chronicle of Adam of Usk*, 240; marwolaeth Gruffudd ab Owain yn Nhŵr Llundain: ibid., 212–13; marwolaeth a chladdu merch Owain a'i phlant: *OGCasebook*, 4; sylw ynghylch John Wele: ibid., 138.

5 Eithrio Glyndŵr a Trumpington o bardwn 1411: *OGCasebook*, 142; Dafydd Gam yn bradychu Glyndŵr yn Senedd Machynlleth: G. A. Williams, 'The Later Welsh Poetry Referencing Owain', *OGCasebook*, 546–7 (ceir englyn gan Gruffudd ab Owain Gethin sy'n cyfeirio at y digwyddiad yn llsgr. Peniarth 94 a ysgrifennwyd gan Thomas Wiliems o Drefriw yn y 1590au; mae'r Athro Rees Davies, *Revolt*, 226–7, yn amau'r traddodiad hwn, ond dibynna ef ar ffynhonnell lawer mwy diweddar sy'n cofnodi'r traddodiad, sef *A Tour in Wales* Thomas Pennant (arg. cyntaf 1778), gw. *Revolt*, 367 [sonia Pennant fod Dafydd Gam wedi bwriadu llofruddio Glyndŵr, ond sôn am gynllwynio i'w ddal a wna'r ffynonellau cynharach]); ymyrraeth Harri IV er mwyn rhyddhau Dafydd Gam a thalu pridwerth amdano: *OGCasebook*, 144, 365.

6 Gwobrwyo bradwr: F. Devon, *Issues of the Exchequer*, 332; gorchymyn Cymry i ddychwelyd o Loegr i Gymru: *Calendar of the Close Rolls*, Henry V, i, 89; ymostyngiadau gwŷr Meirionnydd, Caernarfon a Môn yn 1414: Davies, *Revolt*, 308; anfon llu Seisnig i'r Bala a Chymer yn 1412: ibid., 300; cofnodion Senedd Lloegr 1414: *OGCasebook*, 148, 150; cywydd Llywelyn ab y Moel: R. I. Daniel (gol.), *Gwaith Dafydd Bach ap Madog Wladaidd 'Sypyn Cyfeiliog' a Llywelyn ab y Moel*, 96–7 (hefyd *OGCasebook*, 132–4); Gruffudd Young a Philip Hanmer ym Mharis: T. Matthews, *Welsh Records in Paris*, 110 (cywirir y dyddiad 1414 i 1415 yn Lloyd, *Owen Glendower*, 143, 5n.); cyn-filwyr Owain ym myddin Harri V: A. Chapman, 'The King's Welshmen: Welsh Involvement in the Expeditionary Army of 1415', *Journal of Medieval Military History*, 9 (2011), 41–64 (amcangyfrifir bod hanner arweinwyr y rhan o fyddin Harri V a ddeuai o dde Cymru yn gyn-wrthryfelwyr, ibid., 54–5); ymdrechion Maredudd ab Owain: J. B. Smith, 'The Last Phase of the Glyndŵr Rebellion', *Bulletin of the Board of Celtic Studies*, 22 (1966–8), 254–6.

7 'Owain Hen': gw. y dyfyniadau yn G. A. Williams, 'Cywydd Brud gan Robin Ddu a'i Berthnasedd Posibl i Hanes Owain Glyndŵr', *Dwned*,

19 (2013), 96–9 (nodir rhai dyfyniadau hefyd gennyf yn 'The Later Welsh Poetry Referencing Owain', *OGCasebook*, 534–5).

8 Y dyfyniad o gywydd Iolo Goch: D. R. Johnston (gol.), *Gwaith Iolo Goch*, cerdd X.85–6 (hefyd *OGCasebook*, 32); o ran dibynadwyedd ffynonellau achyddol printiedig rhaid nodi bod hyd yn oed Bartrum, *Welsh Genealogies AD 300–1400*, gwaith tra safonol fel arfer, yn cyfeiliorni o ran rhai o'r manylion a rydd (d.e. 'Bleddyn ap Cynfyn 5') ynghylch merched Owain Glyndŵr.

9 Rhestrir y meibion gan Bartrum, ibid.; llsgrau nad ydynt yn enwi Dafydd: BLAdd 28033, 100r; Caerdydd 5.51, 3; Harley 1157, 50v; LlGC 20898E, 62r; yn LlGC 7008E, 24 (Siôn Griffith) nodir 'dywed Lewys Dwnn mae mab o ordderch oedd Dafydd'; rhestrir Ieuan fel mab anghyfreithlon gan Bartrum, *Welsh Genealogies AD 300–1400*, d.e. 'Bleddyn ap Cynfyn 5', ac felly y'i rhestrir yn y llsgrau sy'n cynnwys 'The History/Memoirs of Owen Glendower', LlGC 14587B, 56; Panton 53, 49v; Caerdydd 2.71, 3v, ac mae'r modd y'i rhestrir mewn dwy lsgr. yn y Coleg Arfau, Protheroe XVII, 338 a Protheroe XVIII, 207, hefyd yn awgrymog; lleoliad disgynyddion Ieuan: LlGC 7008E, 36 (hefyd Bartrum, *Welsh Genealogies AD 1400–1500*, d.e. 'Bleddyn ap Cynfyn 5(A)'; Catrin, gwraig Gruffudd Hiraethog yn orwyres iddo: ibid.; cywydd Llawdden: R. I. Daniel (gol.), *Gwaith Llawdden*, cerdd 14; meibion heb oroesi'r gwrthryfel: cymh. LlGC 14587B, 55 lle nodir y meibion fel Gruffudd '& 5 sons more, who came all to be men & perished in their fathers war without issue' (ond goroesodd Maredudd y gwrthryfel); honiad i'r meibion ffoi i Iwerddon: Browne Willis, *A Survey of the Cathedral-Church of St. Asaph*, 61; Pennant, *A Tour in Wales* (1778), 307–8 (ceid mewnfudwyr o'r enw hwn yn Swydd Meath yn y 14g. ac ynghynt, gw. E. MacLysaght, *Irish Families: Their Names, Arms and Origins*, 288; idem, *More Irish Families*, 214).

10 Priodas Mortimer â Chatrin: Lloyd, *Owen Glendower*, 59; Davies, *Revolt*, 108, 179; priodas honedig Siân (Jane/Joan), merch Glyndŵr â Henry Grey: BLAdd 28033, 100r; Caerdydd 5.51, 3; LlGC 7008E, 24; LlGC 14587B, 55; Caerdydd 2.278, 249 (hefyd J. A. Bradney, *Llyfr Baglan*, 190); LlGC 20898E, 62r; Harley 1157, 50v; Harley 2299, 374; Peniarth 287, 374; Peniarth 288, 361; Y Coleg Arfau, Protheroe XVII, 338 (hefyd Bartrum, *Welsh Genealogies AD 300–1400*, d.e. 'Bleddyn ap Cynfyn 5'); ymdriniaeth â chyfuno'r cofnodion am Grey a Mortimer yn y *Brut*: *OGCasebook*, 380–1; poblogrwydd y *Brut*: L. M. Matheson, *The Prose Brut: the Development of a Middle*

English Chronicle, 6; sylw Pennant ynghylch haneswyr Seisnig: *A Tour in Wales* (1778), 309.

11 Cysylltiadau Glyndŵr â chymdeithas uchelwrol Eingl-Normanaidd y gororau: Davies, *Revolt*, 136–7; cysylltiad posib ag Iarll Arundel: R. I. Jack, 'New Light on the Early Days of Owain Glyndŵr', *Bulletin of the Board of Celtic Studies*, 21 (1964–6), 163–6; gwahardd Saeson a briodasai ferched o Gymry rhag dal swyddi: *The Parliament Rolls of Medieval England 1275–1504*, viii, Henry IV, 1399–1413, gol. C. Given-Wilson, 213; Lloyd, *Owen Glendower*, 56.

12 Priodas Sioned (Jonet, Jonett a Jennetta) â Syr John Croft: BLAdd 28033, 100r; Caerdydd 2.278, 249 (Bradney, *Llyfr Baglan*, 190); Caerdydd 5.51, 3; Hereford Record Office, B56/1, 51r; Harley 1140, 34r; Harley 1157, 50v; Harley 1442, 34r; Harley 1969, 299v; Harley 1975, 101r; Harley 2299, 374; LlGC 7008E, 24; LlGC 14587B, 55; LlGC 20898E, 62r; Peniarth 287, 374; Peniarth 288, 361; Y Coleg Arfau, Protheroe XVII, 338 (hefyd Bartrum, *Welsh Genealogies AD 300–1400*, d.e. 'Bleddyn ap Cynfyn 5'); y briodas yn ôl traddodiad teuluol y Croftiaid: O. G. S. Croft, *The House of Croft of Croft Castle*, 28; Syr John Croft ym myddin Lloegr yn yr Alban yr un pryd â Glyndŵr: enwir 'Johes Croft' yn rhestr filwyr llsgr. Stowe 440, 23r (hefyd C. Kightly, 'The Early Lollards: a Survey of Popular Lollard Activity in England, 1382–1428', traethawd PhD Prifysgol Caerefrog (1975), 181, *http://etheses.whiterose.ac.uk/2528/1/DX197636.pdf* (cyrchwyd Ebrill 2014)); cofnodion Edward ap Roger: Peniarth 128, 97, 863; cofnod Gruffudd Hiraethog: Peniarth 177, 85; priodas honedig rhwng un o'r Croftiaid a 'Johan', chwaer Glyndŵr: Harley 2141, 171r; cofnodi priodas honedig rhwng Morfydd, chwaer Glyndŵr, a Syr Richard Croft yn ogystal â phriodas rhwng Sioned, merch Glyndŵr, a Syr John Croft: Peniarth 287, 374; Harley 1157, 50v; Y Coleg Arfau, Protheroe XVII, 338; LlGC 14587B, 55; priodas Morfydd, chwaer Glyndŵr, a Dafydd ab Ednyfed Gam o'r Pengwern: Bartrum, *Welsh Genealogies AD 300–1400*, d.e. 'Bleddyn ap Cynfyn 5', 'Tudur Trefor 14'.

13 Gwarafun hawl aelodau o deulu Monington i arddel pais arfau: M. P. Siddons (gol.), *Visitations by the Heralds in Wales*, 87 ('in Oweyne Glendors dayes the said Moningtons were atteynted, in so muche that they never recouveryd theyr armes'); hefyd Herefordshire Record Office, B56/1, 82r; galw gwraig Syr Richard Monington yn 'Ane': Caerdydd 2.278, 249 (Bradney, *Llyfr Baglan*, 190); ei galw yn Farged: LlGC 14587B, 55; enwi Marged yn wraig

i Roger Mon(n)ington: Pennant, *A Tour in Wales* (1778), 308; nodyn Evan Herbert yn llsgr. Robert Vaughan: Peniarth 287, 374; cymysgu rhwng y cyfenw Mon(n)ington a'r enwau lleoedd Monnington-on-Wye a Monnington Straddle: Peniarth 287, 374 (nodyn a ychwanegwyd gan Evan Herbert); Pennant, *A Tour in Wales* (1778), 308; A. G. Bradley, *Owen Glyndwr and the Last Struggle for Welsh Independence*, 105; A. Gibbon, *The Mystery of Jack of Kent & the Fate of Owain Glyndŵr*, 109, 167, 192; G. Hodges, *Owain Glyn Dŵr: the War of Independence in the Welsh Borders*, 163; camgysylltu â changen Sarnesfield o'r teulu: LlGC 7008E, 24; LlGC 20898E, 62r (mae hyn yn ymhlyg hefyd yn y 'Vysytacon in Wales' (1531) gan William Fellow a olygir yn Siddons, *Visitations by the Heralds in Wales*, 87 (hefyd Herefordshire Record Office, B56/1, 82r); cysylltiad ag ardal Canon Pyon: gw. isod t. 76.

14 Nodi bod Sioned a briododd Syr Richard Monington yn weddw Syr John Croft: Harley 1969, 299v; Harley 1975, 101r; LlGC 7008E, 24; LlGC 20898E, 62r; nodi'r trydydd gŵr: Harley 1969, 299v; Harley 1975, 101r; Syr John Croft yn fyw yn 1410: Croft, *The House of Croft*, 29; Syr John Croft yn yr Alban yr un pryd â Glyndŵr (1385): gw. n.12 uchod.

15 Galw gwraig Syr John Skydmore yn Elisabeth (Elizabeth): Caerdydd 2.278, 249 (Bradney, *Llyfr Baglan*, 190); Harley 1140, 25v, 36r (dau gofnod); Harley 1157, 50v; Harley 1442, 36r; Harley 1969, 300r; Harley 1975, 102r; Harley 2141, 174r; Harley 2300, 107r; Harley 5835, 16v, 42v (dau gofnod); Herefordshire Record Office, B56/1, 43r; Peniarth 139, ii, 212; Peniarth 288, 361; Peniarth 327, ii, 259; LlGC 7008E, 24; LlGC 14587B, 55; LlGC 20898E, 62r; Y Coleg Arfau, Protheroe XVII, 338; (hefyd Bartrum, *Welsh Genealogies AD 300–1400*, d.e. 'Bleddyn ap Cynfyn 5'); galw gwraig Syr John Skydmore yn Alys (Alice): BLAdd 28033, 100r ('Elizabeth' wedi ei groesi allan); Caerdydd 5.51, 3; Harley 807, 94v; Harley 6832, 224r; ei galw'n Elisabeth ac yn Alys: LlGC 14587B, 55, 57; Caerdydd 2.71, 3v, 4v; Panton 53, 49v, 50r; Robert Vaughan yn ei galw'n Lleucu: Peniarth 287, 374 ['Lleuki' a ysgrifennwyd yn wreiddiol, ond ysgrifennwyd 'Elsbeth' uwchben] (hefyd Peniarth 288, 361 a Harley 2299, 374, sy'n gopïau o Peniarth 287); ei galw'n Alys yng nghofnodion y Senedd: *The Parliament Rolls of Medieval England 1275–1504*, xi, Henry VI, 1432–1445, gol. A. Curry, 115; swyddi Syr John Skydmore: J. S. Roskell, L. Clark a C. Rawcliffe (goln), *The History of Parliament: The House of Commons, 1326–1421*, IV, 391–4; R. A. Griffiths, *The*

Principality of Wales in the Later Middle Ages, 139–41; ei ddiswyddo o'i swyddi Cymreig: ibid. (hefyd *Calendar of the Patent Rolls*, Henry VI, ii, 286, lle ceir y disgrifiad o Alys a nodir).

[16] Llythyr Syr John Skydmore: *OGCasebook*, 84; honiadau John Oke: R. A. Griffiths, 'Some Secret Supporters of Owain Glyndŵr?', *Bulletin of the Institute of Historical Research*, 37 (1964), 77–100 (honnwyd bod Syr John wedi derbyn cymaint â £6,870 gan 27 o gefnogwyr dirgel i Lyndŵr); W. Skidmore, 'Lucas-Scudamore of Kentchurch', *Burke's Genealogical and Heraldic History of the Landed Gentry*, 18fed arg. (1972), III, 812; hefyd id., 'Thirty Generations of the Scudamore/Skidmore Family in England and America', 138, ar CD, *Scudamore/Skidmore Family History* (2006); idem, 'A Revisionist's Look at the Skydmore-Glyn Dwr Alliance', 10, *http://www.skidmoregenealogy.com/images/OccPap_no._13_reformatted_by_cbs.pdf* (cyrchwyd Ebrill 2014) [mae'r gweithiau hyn yn gynnyrch llawer iawn o ymchwil wreiddiol, ond mae ambell gamsyniad ynddynt hefyd]; cofnodi enwau dwy wraig i Syr John: Harley 1140, 36r (mewn copi o'r llsgr. hon, sef Harley 1442, 36r, camddehonglwyd y testun y copïwyd ohono a chofnodi merch Syr Thomas Brut fel gwraig i fab Syr John Skydmore); dogfen yn awgrymu bod Syr John wedi priodi Alys erbyn 1412: yn TNA [= Yr Archifdy Gwladol] CP 25/1/83/52, rhif 38 (dyddiedig 13 Mai 1412) cofnodir bod John Skydmore o La Verne yn Bodenham, Swydd Henffordd, a'i wraig Alys wedi gwerthu tir yn Sutton, Swydd Henffordd i William Broke (crynhoir y ddogfen ar *http://www.medievalgenealogy.org.uk/fines/abstracts/CP_25_1_83_52.shtml* (cyrchwyd Ebrill 2014)) [yr oedd La Verne yn un arall o gartrefi Syr John Skydmore, ond nid yw'n gwbl amhosib – er ychydig yn annhebygol – mai ei rieni (hwythau'n John ac Alys) yw'r personau y cyfeirir atynt yn y ddogfen]; disgrifio John, mab Syr John Skydmore, fel perthynas ac etifedd i Syr Thomas Brut ac fel ysgutor ei wraig: *Calendar of the Patent Rolls*, Henry VI, ii, 162 (bu ymrafael hir y gellir ei olrhain rhwng 1422 ac 1440 rhwng y Sgidmoriaid a gŵr o'r enw Robert Brut o Swydd Nottingham ynghylch tiroedd Syr Thomas Brut) [ymddengys bod dau fab o'r un enw – ffenomen y ceir enghreifftiau eraill ohoni yn y cyfnod – gan Syr John Skydmore, ond bod un ohonynt wedi marw cyn 1418, gw. isod t. 117].

[17] Myfanwy, gwraig Llywelyn ab Adda ap Dafydd o Gamhelig: Caerdydd 5.51, 3, 357; Peniarth 128, 178r; Peniarth 129, 88;

Peniarth 134, 325, 335 (hefyd Bartrum, *Welsh Genealogies AD 300–1400*, d.e. 'Bleddyn ap Cynfyn 5', 'Tudur Trefor 5'); cofnod Thomas Wiliems ynghylch merch i Lyndŵr a briododd Feredydd ap Llywelyn ap Tudur Llwyd: LlGC 16962A, 181r (ni lwyddais i olrhain Meredydd ap Llywelyn ap Tudur Llwyd, ond cofnodir yr ach o dan Nanheudwy gan Thomas Wiliems); cofnod yn 'The History/Memoirs of Owen Glendower' ynghylch priodi aer Gwernan: LlGC 14587B, 56; Panton 53, 49v; Caerdydd 2.71, 3v (hefyd Pennant, *A Tour in Wales* (1778), 308) [ni chanfûm Gwernen/Gwernan yn Nanheudwy, ond ceir *Gwernant* rhwng Llangollen a Glynceiriog (SJ2240) sy'n briodol o ran lleoliad; ceir Llyn Gwernan yn nhrefgordd Dyffrydan yn y Brithdir, Sir Feirionnydd, a Gwernan arall yn Nhroed-yr-aur, Ceredigion (Archif Enwau Lleoedd Melville Richards, *http://www.e-gymraeg.co.uk/enwaulleoedd/amr/cronfa.aspx*, cyrchwyd Mai 2014); ceir yr enw cyffredin *gwernen* ('gwern, cors'), gyda'r fannod o'i flaen, fel ail elfen nifer o enwau lleoedd yng Nghymru]; galw gwraig Phylib ap Rhys yn Farged: BLAdd 28033, 100r; Caerdydd 5.51, 3, 26 (lle camleolir Phylib ap Rhys ym Môn, 'Philip ap Rees of Anglesey'); Harley 1157, 50v (camleoli eto, 'Ph son to Rees of Anglesh*ey*'; LlGC 7008E, 24; LlGC 20898E, 62r; ei galw'n Wenllian: Peniarth 128, 471v; Peniarth 139, ii, 212; Y Coleg Arfau, Protheroe XVII, 12; 'The History/Memoirs of Owen Glendower' (LlGC 14587B, 56; Panton 53, 49v; Caerdydd 2.71, 3v) (hefyd Bartrum, *Welsh Genealogies AD 300–1400*, d.e. 'Bleddyn ap Cynfyn 5'); mam Gwenllian: P. C. Bartrum, *Welsh Genealogies AD 300-1400, Additions and Corrections, Sixth List*, d.e. 'Bleddyn ap Cynfyn' (hefyd fy sylwadau yn *OGCasebook*, 534, n.90); perthynas deuluol mam Gwenllian ag Ednyfed ab Aron: Bartrum, *Welsh Genealogies AD 300–1400*, d.e. 'Ednywain ap Bradwen 2', 'Ednywain ap Bradwen 4'; traddodiad i Ednyfed ab Aron lochesu Owain mewn ogof: digwydd y cyfeiriadau cynharaf a welais at y traddodiad hwn yn Y Coleg Arfau, Protheroe XVII,165 (ysgrifennwyd yn 1775–6) ac yn Pennant, *A Tour in Wales* (1778), 346; cerdd Ieuan Gyfannedd i Phylib ap Rhys a Gwenllian: F. G. Payne, *Crwydro Sir Faesyfed: Yr Ail Ran*, 114–16; cerddi Llawdden a Lewys Glyn Cothi iddynt: Daniel (gol.), *Gwaith Llawdden*, cerddi 10, 11, 12, 13, 14; D. Johnston (gol.), *Gwaith Lewys Glyn Cothi*, cerddi 187, 188, 189; llew rampant Glyndŵr uwchben marwnad y meibion: am lun gw. E. D. Jones (gol.), *Gwaith Lewis Glyn Cothi*, cerdd 20 (sylwadau yn M. P. Siddons, *The Development of Welsh Heraldry*, I, 93).

18 Testunau cyhoeddedig o gronicl Peniarth 135: Lloyd, *Owen Glendower*, 149–54; *OGCasebook*, 172–5; *Hanes Owain Glandwr* William Owen a'i ddefnydd o waith Dafydd Bulkeley: Lloyd, *Owen Glendower*, 157–8.

19 Ymdriniaeth â thestun LlGC 14587B o'r 'History/Memoirs': E. D. Jones, 'Thomas Ellis and the "Memoirs of Owen Glendowr"', *Cylchgrawn Llyfrgell Genedlaethol Cymru*, 3 (1943–4), 165–7; Evan Evans yn nodi iddo godi ei destun o lsgr. o eiddo Humphrey Humphreys: Panton 53, 1r; cysylltiad testun Caerdydd 2.71 â William Maurice: nodir ar yr wyneb-ddalen 'Memoirs of Owen Glendwr out of Wm Morris of Llansilin's MSS.'; nodi bod copi o'r 'Memoirs of Owen Glendowr' yn llyfrgell Coleg Iesu: *A History of the Island of Anglesey*, wynebddalen; ibid., ail wynebddalen, [60] (arferir cysylltu'r gyfrol ddienw hon â John Thomas (1736–69), ond gall mai Nicholas Owen (1752–1811) a fu'n gyfrifol am gynnwys y 'Memoirs' yn y gyfrol, gw. B. F. Roberts, '"Memoirs of Edward Llwyd, Antiquary" and Nicholas Owen's *British Remains*, 1777', *Cylchgrawn Llyfrgell Genedlaethol Cymru*, 19 (1975–6), 69–87); cyfeiriad Carte at y gwaith: *A General History of England*, II, 649, n.5 (hefyd llsgr. Carte 125, 264r (Llyfrgell Bodley, Rhydychen)); hanes Glyndŵr gan Pennant, *A Tour in Wales* (arg. 1778), 301–69.

20 Sylw ynghylch dysg Thomas Ellis: R. Gough, *British Topography*, II, 486, n.1 (cyfeiria Gough hefyd yn benodol at ddysg hynafiaethol Ellis, ac arno ymhellach gw. *Y Bywgraffiadur Cymreig hyd 1940*, 199); cysylltu'r 'History' â Thomas Ellis: LlGC 14587B, y tu mewn i'r clawr blaen (hefyd Carte, *A General History of England*, II, 6–9, n.5 ac ibid., llsgr. Carte 125, 264r); priodoli'r gwaith i Robert Vaughan gan Evan Evans: Panton 53, 1r; ymdriniaethau gan ysgolheigion o'r 20g. â'r 'History': E. D. Jones, 'Thomas Ellis and the "Memoirs of Owen Glendowr"'; Lloyd, *Owen Glendower*, 147–8; J. R. S. Phillips, 'When did Owain Glyndŵr die?', *Bulletin of the Board of Celtic Studies*, 24 (1970–2), 59–77 (yn enwedig 64–6); sylw Edward Lhuyd ar Vaughan fel ei ffynhonnell: 'Additions to Brecknockshire', *Britannia* (arg. 1695), 591; sylw Lhuyd mewn catalog o lawysgrifau Humphrey Humphreys: LlGC 1565C, 94 (copi gan Angharad Llwyd o wreiddiol Lhuyd).

21 Dyled yr 'History' i gronicl Peniarth 135: Lloyd, *Owen Glendower*,

147; cyfeirio at waith Walsingham: LlGC 14587B, 61 (hefyd Panton 53, 54r; Caerdydd 2.71, 13v); cyfeirio at waith William Caxton: LlGC 14587B, 66 (hefyd Panton 53, 58v; Caerdydd 2.71, 27v); hanes Hywel Sele: LlGC 14587B, 60 (hefyd Panton 53, 53r–v; Caerdydd 2.71, 11v, 12v; sylwer nad yw awdur yr 'History', yn wahanol i Robert Vaughan mewn ffynhonnell arall (gw. E. Henken, *National Redeemer: Owain Glyndŵr in Welsh Tradition*, 131) a Pennant, yn adrodd hanes cuddio corff Hywel yng Ngheubren yr Ellyll (a fyddai Vaughan, a wyddai'r hanes, heb ei gynnwys os ef oedd awdur yr 'History'?); deunydd yn ymwneud â dyddiau olaf Glyndŵr: gw. t. 44.

[22] Mae'r adran hon yn dra dyledus i erthygl ragorol yr Athro J. R. S. Phillips, 'When did Owain Glyndŵr die?', *Bulletin of the Board of Celtic Studies*, 24 (1970–2), 59–77, yr ymdriniaeth fwyaf cynhwysfawr â'r pwnc. Cyfyngir y nodiadau isod i dynnu sylw at wybodaeth ychwanegol i'r hyn a geir yn yr erthygl honno neu i nodi ffynonellau ar gyfer y dyfyniadau (y ceir rhai ohonynt yn erthygl yr Athro Phillips yn ogystal).

[23] Gwobrwyo ysbïwr o Gymro: Devon, *Issues of the Exchequer*, 332; cofnod Elis Gruffydd am angladd ffug: *OGCasebook*, 228 (y gwreiddiol yn llsgr. LlGC 3054D; yn ddiddorol ychwanega Elis Gruffydd (ibid.) fod rhai yn tybio mai 'o eishiau arian i dalu i'r gwyr o ryuel' y diflannodd Owain); William Owen, *Hanes Owain Glandwr*, 47 (am sylwadau Lloyd ynghylch y gwaith hwn ac am waith coll David Bulkeley gw. *Owen Glendower*, 157–8).

[24] Cofnod ynghylch oed Owain yng nghofnodion achos Scrope a Grosvenor: N. H. Nicolas (gol.), *De controversia in curia militari inter Ricardum Le Scrope et Robertum Grosvenor milites*, I, 254 (hefyd *OGCasebook*, 28); cofnod yn yr 'History of Owen Glendower': LlGC 14587B, 55 (hefyd Caerdydd 2.71, 2v; yn Panton 53, 49v nodir ei ddyddiad geni fel 'may the 28 A:D: 1348 some say 1349', ond mae'n anodd barnu ai 1348 a ysgrifennwyd yn wreiddiol); Bartholomaeus Sais: J. T. Rosenthal, *Old Age in Late Medieval England*, 97; disgwyliad einioes oddeutu hanner cant oed: ibid., 173; 'Owain Hen': gw. n.7 uchod.

[25] Cyn-filwyr Owain ym myddin Harri V: Chapman, 'The King's Welshmen', 41–64 (yn arbennig 54–8); cynnig pardynau yn 1415 ac 1416: *OG Casebook*, 150.

[26] Dyfyniad o gronicl Adda o Frynbuga: Given-Wilson (gol. a chyf.), *The Chronicle of Adam Usk*, 262; dyfyniad o gronicl Peniarth 135:

OGCasebook, 174 (hefyd Lloyd, *Owen Glendower*, 154); dyfyniad o Frut Gutun Owain: Phillips, 'When did Owain Glyndŵr die?', 77 (y gwreiddiol yn llsgr. Coleg Iesu 141; ceir testun diweddarach o lsgr. Panton 11 yn *OGCasebook*, 214).

27 Cofnod ynghylch dyddiad marw Glyndŵr: Peniarth 26, 98 (W. W. E. Wynne a dynnodd sylw gyntaf at y cofnod, 'Date of the Death of Owen Glyndŵr', *Archaeologia Cambrensis*, third series, IX (1863), 170; gw. hefyd Phillips, 'When did Owain Glyndŵr die?', 75); cysylltiadau achyddol Ieuan ab Adda ap Iorwerth: Bartrum, *Welsh Genealogies AD 300–1400*, d.e. 'Bleddyn ap Cynfyn 5', 'Tudur Trefor 13'; cysylltiadau achyddol Edward ap Dafydd a Robert Trefor: ibid., d.e. 'Bleddyn ap Cynfyn 5', 'Tudur Trefor 13', 'Tudur Trefor 14', 'Puleston'.

28 Dyfynnir y testun o'r englyn a olygwyd gennyf yn *OGCasebook*, 214 (a gw. fy nhrafodaeth ar yr englyn a'i awduraeth ibid., 545–6); canu Rhys Pennardd i Elisau ap Gruffudd: Peniarth 239, 390; canmol dysg Elisau ap Gruffudd: gw. fy mhennod 'The Literary Tradition to *c.* 1560' yn J. B. Smith a Ll. B. Smith (goln), *History of Merioneth Volume II: The Middle Ages*, 613; hefyd D. Huws, *Medieval Welsh Manuscripts*, 256–7.

29 Dyfyniad o'r 'History of Owen Glendower': LlGC 14587B, 66 (hefyd Panton 53, 58v; Caerdydd 2.71, 26v, 27v; *A History of the Island of Anglesey*, 73); y dyfyniad o lythyr Aubrey: *Brief Lives. Chiefly of Contemporaries, set down by John Aubrey, between the Years 1669 & 1696*, gol. A. Clark, I, 267 (a gw. D. Tylden-Wright, *John Aubrey: A Life*, 177 [cadwyd y llythyr yn llsgr. Wood F.39, f. 138v yn Llyfrgell Bodley, Rhydychen]); perthynas Syr John Skydmore a Roger Vaughan: Bartrum, *Welsh Genealogies AD 300–1400*, d.e. 'Bredwarden' a 'Drymbenog 2'.

RHAN II

SWYDD HENFFORDD

1. Swydd Henffordd: cyffredinol
2. Croft Castle
3. Lawton's Hope
4. Cwrt Llan-gain
5. Monnington-on-Wye
6. Monnington Straddle
7. Fforest Haywood
8. Kimbolton (a La Verne)
9. Swydd Henffordd: crynhoi

Map: Elgan Griffiths

1

Swydd Henffordd: cyffredinol

O'R MANNAU A gysylltir â dyddiau olaf Glyndŵr, ei farwolaeth a'i gladdu – rhai ohonynt a chanddynt well hawl i gael eu hystyried o ddifrif na'i gilydd – mae'n drawiadol cynifer ohonynt a leolir yn Swydd Henffordd. Yr oedd rhai o'r mannau hyn o fewn terfynau'r sir fel y bodolai yn ystod cyfnod y gwrthryfel; daeth eraill, a leolid mewn arglwyddiaethau ar gyrion y sir, yn rhannau o Swydd Henffordd yn sgil Deddf Uno 1535–6. Er hwylustod o ran cyfeirio defnyddir 'Swydd Henffordd' yma fel arfer yn gyfystyr â'r sir fel y mae'n bodoli heddiw.[1]

Ar sawl cyfrif fe fyddai Swydd Henffordd yn fan annisgwyl ac anaddawol i Owain geisio nawdd a lloches ynddo yn ystod ei flynyddoedd olaf. Fe ellir bod yn sicr y byddai gelyniaeth ddofn tuag ato mewn rhannau helaeth o'r sir Seisnig hon, gelyniaeth a fyddai'n debyg o fod yn chwerw ac yn hirhoedlog. Enw i godi arswyd a dychryn fyddai enw Glyndŵr i lawer o'i thrigolion gan i sawl ardal ddioddef yn enbyd yn sgil ei ymosodiadau ef a'i luoedd. Yn haf 1402 trwyddedwyd trigolion Llanllieni (Leominster) gan Gyngor y Brenin i atgyfnerthu amddiffynfeydd y dref â muriau, palisadau a ffosydd yn erbyn y gwrthryfelwyr Cymreig – drych o'r pryder a achoswyd gan y bygythiad milwrol o du Glyndŵr. Fe drodd pryder o'r fath yn banig yn apêl daer Richard Kingston, archddiacon Henffordd, mewn llythyr at Harri IV yn 1403 yn erfyn ar y brenin i ddod i'r Mers yn ddi-oed i ymgyrchu'n bersonol yn erbyn Owain a'i luoedd: yn Swydd Henffordd, meddai, yr oedd y gwrthryfelwyr Cymreig wedi dal ac ysbeilio llawer o ddynion a dwyn llawer o wartheg. Yn haf 1404 ysgrifennodd y Tywysog Harri at ei dad yn sôn am ymosodiad gan lu mawr o'r Cymry ar ororau'r sir yn llosgi ac yn dinistrio, ymosodiad a oedd yn fygythiad arbennig gan fod gan y goresgynwyr ddigon o fwyd i'w cynnal eu hunain am bythefnos. Fe gwynwyd yn Rholiau'r Senedd yn 1407 am ymosodiadau mynych gwrthryfelwyr o Gymru ar y sir a'r modd yr arferent gymryd carcharorion a'u cipio i Gymru, gan hawlio pridwerth am eu rhyddhau; fe geid cwynion tebyg yn y Rholiau mewn perthynas â'r sir ymhell ar ôl i'r gwrthryfel ostegu, yn 1411 a hyd yn oed mor ddiweddar ag 1414.[2]

Ni ddylid anghofio ychwaith am ran Swydd Henffordd yn yr ymgyrchu milwrol Seisnig yn erbyn Glyndŵr. 'Yna ydd ymgynvllassant marchogion swydd henffordd yn i erbyn' meddai cronicl Cymraeg Peniarth 135 wrth sôn am fuddugoliaeth Owain yn erbyn lluoedd Edmund Mortimer ym mrwydr y Bryn Glas yn 1402. Dyma fuddugoliaeth y mae'n rhaid i'r lladdfa ar y llu Seisnig, dros 1,100 ohonynt, yn eu plith rai o flodau marchogion Swydd Henffordd, a'r amharchu anllad ar y celanedd (os gellir coelio'r croniclydd Thomas Walsingham), adaél gwaddol o chwerwedd ac atgasedd dwfn. Fe fu dinas Henffordd yn ganolfan bwysig i'r adwaith milwrol Seisnig yn erbyn Glyndŵr, yn fan cynnull i fyddinoedd a arweiniwyd gan y brenin a chan ei fab, y Tywysog Harri, a'i gwnaeth yn bencadlys iddo. Fel un o siroedd y Mers fe fu'n rhaid i Swydd Henffordd ddwyn baich milwrol trwm yn ystod y gwrthryfel: yr oedd, er enghraifft, yn un o blith nifer o siroedd y gwysiwyd ei siryfion i ddarparu marchogion a saethyddion ar gyfer ymgyrch yn erbyn Owain yn 1401, ac yn 1405, pan laniodd y Ffrancwyr, cynghreiriaid Owain, yn Aberdaugleddau fe orchmynnodd y brenin gynnull holl farchogion, ysgwieriaid ac iwmoniaid y sir yn Henffordd i wrthsefyll y gelyn. Nid yw'n syndod efallai mai o'r sir hon ar y gororau, lle'r oedd y bygythiad o du Owain a'r Cymry yn un gwirioneddol, y daeth un o'r arweinwyr milwrol Seisnig mwyaf llwyddiannus a chyndyn ei wrthwynebiad i Owain, Gilbert Talbot o Goodrich yn ne'r sir, un a fu'n amlwg droeon mewn cyrchoedd Seisnig yng Nghymru, yn eu plith y fuddugoliaeth yn y Grysmwnt ar ffiniau'r sir yn 1405 a'r gwarchae ar gastell Harlech yn 1408–9. Brodor o Swydd Henffordd – o Almeley, nid nepell o'r ffin â Chymru – ac ymgyrchwr milwrol dygn arall yn erbyn Owain oedd Syr John Oldcastle, arglwydd Cobham. Fe ymladdodd ym mrwydr y Pwll Melyn ac yr oedd yn bresennol yng ngwarchae castell Aberystwyth, cyn i'w Lolardiaeth yn y man ennyn llid yr awdurdodau a'i droi'n wrthryfelwr ar ffo a geisiodd, yn ei gyfyngder, ymgynghreirio â Maredudd, mab ei hen elyn, cyn iddo gael ei ddal a'i ddienyddio yn 1417.[3]

Ond yr oedd ochr arall i'r geiniog hefyd. Yn un peth, nid oedd poblogaeth Swydd Henffordd yn unwedd Seisnig. Yn Ergyng ac Euas ac yn rhai o arglwyddiaethau'r Mers i'r gogledd ohonynt – ardaloedd, a bod yn fanwl, na ddaethant yn rhan o'r sir tan y Ddeddf Uno, er eu bod o dan awdurdod esgob Henffordd – a hefyd yn hwndrydau Webtree a Wormelow o fewn terfynau'r sir ganoloesol, mae'n amlwg bod rhan helaeth o'r boblogaeth yn Gymry. Fe ddangosir hyn yng nghofnodion ymweliad esgob Henffordd â'i blwyfi yn 1397. Mae enwau fel Howel Gwtta, Meurig Pengryche a Gwladus Bach yn Euas ac Ergyng, heb sôn am lu o enwau yn cynnwys 'ap' a 'merch' yn ôl y patrwm enwi Cymreig cyffredin, ynghyd â thystiolaeth debyg o fân arglwyddiaethau'r Mers i'r gogledd o'r tiriogaethau hyn, yn brawf o Gymreictod sylfaenol y parthau hyn ar ymylon y sir. Fe gyfrifwyd bod enwau Cymraeg gan gynifer ag 80 y cant o drigolion Euas mor ddiweddar â'r 1540au. Mae'n sicr y ceid Cymry uniaith ymhlith poblogaeth y broydd hyn: mae cofnodion ymweliad yr esgob yn 1397 yn tystio'n ddiddorol i gŵyn plwyfolion Garwy (Garway) yn Ergyng na allai eu hoffeiriad ofalu am eu heneidiau'n briodol gan na fedrai'r Gymraeg ac oherwydd nad oedd nifer o'r plwyfolion yn medru'r

Saesneg. Tystio ynghylch gorffennol Cymraeg y broydd hyn hefyd a wna enwau caeau Ergyng ac Euas a oroesodd hyd adeg llunio'r mapiau degwm oddeutu 1840: maent yn cofnodi llu o enwau yn cynnwys 'cae' ynghyd ag elfen arall, heb sôn am enwau fel Park y Mock, Ton y Gasseg a Rhed Yneg [?Rhedynog] Field. Camgymeriad, wrth gwrs, fyddai uniaethu gwybodaeth o'r Gymraeg â chefnogaeth i Lyndŵr o anghenraid; eto, hawdd yw credu y byddai Cymreictod yr ardaloedd hyn yn golygu nad tiroedd llwyr ddiffaith oeddynt o safbwynt Glyndŵr ac y gallai fod gydymdeimlad goddefol a hyd yn oed gefnogaeth weithredol iddo ymhlith o leiaf rai o'u trigolion.[4]

Mae'n sicr fod rhai o wŷr Swydd Henffordd wedi cefnogi Owain, ac nid brodorion o'r ardaloedd hysbys Gymraeg oeddynt i gyd. (Cwestiwn nad oes ateb pendant iddo yw a geid ynysoedd o siaradwyr Cymraeg yma a thraw yn y sir yng nghyfnod Glyndŵr y tu hwnt i'r ardaloedd lle ceir tystiolaeth sicr ynghylch bodolaeth y Gymraeg.) Gellir amau mai chwant am elw yn hytrach na chefnogaeth wleidyddol a barodd i rai o wŷr y sir ddarparu grawn, bwyd ac arfau i'r gwrthryfelwyr o Gymry yn 1402. Ond ceid enghreifftiau pendant o fewn y sir o gefnogaeth fwy dilys i achos Glyndŵr. Fe fu gŵr o'r enw Richard Foncell, a ddaliai dir yng nghyffiniau Llanllieni, yn swyddog a gasglai drethi yn y sir yn 1402, ond fe'i disgrifiwyd fel cefnogwr i'r gwrthryfelwr Henry Percy ac i 'Owen Glyndourduy' yn 1403; y tebyg yw i Foncell drengi ym mrwydr Amwythig y flwyddyn honno. Fe geir tystiolaeth ddogfennol i Ruffudd ap Harri o Euas, tad Harri Ddu, cyfaill a noddwr Guto'r Glyn, gefnogi Glyndŵr yn gynnar yn ystod y gwrthryfel, er iddo dderbyn pardwn yn 1403. Gŵr a chanddo gysylltiadau â Swydd Henffordd oedd Lewis Byford – rheithor Byford yn nyffryn Gwy o 1388 hyd 1404, er mai yn Llys y Pab yn Rhufain y treuliodd y rhan fwyaf o'r cyfnod – gŵr a benodwyd yn esgob Bangor yn 1404. Fe'i cyhoeddwyd yn herwr yn 1406 oherwydd ei gefnogaeth i Lyndŵr. Fe dybir ei fod yn gynghorwr agos i Owain, ac yn 1407 yr oedd yng nghwmni ei gynghreiriad, Henry Percy, yn yr Alban; yn Chwefror 1408 fe'i cymerwyd yn garcharor ym mrwydr Bramham Moor yn Swydd Efrog – lle lladdwyd Percy – a'i garcharu wedyn yng nghastell Windsor. Cefnogwr nodedig arall i Lyndŵr oedd y Lolard enwog Gwallter Brut (Walter Brut). Brodor o Lyde, ychydig dros filltir i'r gogledd o Henffordd, oedd y gŵr dewr a di-dderbyn-wyneb hwn y rhoddwyd sylw mawr i'w syniadau crefyddol blaengar – a gynhwysai ganiatáu i ferched bregethu a gweinyddu'r sagrafennau – gan ysgolheigion diweddar. Pan ddaethpwyd ag ef gerbron ei gyd-Gymro John Trefnant, esgob Henffordd, yn 1393 i ateb cyhuddiadau o heresi fe'i disgrifiodd ei hun fel 'pechadur, lleygwr, ffermwr, Cristion, yn hanu o blith y Brytaniaid o du'r ddau riant', a'r un pryd fe fynegodd ei argyhoeddiad fod y Cymry yn genedl a alwyd yn arbennig i'r ffydd gan Dduw. Fe all fod Cymreictod taer Brut yn annisgwyl o ystyried yr ardal lle magwyd ef, ond prin y gellir amau ei ddilysrwydd na'i bwysigrwydd sylfaenol iddo o ran ei hunaniaeth. O ystyried ei Gymreictod a'i dueddfryd wrthsefydliadol, nid yw'n syndod efallai iddo ddod yn gefnogwr i Lyndŵr maes o law. Rywdro rhwng Medi 1401 a Medi 1402, efallai yn sgil y cyrch Seisnig a lansiodd Harri IV i geisio adfer y sefyllfa ar ôl brwydr y Bryn Glas ym Mehefin 1402, fe gafodd y gŵr nodedig hwn ei ddienyddio am deyrnfradwriaeth. Fe fyddai Brut wedi cael ei ddienyddio cyn gwybod bod Edmund Mortimer, arweinydd y fyddin a drechwyd ym Mryn Glas ac aelod o'r teulu a fu'n arglwyddi ffiwdal arno ef a'i dylwyth, wedi newid ochr a dod yn fab-yng-nghyfraith ac yn gefnogwr i Lyndŵr. Yr oedd teyrngarwch ffiwdal i arglwydd yn ffenomen o bwys yn yr oesoedd canol: nid yw'n amhosib fod y trosglwyddo teyrngarwch hwn ar ran Mortimer, gŵr y bu ei deulu yn helaeth ei ystadau ac yn fawr ei ddylanwad yn Swydd Henffordd, wedi ychwanegu at y gefnogaeth i Lyndŵr yn y sir, neu o leiaf wedi peri i rai o'i thrigolion simsanu braidd yn eu teyrngarwch i Harri IV.[5]

Wrth ystyried y gefnogaeth i Lyndŵr yn Swydd Henffordd a'r posibilrwydd i'r sir fod yn hafan iddo yn ystod ei ddyddiau olaf, rhaid ystyried y cysylltiadau teuluol a oedd ganddo â'r sir, sef priodasau dwy (yn ôl pob tebyg) o'i ferched ag aelodau o deuluoedd uchelwrol yno. Fe geir awgrym i'r Moningtoniaid, y mae'n debyg i Sioned Glyndŵr ddod yn wraig i un ohonynt ar ôl colli ei gŵr cyntaf, Syr John Croft, ddioddef rhyw gymaint yn sgil eu cysylltiad â Glyndŵr. Ond fe wyddom fwy am deulu'r Sgidmoriaid, y priododd Alys Glyndŵr ag un ohonynt. Fe soniwyd eisoes i Philpod Skydmore, brawd-yng-nghyfraith Alys, gael ei ddienyddio yn Amwythig yn 1411 fel cefnogwr blaenllaw i Owain. Ond o ran pwnc y gyfrol hon, ei frawd, Syr John Skydmore, gŵr Alys Glyndŵr, yw'r ffigur mwyaf perthnasol. Er ei filwrio yn erbyn Owain a'i hir wasanaeth fel swyddog i'r Goron yn nhywysogaeth de Cymru a thu hwnt, gan gynnwys dal swyddi fel cwnstabl cestyll yn Sir Gaerfyrddin, erys peth amheuaeth ynghylch gwir ymlyniad Syr John. A oedd ef ar hyd ei yrfa mor ddiwyro ei deyrngarwch i'r Goron ag yr ymddengys ar yr olwg gyntaf ei fod? Fe gofir i'r lleidr John Oke honni yn 1405 fod Syr John yn gweithredu yn y dirgel ar ran Glyndŵr drwy drosglwyddo arian iddo oddi wrth gefnogwyr yn Lloegr. Gwir na phrofwyd y cyhuddiad – cymharol hawdd efallai fyddai diystyru tystiolaeth lleidr a allasai fod wedi gwneud honiadau gwyllt er mwyn ceisio achub ei groen ei hun – ac nad oes cofnod i Syr John ddioddef mewn unrhyw ffordd yn sgil yr honiadau a wnaed yn ei erbyn. Ond o gofio i'w frawd Philpod ymlynu wrth achos Glyndŵr hyd angau, tybed nad gŵr cyfrwysgall a fu'n chwarae'r ffon ddwybig yn ddeheuig iawn gan guddio'i wir deyrngarwch oedd Syr John? Y mae ystyriaethau ynghylch ei briodas ag Alys Glyndŵr sy'n haeddu eu crybwyll. A fyddai wedi priodi Alys heb fod cysylltiad uniongyrchol o ryw fath – un amgenach na chysylltiad gŵr â'i elyn – rhyngddo ef a'i thad, Owain? Gellid nodi hefyd mai prin y deilliai unrhyw fantais faterol na gyrfaol iddo o briodi merch gwrthryfelwr a oedd yn fradwr esgymun yng ngolwg yr awdurdodau ac yn un a amddifadwyd o'i diroedd (mae sail dros gredu mai yn ystod y gwrthryfel – rywdro wedi 1403 – y bu'r briodas). Ai nid oherwydd cwlwm carennydd yn unig – ffyddlondeb naturiol merch i'w thad – ond hefyd oherwydd cydymdeimlad dirgel ag achos Glyndŵr ar ran ei fab-yng-nghyfraith y bu i Owain efallai gael hafan a lloches dan ei gronglwyd yn ystod y dyddiau dreng ar ddiwedd ei oes? Ond, fel y dengys y tudalennau sy'n dilyn, nid yn Ergyng a'r cyffiniau yn unig o fewn Swydd Henffordd y cafwyd traddodiadau ynghylch dyddiau olaf Glyndŵr, yn gyfrodedd, mae'n debyg, o hanes a llên gwerin.[6]

2

Croft Castle

RYW WYTH MILLTIR i'r de-orllewin o Lwydlo a thua saith milltir o Lanllieni rhwng pentrefi Yarpole a Mortimer's Cross (lle'r ymladdwyd un o frwydrau mawr Rhyfeloedd y Rhosynnau yn 1461), gyda hen gaer Geltaidd Croft Ambrey yn gwylio drosto ac erwau bras dyffryn Llugwy – Lugg y Saeson – yn ymestyn yn braf oddi tano, fe saif Croft Castle ynghanol coetir hyfryd. I'w gyrraedd o deithio i gyfeiriad Mortimer's Cross rhaid troi oddi ar y ffordd a dilyn arwyddion yr Ymddiriedolaeth Genedlaethol i lawr lôn gul y mae coed derw a ffawydd praff yn ei chysgodi. O ddilyn y lôn drwy borth carreg Gothig y mur amgylchynol fe welwch y castell o'ch blaen yn ei holl ogoniant, adeilad cadarn sgwâr o gerrig calchfaen llwydfrown gyda thyrau crwn yn gwarchod pob cornel, ac eglwys fechan Mihangel Sant, eglwys breifat teulu'r Croftiaid gynt, yn addas hynafol yr olwg gerllaw iddo. Dyma, i bob golwg, gastell canoloesol o'r iawn ryw. Ond mae'r adeilad bron yn rhy berffaith ei ffurf, a'i olwg yr un mor archdeipaidd gastellog â chastell tegan. Mae'n sicr fod castell wedi sefyll ar y fan am dros naw can mlynedd, a hawdd ar yr olwg gyntaf fyddai derbyn yr honiadau a wnaed yn aml fod rhannau o'r castell presennol yn dyddio o'r bedwaredd ganrif ar ddeg neu ynghynt. Ond fe gaech eich twyllo pe baech yn credu hynny. Ychydig dros ddegawd yn ôl fe ddaeth yr archaeolegwyr gyda'u profion dendrocronolegol a'u dyfarniadau oeraidd i danseilio'r rhith a'r rhamant canoloesol. Fe wyddom i sicrwydd

Croft Castle
(Diolch i'r Ymddiriedolaeth Genedlaethol, Croft Castle, am ganiatâd i dynnu'r llun)

bellach mai dynwarediad celfydd o gastell canoloesol yw'r castell presennol, un a godwyd yn yr ail ganrif ar bymtheg gan aelod o'r teulu Croft a oedd yn esgob Henffordd, plasty a godwyd yn unol â ffasiwn bensaernïol neo-Gothig fonheddig yr oes i gymryd lle adeilad cynharach a ddifrodwyd yn ystod y Rhyfel Cartref rhwng Siarl I a'i Senedd.[7]

Beth bynnag am hynafiaeth y castell, nid oes amheuaeth ynghylch hynafiaeth y teulu Croft, y mae'n debyg i'w aelodau fod yn byw ar y safle ers yr unfed ganrif ar ddeg (mae'n debyg fod y castell gwreiddiol yn sefyll fymryn i'r gorllewin o'r castell presennol). Mae ansicrwydd ai Saeson ynteu Normaniaid oedd y Croftiaid cynharaf a fu'n byw yma. Mewn cerdd a luniodd dau Gymro, Dr John Dee a Siancyn Gwyn, yn yr unfed ganrif ar bymtheg i borthi balchder y penteulu ar y pryd fe honnwyd nad oedd yn hanu 'from Norman kynd but Saxon onlie syns Hengiste tyme': arddel eu Seisnigrwydd Hengistaidd, mae'n ymddangos, oedd dymuniad y teulu, ond fe gyfyd amheuaeth ynghylch hyn gan mai enwau bedydd Normanaidd a oedd i'r tri Croft cyntaf y mae hanes yn adrodd amdanynt, ffaith y cydnabuwyd ei harwyddocâd tebygol gan yr Uwch-gapten Owen Croft, croniclydd hanes y teulu a pherchennog y castell ar un adeg, yn ei gyfrol *The House of Croft of Croft Castle* (1949). Fe fu'r Croftiaid yma'n ddi-dor hyd ganol y ddeunawfed ganrif pan fu'n rhaid i un ohonynt ildio'r castell i'w ddyledwyr, ac ymhlith ei berchenogion wedi hynny yr oedd tad Thomas Johnes o'r Hafod (yma y treuliodd ei fab enwog ei fachgendod). Ond bu tro annhebygol i'r stori yn y 1920au pan brynodd y Croftiaid y castell yn ôl, ac, fel cynifer o'u tebyg, drwy gydweithio â'r Ymddiriedolaeth Genedlaethol ac agor eu castell i'r werin a'r miloedd y maent 'yma o hyd' a'r Arglwydd Croft presennol yn dal i fyw yn y castell o bryd i'w gilydd.[8]

Wrth glodfori llinach y Croftiaid yn eu cerdd, nid anghofiodd John Dee a Siancyn Gwyn grybwyll cysylltiad y teulu ag Owain Glyndŵr: 'Glyndwr the great of Wales ... did match wth Crofte his bloud supreme.' Daeth gwaed Glyndŵr i wythiennau'r Croftiaid drwy briodas ei ferch Sioned (Jonet) â Syr John (de) Croft. Lle mae tystiolaeth y llyfrau achau yn gymysglyd ynghylch enwau merched Owain a briododd aelodau o deuluoedd bonheddig eraill yn Swydd Henffordd, maent yn bur gytûn ynghylch enw gwraig Syr John. Llai sicr yw honiad ambell un o'r llawysgrifau fod naill ai modryb i Lyndŵr, chwaer i'w dad, Gruffudd Fychan, neu chwaer i Owain ei hunan, wedi priodi Syr Richard Croft, gŵr nad oes modd ei olrhain yn achau'r Croftiaid. Er mai mentrus iawn fyddai mynnu gormod ar sail tystiolaeth mor simsan, nid yw'n gwbl amhosib mai cysylltiad teuluol â chenhedlaeth flaenorol o'r Croftiaid a arweiniodd at briodas Sioned â Syr John Croft.[9]

Yr oedd gŵr Sioned Glyndŵr, Syr John Croft, yn ffigur diddorol. Fe geir tystiolaeth ei fod yn y 1390au yn cydymdeimlo â'r Lolardiaid, y radicaliaid crefyddol a heriai uniongrededd eglwysig yr oes ac y bu amryw ohonynt yn poeni awdurdodau esgobaeth Henffordd. Fe garcharwyd Syr

John yng nghastell Windsor o'r herwydd yn 1394. Yn 1395 fe fu'n rhaid iddo dyngu llw gerbron Esgob Henffordd, y Cymro John Trefnant; awgrymai cynnwys y llw fod yr awdurdodau'n amau bod ei gartref yn ganolfan Lolardaidd, bod nid yn unig Syr John ei hunan ond hefyd ei wraig a'i weision yn tueddu at anuniongrededd a bod amheuaeth hefyd fod copi o Feibl Saesneg gwaharddedig John Wycliff ym meddiant y teulu. Nid mantais i Syr John, gŵr a fu eisoes mewn dyfroedd go ddyfnion, fyddai ei gysylltiad teuluol pan gododd ei dad-yng-nghyfraith mewn gwrthryfel yn 1400, ond yr oedd yn ddigon pell i ffwrdd yn milwrio ym myddinoedd Lloegr yn Ffrainc a Fflandrys rhwng 1402 ac 1404 pan oedd y gwrthryfel yn ei anterth. Ni wyddom pryd y bu farw, ond yr oedd yn dal yn fyw yn 1410 ac efallai ar ôl hynny. Mae nifer o'r llawysgrifau achau yn honni mai Sioned, wedi iddi ddod yn wraig weddw, oedd y ferch i Lyndŵr a briododd Syr Richard Monington, a thebyg fod hynny'n gywir, er bod ffynonellau eraill yn rhoi enwau gwahanol i'r ferch i Owain a ddaeth yn wraig i'r gŵr hwnnw.[10]

Ar ôl i ddyddiau peryglus y gwrthryfel gilio i'r gorffennol fe fu'r Croftiaid yn fwy na bodlon i arddel eu cysylltiad teuluol ag Owain Glyndŵr. Heddiw, yn un o goridorau'r castell mewn cas gwydr ar y wal fe ddangosir achau'r teulu wedi eu llythrennu'n gain gydag arfbais y teulu wedi ei ddarlunio yn y gornel dde uchaf. Uwchben y darian ar y crest, fel y'i gelwir, y mae dau anifail herodrol: llew mileinig Lloegr gyda'i bawen ddyrchafedig (*passant guardant*) yw un, ond mwy diddorol i Gymro yw'r anifail arall llai bygythiol yr olwg, sef math o ddraig ddwygoes – gwifr (*wyvern*) o'i galw wrth yr hen enw Cymraeg herodrol – wedi ei lliwio'n ddu ond gyda dafnau coch o waed yn diferu ohoni. Mae tystiolaeth bendant fod y bwystfil rhyfedd hwn yn rhan o arfbais y Croftiaid ers diwedd y bymthegfed ganrif: fe'i harddelwyd gan Syr Richard Croft, a urddwyd yn farchog ym mrwydr Stoke yn 1487. Barn Syr Anthony Wagner (1908–95), prif awdurdod herodrol Lloegr yn ei ddydd, oedd fod gwifr clwyfedig y Croftiad yn coffáu'r cysylltiad â Glyndŵr. Fe nododd fod gwifr yn addurno crest y

Arfbais teulu Croft, gyda'r wifr waedlyd ar y crest yr honnwyd ei bod yn cyfeirio at Owain Glyndŵr

(Diolch i'r Ymddiriedolaeth Genedlaethol, Croft Castle, am ganiatâd i dynnu'r llun)

ddelwedd o Lyndŵr a geid ar ei Sêl Fawr gŵyr, gan ddyfarnu 'There may be some allusion to Owen's fate in the mournful colour and vulning [= clwyfo] of the Croft "Wyvern."' Gellir nodi hefyd fod arfbeisiau aelodau unigol o'r teulu Croft yn eu ffurf fwyaf cymhleth er mwyn amlygu eu holl gysylltiadau achyddol

– wedi eu chwarteru, ys dywed yr herodron – yn dangos llew ar ei ddwygoes (*rampant*) i gynrychioli'r cysylltiad â Glyndŵr, ynghyd â dyfeisiau herodrol eraill i gynrychioli Madog ap Maredudd, Rhodri Mawr, Brochwel Ysgithrog a Chadwaladr, hynafiaid Cymreig o fri y tybid bod y cysylltiad â Glyndŵr yn rhoi'r hawl iddynt arddel perthynas â hwy.[11]

Yn ei gyfrol ar hanes ei deulu y mae Owen Croft ar ddechrau'r llyfr yn pwysleisio i'w deulu fod yn 'good Englishmen for many centuries and *always* loyal to the Crown' (mae'r italeiddio yn y gwreiddiol)! Ond eto, yn ei bennod ar Syr John Croft, a briododd ferch Glyndŵr, mae'n traethu'n helaeth ynghylch Owain ac yn cyfeirio'n gynnes iawn tuag ato: 'The Welsh people, as well as the people who knew his movements in Herefordshire, *to their eternal glory* [fy italeiddio i] never gave a hint as to his whereabouts, although there was a large price on his head.' Fe gaiff yr agwedd hon o Seisnigrwydd rhonc (nid annisgwyl) yn gymysg â balchder yn yr hynafiad gwrthryfelgar o Gymro ei hamlygu mewn aelodau eraill o'r teulu. Fe brynodd yr Uwch-gapten Croft gastell ei dylwyth oddi ar ei berthynas Syr Henry Page Croft (1881–1947), Aelod Seneddol Ceidwadol a ddyrchafwyd yn Arglwydd Croft yn 1940 a'i benodi'n aelod o gabinet rhyfel Churchill. Gwleidydd Toriaidd asgell dde, imperialydd diedifar a wrthwynebai hunanlywodraeth i Iwerddon ac i'r India, a gefnogai'r Cadfridog Franco ac a anogodd arfogi'r *Home Guard* â phicelli ('Croft's pikes') i wrthsefyll gynnau'r Almaenwyr, oedd y disgynnydd hwn i Lyndŵr! Eto, yn ei hunangofiant mae'n ymfalchïo fel y bu i 'my ancestor Owen Glendower' wrthsefyll brenin Lloegr am flynyddoedd, ac fe enwodd ei fab a'i etifedd, yr ail Arglwydd Croft, yn Michael Henry Glendower Page Croft. Pennaeth cangen arall o'r teulu – y brif linach mewn gwirionedd – yw Syr Owen Glendower Croft, y deuddegfed barwnig Croft, sy'n henwr dros ei bedwar ugain oed yn byw yn Awstralia, ac yn yr ugeinfed ganrif fe fu Croftiaid eraill, aelodau o isganghennau'r teulu, hwythau'n arddel yr enw Glyndŵr yn ei ffurf Seisnigedig.[12]

Fe gofir am yr honiad i Lyndŵr dreulio'i ddyddiau olaf yn ffoadur yn Swydd Henffordd ac iddo lochesu 'at his daughter Scudamores' neu 'at his daughter Moningtons house'. Mae'n deg gofyn a yw'n bosib iddo geisio lloches gyda'i ferch a'i theulu yn Croft Castle hefyd? Fe awgrymwyd hynny gan Owen Croft yn ei gyfrol ar hanes ei deulu, gan haeru ei bod yn bosib fod y 'proud old warrior' wedi crwydro rhwng cartrefi ei ferched yn y sir, gan fynd rhagddo i bwysleisio'n falch 'in my view Croft was the best bolt-hole then, as it would be today'! Fel arwydd o ewyllys da ei dylwyth at y Cymry mae'n cyfeirio hefyd at draddodiad teuluol y gallai Cymro gael noson o lety unrhyw adeg ar fatres gwellt ar lawr atig y castell, gan awgrymu y gall fod y traddodiad yn deillio o ddyddiau Glyndŵr. Mae'r stori'n un dda, ac mae tywysyddion y castell heddiw yn sôn am y 'Welsh garret' sydd wedi ei ddymchwel bellach. Tybed, fodd bynnag, nad y cof am lety i weision neu forynion o Gymry a ddaeth dros y ffin i wasanaethu'r teulu sy'n esbonio'r enw mewn gwirionedd? Yn rhyfedd iawn, mae darn arall o lên gwerin na chyfeiriodd yr Uwch-gapten Croft ato yn ei gyfrol o gwbl. Pan ymwelais â Croft Castle yn 2013, er cryn syndod imi fe geisiodd un o dywyswragedd hynaws yr Ymddiriedolaeth Genedlaethol fy argyhoeddi'n daer bod sgerbwd Glyndŵr – a hwnnw'n 'very large skeleton' a ddiflannodd yn ddisymwth yn fuan wedyn – wedi cael ei ddarganfod y tu ôl i banel yn un o dyrau gorllewinol y castell pan fu gwaith adeiladu yno ganrif union ynghynt, yn 1913! Fe all fod sgerbydau mewn sawl cwpwrdd, ond, ar wahân i ddim arall, mae'n briodol yn yr achos hwn cofio am ddedfryd yr archaeolegwyr mai rhith yw hynafiaeth ymddangosiadol y castell presennol ac nad yw'n bosib ei fod yn dyddio o gyfnod Glyndŵr. Ond beth bynnag a feddylir ynghylch stori o'r fath – y gwelais wedyn ei chofnodi mewn print mewn llyfryn a oedd ar werth yn y stablau yn cofnodi atgofion llafar trigolion lleol am y castell – mae'n enghraifft ddiddorol arall o'r argraff hynod o gryf a adawodd Glyndŵr ar ddychymyg poblogaidd Swydd Henffordd.[13]

3

Lawton's Hope

LAI NAG WYTH milltir i'r gogledd-orllewin o Henffordd saif pentref bychan a dinod Canon Pyon. Er mor dawel ydyw heddiw, mae'n debyg i wrthryfel Glyndŵr darfu ar fywyd yr ardal hon fel ar sawl ardal arall yn Swydd Henffordd. Yn 1997 yn un o gaeau'r ardal fe gafwyd hyd gyda pheiriant canfod metel i gasgliad o ddarnau arian o gyfnod teyrnasiad Rhisiart II a chyn hynny: fe dybir ei bod yn bosib iddynt gael eu claddu gan rywun i'w diogelu yn ystod blynyddoedd ansicr y gwrthryfel. Ond efallai fod dolen dipyn pwysicach na hynny yn cysylltu Canon Pyon â'r gwrthryfel.[14]

O ddilyn ffordd gul sy'n dringo'n raddol o'r troad heibio tafarn y pentref a'i gadael yn y man ar hyd ffordd fferm arw heibio i gaeau braf o'r pridd coch sy'n nodweddu'r rhan hon o'r sir fe gyrhaeddir bryncyn coediog sydd i'w weld yn amlwg o'r pentref ryw filltir a mwy yn y gwastatir islaw. Enw'r bryncyn yw Lawton's Hope, ac yn llechu wrth ei droed y mae ffermdy o'r un enw. Tŷ ffrâm bren du a gwyn hynod ddeniadol o'r math sy'n gyffredin yn Swydd Henffordd, un a godwyd ddiwedd yr ail ganrif ar bymtheg neu ddechrau'r ddeunawfed ganrif, yw'r ffermdy presennol, ac fe all mai mwnt mewn cae o dan y tŷ oedd safle'r drigfan wreiddiol. Sawru'n bendant o'r unfed ganrif ar hugain a wna'r honglaid anferth o sied ieir fodern y mae'n rhaid mynd heibio iddi i gyrraedd y ffermdy heddiw.

Tŷ fferm Lawton's Hope

Ond mae hud hen hanes yn perthyn i'r fan neilltuedig hon ac mae'r hanes hwnnw'n cysylltu ag Owain Glyndŵr.[15]

Yn niwedd tridegau'r bymthegfed ganrif fe ddaeth ysgolhaig dyneiddiol o Ferrara yn yr Eidal draw i Loegr i chwilio am nawdd a chynhaliaeth. Ei enw oedd Tito Livio Frulovisi (bl. 1429–56) a bu'n gweithredu am gyfnod fel ysgrifennydd i Humphrey, dug Caerloyw, brawd y brenin Harri V, a fu farw yn 1422. Er mwyn ennill ffafr ei noddwr fe gyfansoddodd Livio gofiant Lladin i ddiweddar frawd y dug, o dan y teitl *Vita Henrici Quinti* ('Bywyd Harri V'), gwaith a luniwyd tua 1438 ac a gyflwynwyd i fab y gwrthrych, y brenin ifanc Harri VI. Maes o law, yn gynnar yn yr unfed ganrif ar bymtheg, fe gyfieithwyd cofiant Livio i'r Saesneg. Yn un o'r ddwy lawysgrif sy'n cynnwys y testun Saesneg, sef Harley 35, llawysgrif a gedwir yn y Llyfrgell Brydeinig ac a ysgrifennwyd tua diwedd teyrnasiad Iago I yn yr ail ganrif ar bymtheg, fe geir manylyn ynghylch Owain Glyndŵr na cheir mohono yng ngwaith gwreiddiol Livio nac yn y testun Saesneg arall a gadwyd. Mae'r dyfyniad o Harley 35 a roddir isod yn adrodd am y modd y trechodd y tywysog Harri – a ddaeth wedyn yn Harri V – wrthryfel y Cymry gan fynd ymlaen i sôn am dynged a marwolaeth Glyndŵr (mae'r geiriau sy'n unigryw i Harley 35 wedi eu hitaleiddio):

> … and subdued the rest of Wales vnder the Kings obeysance, Except one person. whose name was Owen Glendowre, wch was principall Cheiftaine of the Welsh rebellions, this Owen for feare and in dispaire of obtaineing the Kings pardon, fled into desart places wthout companie *where in caues he continued, and vppon the topp of Lawtons Hope Hill in Herefordshere as is their observed and affirmed finished his Misserable life,* neverthelesse his sonne afterwards was taken prisoner into service with the Prince, And this sufficeth of Welsh conqueriaces and Battailes wth this victorious prince right valliantly vanquished and reduced the people to the King his ffathers obeysance.

Mynnodd croniclwyr eraill, fel y Saeson Tuduraidd Hall a Holinshed, i Lyndŵr farw'n ffoadur truenus yn cuddio rhag ei elynion mewn mannau anghyfannedd (mae'r ddau'n sôn am 'desert places and solitary caves'), tynged haeddiannol i un y credent ei fod yn adyn gwrthryfelgar, 'a finall reward mete and prepared by Goddes providence for suche a rebell and sedicious seducer' (Hall). Ond ni cheir yn unman arall y manylyn a geir yn Harley 35, cyfeiriad at lecyn di-sôn-amdano y mae'n annhebyg fod llawer o bobl y tu hwnt i Swydd Henffordd yn gwybod am ei fodolaeth hyd yn oed. Ni wyddom ymhle yr ysgrifennwyd Harley 35, ond mae blas gwybodaeth leol ar y manylyn a ychwanegwyd at waith Livio. Fel yr awgryma'r geiriau 'as is their observed and affirmed', diau mai adleisio traddodiad a oedd yn fyw yn Swydd Henffordd yn gynnar yn yr ail ganrif ar bymtheg pan ysgrifennwyd y llawysgrif a wna'r sôn am farw Glyndŵr ar fryn Lawton's Hope.[16]

Sut mae esbonio'r cyfeiriad at Lawton's Hope fel man marw Glyndŵr ac a ellir rhoi unrhyw goel arno? Fe gofir am y sylw yn 'Hanes Owain Glyndŵr' a ysgrifennwyd gan Robert

Vaughan a/neu Thomas Ellis, 'some say, he dyed at his daughter Scudamores, others, at his daughter Moningtons house'. Mae'r sôn am farw Owain yn 'his daughter Moningtons house' yn cysylltu'n ddiddorol â'r cyfeiriad at Lawton's Hope yn Harley 35.[17]

Eiddo i esgobion Henffordd oedd Lawton's Hope a mabwysiadodd eu tenantiaid hwy y cyfenw Lawton. Gŵr o'r enw Syr John Lawton oedd y deiliad ganol y bedwaredd ganrif ar ddeg – fe wyddom ei fod yn dal yn fyw yn 1369 – ac fe briododd ei ferch a'i aeres ef ŵr o'r enw Hugh Mon(n)ington a fu'n Aelod Seneddol Swydd Henffordd sawl tro yn ystod teyrnasiad Edward III. Drwy'r briodas hon y daeth y teulu Monington i Lawton's Hope ac fe barhaodd y cysylltiad hyd yr ail ganrif ar bymtheg. Ffigur na cheir fawr ddim sôn amdano oedd Syr Richard Monington, a briododd un o ferched Owain Glyndŵr, efallai Sioned, gweddw Syr John Croft, ond mae'n fwy na thebyg ei fod yn fab i Hugh Monington, yr Aelod Seneddol (m. 1394). Rhoddodd yr achyddion fwy o sylw i Hugh Monington II, brawd Syr Richard yn ôl pob tebyg, gŵr a briododd aeres Syr Nicholas de Sarnesfield gan sefydlu prif linach ddiweddarach y Moningtoniaid yn Sarnesfield, ryw bum milltir i'r gorllewin o Canon Pyon, yn nes at y ffin â Chymru (weithiau fe honnwyd ar gam mai i'r gangen hon o'r teulu y perthynai Syr Richard). Ond mewn ach yn llawysgrif Harley 1975 yn y Llyfrgell Brydeinig a luniwyd tua 1630 gan yr herodr a'r achydd Randle Holme o Gaer fe enwir Syr Richard a chofnodi ei briodas â Sioned merch Glyndŵr a rhestru rhai o'u disgynyddion. Yn arwyddocaol iawn, fe leolir y disgynyddion yn Lawton's Hope (ac mewn lle o'r enw Buttas sydd hefyd yn Canon Pyon). Dyma awgrym go bendant felly o gysylltiad rhwng Lawton's Hope a Syr Richard a'i wraig, merch Glyndŵr; y mae'n fwy na thebyg mai yno oedd 'his daughter Moningtons house' y cyfeiriwyd ato yn 'Hanes Owain Glyndŵr'. Fe geir cofnod yng nghofrestr Thomas Spofford, esgob Henffordd, at denantiaeth gŵr o'r enw John Monington yn Lawton's Hope yn 1437: ai mab i Syr Richard Monington a'i wraig oedd y gŵr hwn? O ran esbonio'r geiriau ychwanegol yn nhestun Harley 35 sy'n cyfeirio at Lawton's Hope, fe ddilynwyd y trywydd hwn o'r blaen gan C. L. Kingsford, ysgolhaig a olygodd y cyfieithiad Saesneg o waith Livio yn 1911, ond ni wyddai ef am lawysgrif Harley 1975 ac fe aeth ar gyfeiliorn drwy ddibynnu ar ffynhonnell wallus a oedd yn nodi mai Thomas Monington oedd enw gŵr merch Glyndŵr.[18]

Ardal drwyadl Seisnig ac uniaith Saesneg ei hiaith fu Canon Pyon ers canrifoedd lawer. Ond, er mor agos ydoedd at Henffordd, tybed a geid rhywfaint o Gymraeg yno yn y cyfnod pan oedd merch Glyndŵr yn wraig i Richard Monington yn Lawton's Hope? Mae dogfennau yn dangos bod treflannau o Gymry (*villae Walenses*) yn ardaloedd King's Pyon a Wormsley, ryw ddwy filltir a hanner a thair milltir o Canon Pyon, yn y drydedd ganrif ar ddeg neu'n gynnar yn y ganrif wedyn. Fe all fod rhyw gymaint o Gymraeg wedi goroesi yn y cyffiniau am yn hir wedi hynny. Fe honnodd J. E. Southall (1855–1928) – brodor o Lanllieni a ddysgodd Gymraeg ac a oedd yn un o bleidwyr mwyaf pybyr yr iaith yn ei ddydd – fod cydnabod iddo wedi honni ei fod wedi sgwrsio yn Gymraeg â gwraig yn Yazor, bum milltir o Canon Pyon, tua 1835 a'i bod wedi dweud wrtho mai Cymraeg oedd iaith plant yr ardal pan oedd hi'n ifanc. Ond a bwrw y gall fod rhywfaint o Gymraeg yn y cyffiniau yng nghyfnod y gwrthryfel, peryglus fyddai uniaethu gwybodaeth o'r iaith â phleidgarwch i Lyndŵr, ac ni ellir ond dyfalu beth oedd hyd a lled y gefnogaeth iddo yn yr ardal hon y tu hwnt i gylch uniongyrchol ei ferch a'i fab-yng-nghyfraith yn Lawton's Hope.[19]

A yw'r traddodiad sy'n cael ei adlewyrchu yn Harley 35 yn un dilys, ynteu'n chwedl a luniwyd gan ddychymyg cof gwlad a wyddai am gysylltiad Syr Richard Monington a'i wraig a'u disgynyddion â Lawton's Hope? Fel yn achos y mannau eraill a gysylltir â diwedd Glyndŵr, mae'n anodd dyfarnu'n bendant, ond annoeth efallai fyddai diystyru'r hanes hwn. Mae'n debyg i'r Moningtoniaid ddioddef yn sgil eu cysylltiad â Glyndŵr: mae un o herodron y Coleg Arfau mewn nodyn a ysgrifennodd yn 1531 yn cofnodi iddynt gael eu cosbi a cholli eu hawl i arddel pais arfau o'r herwydd. Nid yw'n amhosib i Lyndŵr, pan oedd yn ffoadur ar ôl methiant y gwrthryfel, lochesu ar dro yn Lawton's Hope – man cymharol ddiarffordd – lle'r oedd un o'i ferched yn byw. Mae'n werth cofio hefyd pa mor agos oedd Lawton's Hope – dim ond rhyw dair milltir yn ôl hediad brân – o La Verne yn Bodenham, lle mae'n fwy na phosib y bu Alys, un arall o ferched Glyndŵr, yn byw (gw. tt. 116–17 isod). A fu Glyndŵr yn symud rhwng cartrefi dwy o'i ferched yn y rhan hon o Swydd Henffordd? Ai yn Lawton's Hope neu gerllaw y bu farw, ni ellir ond dyfalu. Ond beth bynnag fo'r union wir, mae'r hanesyn a gofnodir yn Harley 35 yn arwydd pellach o gryfder y traddodiadau am ddiwedd Glyndŵr a oedd yn cylchredeg yn Swydd Henffordd. Mae'n werth pwysleisio mai sôn am *farw* Glyndŵr yn Lawton's Hope a wneir yn Harley 35, ac na honnir yno nac yn unman arall mai yng nghyffiniau'r fan honno y'i claddwyd.[20]

4

Cwrt Llan-gain

O DEITHIO TUA'R de ar hyd y ffordd sy'n arwain o'r Gelli Gandryll (Hay-on-Wye) drwy erwau braf y 'Golden Valley', anodd yw anghytuno â'r dyfarniad 'which name it deserves from its golden, rich and pleasant plenty'. Ond dylai Cymro gofio mai cysgod y Gymraeg sy'n gyfrifol am yr enw addas glodforus hwn. Dyma *Ystrad Dour* Llyfr Llandaf yn y drydedd ganrif ar ddeg neu *Diffrin dore*, y ffurf a gofnododd John Leland yn yr unfed ganrif ar bymtheg: fe dybiodd y Normaniaid mai 'd'or', nid ffurf ar 'dwfr/dŵr', oedd ail elfen yr enw Cymraeg, a'u *Valle d'Or* hwy a drowyd maes o law i'r Saesneg. O deithio ymlaen fe gyrhaeddir yn y man bentref Pontrilas ym mhen isaf y dyffryn. Rhaid teithio ychydig dros filltir a hanner eto i'r de-ddwyrain i gyrraedd pentref llai Llan-gain (Kentchurch) ar lannau afon Mynwy. Mae'r enw'n coffáu'r santes Gymreig Cain ferch Brychan Brycheiniog: nid oedd *t* yn yr enw Saesneg yn yr oesoedd canol, a *Kynechurch* a gofnododd John Speed ar ei fap o'r sir yn gynnar yn yr ail ganrif ar bymtheg. O anelu ar hyd lôn gul y tu draw i'r pentref fe ddeuir at eglwys y plwyf a gyferbyn â hi borth carreg trawiadol Cwrt Llan-gain, neu Kentchurch Court fel y'i gelwir heddiw. Drwy'r porth i lawr lôn a choed ffawydd yn tyfu o boptu iddi fe gyrhaeddir y plasty, prif gartref teulu'r Sgidmoriaid ers y bedwaredd ganrif ar ddeg. Gwta bymtheng milltir o brysurdeb dinas Henffordd yr ydym yma mewn byd gwahanol.[21]

Fe ellir honni'n bur ffyddiog i Alys, merch Owain Glyndŵr, fyw yng Nghwrt Llan-gain ar ôl ei phriodas – un ddirgel ac anghyfreithlon yn ôl pob tebyg – â Syr John Skydmore (gan dreulio amser hefyd efallai yn La Verne, cartref arall y teulu yn Bodenham ger Llanllieni). O blith y cartrefi yn Swydd Henffordd lle bu merched Glyndŵr yn byw ar ôl eu priodasau ag uchelwyr o'r sir, ar Gwrt Llan-gain yn anad yr un y canolbwyntiodd dychymyg llên gwerin a rhamant ei sylw. Anodd, onid amhosib, bellach yw nithio'r hanes oddi wrth y dychmygol. Eto, o gofio bod y fan yn bur neilltuedig ac anghysbell – ac yn debyg o fod yn fwy felly yn yr oesoedd canol – ac o gofio am rym a dylanwad Syr John Skydmore, mab-yng-nghyfraith Glyndŵr, yn ei ddydd, nid yw'r awgrymiadau fod Owain wedi llochesu gydag Alys ar ddiwedd ei ddyddiau, y gellir eu holrhain cyn belled yn ôl â 'Hanes Owain Glyndŵr' a sylwadau John Aubrey yn yr ail ganrif ar bymtheg, yn rhai y tâl inni eu hanwybyddu, er gwaethaf yr haenau trwchus o ddychymyg a rhamanteiddio a liwiodd y darlun o bryd i'w gilydd.

Os bu Glyndŵr yng Nghwrt Llan-gain chwe chan mlynedd yn ôl, adeilad tra gwahanol ei olwg i'r un sydd yno heddiw fyddai'r un y byddai'n gyfarwydd ag ef. Er bod rhannau o'r adeilad yn dyddio o'r bedwaredd ganrif ar ddeg, mae golwg y plasty heddiw yn adlewyrchu i gryn raddau yr ailwampio a fu arno yn sgil cynlluniau a luniodd y pensaer enwog John Nash tua 1794–5, rhai a wireddwyd yn ystod dauddegau'r ganrif ddilynol. Mae'r tŵr hirsgwar cadarn ar gongl ogledd-orllewinol yr adeilad wedi goroesi o'r oesoedd canol, ond creadigaeth Nash yw ei grib castellog gyda thŵr bach crwn yn un gornel a ddisodlodd yr hen do siâp pyramid y dengys lluniau o'r ddeunawfed ganrif iddo fod arno gynt. Prin fod rhaid dweud ychwaith na fyddai Syr John Skydmore nac Alys na Glyndŵr wedi rhodio'r lawnt lydan sy'n ymestyn yn braf ar godiad graddol o flaen y tŷ heddiw, a chwaeth oes ddiweddarach yn sicr a adlewyrchir yn y cerfluniau a'r cawgiau blodau marmor sy'n addurno'r borfa daclus. O edrych i fyny y tu hwnt i'r lawnt fe welir y coed yn amlhau yn uwch i fyny'r llechwedd dan gysgod Garway Hill, adlais o'r hen enw Cymraeg Garewi. Yn y coed y mae parc ceirw'r plasty, sy'n darparu seigiau yn eu tymor ar gyfer siopau cigyddion Llwydlo a'r Fenni. Hawdd fyddai credu y ceid parc ceirw mewn tŷ bonedd canoloesol, ond mae'n ymddangos mai ym mhedwardegau'r unfed ganrif ar bymtheg y prynodd un o'r Sgidmoriaid y tir lle mae'r ceirw heddiw'n pori, eiddo urdd grefyddol yr Ysbytywyr tan y Diwygiad Protestannaidd.[22]

Ers Deddf Uno 1536 y mae Cwrt Llan-gain yn Swydd Henffordd ac yn Lloegr. Ond cwta hanner milltir i ffwrdd y mae'r ffin â Chymru, ac ni ellir amau i Lan-gain fod unwaith yn rhan o'r Gymru Gymraeg. Awgrymog yw'r ffaith i Syr John Skydmore gael ei benodi'n 'walstawd' cymydau Gwidigada ac Elfed yn Sir Gaerfyrddin yn 1411, swydd a ddaliodd am dros ugain mlynedd: ystyr enw'r swydd oedd 'cyfieithydd' ac yr oedd llywyddu ar lysoedd lle'r arferid y Gymraeg yn ganolog iddi. Fe ellir bod yn bur ffyddiog hefyd mai'r Gymraeg a ddefnyddiai yn ei ymwneud â'i denantiaid gartref yn Llan-gain. Dwyn ar gof orffennol Cymraeg y fro y mae enwau rhai o gaeau ystad Cwrt Llan-gain ar fap degwm 1840, enwau fel Carn y Christ, Kae Mowre, Park y Mok, Ton y Gasseg a Wern Dipper. Fe geir tystiolaeth y cynhelid gwasanaethau Cymraeg yn eglwys y plwyf ym mhentref y Grysmwnt filltir a hanner i ffwrdd dros y ffin yng Nghymru hyd o leiaf ddechrau'r ddeunawfed ganrif. Fe ellir bod yn bur hyderus mai mewn bro lle'r oedd seiniau'r Gymraeg yn hyglyw – lawn mor hyglyw efallai ag yng Nglyndyfrdwy neu Sycharth – y treuliodd Alys Glyndŵr ei blynyddoedd fel meistres Cwrt Llan-gain.[23]

Mae'n hysbys i Sgidmoriaid y cenedlaethau diweddar – a fabwysiadodd y cyfenw dwbl Lucas-Scudamore yn sgil priodas aeres o ferch ganol y bedwaredd ganrif ar bymtheg – arddel Glyndŵr yn frwd o bryd i'w gilydd fel rhan o'u gorffennol teuluol ac o orffennol Cwrt Llan-gain. Gwneud hynny'n dawel heb fentro honni gormod a wna Jan Lucas-Scudamore, gwarcheidwad Cwrt Llan-gain heddiw, a'm tywysodd o gwmpas ei chartref yng Ngorffennaf 2014. Canolbwynt y cysylltiad tybiedig â Glyndŵr yw'r tŵr mawr hirsgwar – y gadawodd

John Nash ei ôl arno – ar ochr ogledd-orllewinol y plasty, 'Tŵr Owain Glyndŵr' fel yr adwaenir ef.[24]

O fynd i mewn i'r plasty a dringo grisiau tro cul i ail lawr y tŵr, rhaid mentro heibio i'r arfwisg farchogol ddur sy'n gwarchod y drws i gyrraedd 'Ystafell Owain Glyndŵr'. Yma, fe honnwyd – yn gam neu'n gymwys – y bu Owain yn llochesu yn ystod ei ddyddiau olaf. Ystafell weddol dywyll wedi ei goleuo gan ddim ond un ffenestr gyda phaneli derw llyfn hyd ei muriau a phlaster addurnedig cylchog ar y nenfwd yw'r ystafell hon heddiw. Mae ynddi le tân helaeth – o Oes Elisabeth, fe dybir – a rygiau dwyreiniol moethus ar y llawr pren. Mae'r dodrefnu yn addas henaidd, yn cyfleu naws o esmwythyd bonheddig cyfnod tipyn mwy cysurus na'r oesoedd canol. Ymhlith y celfi y mae desg a stôl, cadair esmwyth a gwely pedwarbost ac arno gwrlid blodeuog. Yn y panelwaith sy'n gyfochrog â'r gwely fe geir drws arall ac iddo ben crwn – un 'cudd' yn ôl rhai – sy'n agor i'r grisiau canoloesol gwreiddiol rhwng lloriau'r tŵr. Ar y pared wrth ochr y gwely fe geir lithograff du a gwyn o ddechrau'r ugeinfed ganrif o waith D. Salesbury Hughes yn dangos Glyndŵr yn eistedd ar ei orsedd fel y darlunnid ef gynt ar ei Sêl Fawr. O anghofio am yr hanes brawychus am ysbryd sydd, meddir, yn dod allan o'r muriau o bryd i'w gilydd, gellid tybio y byddai'r ystafell fel y dodrefnir hi heddiw – sut bynnag y byddai yn nyddiau Owain Glyndŵr – yn noddfa ddigon braf i unrhyw un a ddymunai encilio o sŵn a dwndwr y byd modern a'i bethau.[25]

Yn ystafelloedd a choridorau Cwrt Llan-gain fe addurnir y parwydydd â darluniau niferus, yn bennaf yn bortreadau o hynafiaid y teulu yn null arferol tai bonedd. O adael 'Ystafell Owain Glyndŵr' a disgyn i lawr y grisiau tro fe gyrhaeddir landin gweddol helaeth ar ben grisiau llydan lle mae ffenestr fawr. Ar un ochr i'r landin y mae lluniau yn crogi ar y mur uwchben soffa flodeuog. O dan y lluniau llawer mwy o hynafiaid teuluol sydd uwchben iddo a rhwng arfbeisiau lliwgar y teulu ar dariannau o'i boptu fe geir llun llawer llai – fymryn dros droedfedd wrth wyth modfedd a hanner – wedi ei baentio ar bren derw ac

'Tŵr Owain Glyndŵr' yng Nghwrt Llan-gain

'Ystafell Owain Glyndŵr' yng Nghwrt Llan-gain

mewn ffrâm bengron fel bwa. Dyma lun enwocaf Cwrt Llan-gain, un a atgynhyrchwyd lawer tro mewn llyfrau. Fe dynnwyd sylw at y llun gyntaf yng nghyfrol y teithiwr William Coxe *An Historical Tour through Monmouthshire* a gyhoeddwyd yn 1801, lle atgynhyrchwyd engrafiad celfydd ohono gan gyd-deithiwr Coxe, Syr Richard Colt Hoare. Yn ôl un hanes fe guddiwyd y llun gan un o'r morynion o dan ei gwely i'w arbed rhag y beilïaid pan fu'n rhaid gwerthu holl gynnwys y tŷ yn gynnar yn y bedwaredd ganrif ar bymtheg i dalu dyledion gamblo aelod o'r teulu. Ni wyddom am ba hyd cyn i Coxe ei weld y bu'r llun yng Nghwrt Llan-gain ac ym meddiant y Sgidmoriaid, ond fe awgrymwyd, yn bur argyhoeddiadol, iddo gael ei baentio rywdro rhwng tua 1480 ac 1510.[26]

Canolbwynt hynod drawiadol y llun yw wyneb treuliedig hen ŵr a ddarlunnir o'i gorun hyd ychydig yn is na'i ysgwyddau. Mae ei wallt yn denau a'i groen yn grychiog, ond er mor hen ydyw mae ei lygaid yn syllu'n dreiddgar ac yn mynnu sylw. Mae'n wynebu ar hanner tro i'r dde gan ddal plufyn yn ei law dde ac ysgrifennu mewn llyfr y mae'n ei ddal yn ei law chwith. Ar ei ben, bron o'r golwg ar ymylon y llun, y mae het goch gyda llinyn o'r un lliw yn dirwyn ohoni i lawr dros ei frest. Mae clogyn coch dros ei ysgwyddau a dilledyn gwyn dros ei frest a'i wddf yn ymestyn ohono fel darn o hen ledr. Y tu ôl iddo ar ochr chwith y llun fe welir golygfa wledig. Yn y blaendir y mae coeden dal a thenau a thu ôl iddi, gyda dŵr efallai o'i amgylch – gan leied y llun ni ellir bod yn sicr o'r manylyn hwn – fe saif adeilad sylweddol megis plasty gyda thŵr ac arno do sgwâr ar un ochr iddo. Pan fenthyciwyd y llun ar gyfer arddangosfa yn Oriel Gelf Dinas Birmingham yn 1934 fe farnodd ceidwad yr oriel mai Cwrt Llan-gain oedd yr adeilad ar sail ei debygrwydd i luniau o'r plasty cyn i Nash ei ailgynllunio. Er i'r farn hon gael ei hailadrodd gan Syr Nikolaus Pevsner, yr hanesydd pensaernïol, mae'n annhebyg ei bod yn gywir. Y tu ôl i'r adeilad hwn fe welir llwybr troellog yn nadreddu i fyny bryn hyd at adeilad uchel tebyg i gastell sy'n sefyll ar ei gopa.[27]

Prif ddiddordeb y llun, wrth gwrs, yw'r hen ŵr a ddarlunnir.

Y llun dadleuol yng Nghwrt Llan-gain

Fe fu cryn ddyfalu pwy ydoedd a chryn amrywiaeth barn. Yn ôl William Coxe yn 1801 – gan adlewyrchu efallai farn perchenogion y llun, teulu'r Sgidmoriaid – gŵr o'r enw 'John of Kent' oedd y gwrthrych, barn y tuedda'r teulu i'w harddel hyd heddiw. Ond pwy, atolwg, oedd 'John of Kent'? Fe grybwyllodd Coxe sawl posibilrwydd, ond gan ddweud 'According to others he was a bard of Owen Glendower, and became domesticated in the family on the defeat of his chieftain, whose daughter married a Scudamore.' Oherwydd tebygrwydd yr enw fe ddaethpwyd i uniaethu John of Kent â'r bardd o Gymro, Siôn Cent – William Owen[-Pughe] oedd y cyntaf i wneud hynny – a'r cam naturiol wedyn oedd tybio mai Siôn Cent oedd gwrthrych darlun Cwrt Llan-gain, gŵr duwiolfrydig ei olwg fel y gweddai i awdur barddoniaeth sobr a difrifddwys. Fe fu'r syniad mai Siôn Cent oedd gwrthrych y darlun yn un poblogaidd, ac fe ychwanegwyd weithiau y manylyn iddo fod yn gaplan i'r Sgidmoriaid (a honni hefyd iddo gyfieithu'r Beibl i'r Lladin a rhoi copi ar femrwn i'r teulu). Fe ddefnyddiwyd y llun i ddarlunio ysgrif ar Siôn Cent mewn llyfr ar hanes llenyddiaeth Gymraeg mor ddiweddar ag 1979. Ond prin y derbynnir o ddifrif heddiw mai darlun o'r bardd ydyw, ac ni fyddai neb yn honni ei bod yn ystyrlon galw Siôn Cent yn 'fardd i Lyndŵr'.[28]

Ond mae cainc arall i'r stori hefyd, un sy'n ymgysylltu'n fwy uniongyrchol â phwnc y gyfrol hon. Fe gymysgodd llên gwerin ardaloedd y gororau rhwng 'John of Kent' ac Owain Glyndŵr, ac oherwydd hyn a chysylltiad tybiedig Glyndŵr â Chwrt Llan-gain fe hudwyd rhai i feddwl y gallai fod yn llun o Owain yn ei henaint a'i adfyd; fe'i hatgynhyrchwyd ar gloriau a thudalennau llyfrau poblogaidd ar hanes yr arwr o Gymro. Fe geisiodd un awdur diweddar gysoni'r anghysondeb rhwng dyddiad tybiedig y llun a chyfnod oes Glyndŵr – bwlch efallai o dri chwarter canrif – drwy awgrymu i'r llun gael ei seilio ar fraslun a wnaed gan arlunydd cynharach pan oedd Glyndŵr yn fyw. Oherwydd apêl a rhamant a chyffro'r syniad y gallai'r llun fod yn ddarlun unigryw o Lyndŵr fe fu'r dehongliad hwn yn gyndyn o hirhoedlog. Mor ddiweddar â 2011 fe ddangosodd S4C raglen o'r enw *Wyneb Glyndŵr* yn seiliedig ar y llun gan dynnu ar adnoddau technoleg fodern i geisio profi mai Owain yn wir sy'n syllu o'r llun. Yn anffodus, fodd bynnag, ni allai'r dechnoleg wneud iawn am wendidau'r wybodaeth y seiliwyd y rhaglen arni, a rhaid dyfarnu'n gwbl bendant, ysywaeth, nad Glyndŵr yw gwrthrych y llun. Fe awgrymodd Syr Nikolaus Pevsner yn 1935 mai'r Tad Eglwysig Sain Sierôm (*c.* 347–420) a ddarlunnir ynddo, barn a ategwyd gan Nicholas Rogers, ysgolhaig o Gaer-grawnt, yn 1984. Er ei fod yn dryllio'r rhamant a'r rhith, mae'r dyfarniad hwn, mi gredaf, yn argyhoeddi; fe gyflwynir dadleuon pellach o blaid y farn hon mewn atodiad ar ddiwedd y gyfrol.[29]

Dychwelwn at 'John of Kent' (weithiau 'Jack of Kent' neu 'Jacky Kent') – rhag peri cymysgwch gwell ymatal rhag ei alw'n Siôn Cent – cymeriad amlwg yn llên gwerin siroedd Henffordd a Mynwy ac un yr oedd enw iddo hefyd mewn rhannau o Forgannwg (lle ychwanegodd y dyfeisgar Iolo Morganwg bwt eto at y stori). Yr oedd hwn yn greadigaeth gyfansawdd gymhleth y cyfrannodd elfennau o sawl math at lunio'i gymeriad yn nychymyg gwlad. Mae llawer o'r hanesion amdano yn priodoli iddo ddoniau hudol a goruwchnaturiol – 'he was esteemed by the vulgar a necromancer' meddai William Coxe yn 1801 – doniau a amlygid mewn gornestau rhyngddo a'r Gŵr Drwg ac mewn rheolaeth ryfeddol ar adar ac anifeiliaid, gan adlewyrchu weithiau fotiffau llên gwerin rhyngwladol. Mewn enghraifft Gymraeg brin o un o'r chwedlau amdano a gofnodwyd yn un o lawysgrifau John Jones o'r Gellilyfdy yn yr ail ganrif ar bymtheg adroddir fel y bu iddo dwyllo'r Diafol rhag meddiannu ei enaid a'i fwrw i uffern:

> Pan glybv Sion Kent vod y kythrel yn arlwyo gwely iddo ef yn vffern, ef a barodd iw gefaill dwymno pobty yn vrwd, ag a aeth ynte i'r pobty iw losgi ei hvn, ag a ymwnaeth ai gefell am ei dynnv ef allan drachefn a chymeryd ei galon ef ai dodi hi heibio, ai chadw hi rhag y kigvrain yrhain a fynnen ei chael hi i ffordd: ac yno y kae ef weled klomen yn hedeg vwch law y galon, a pheri iddo adel ir glomen myned i ffordd ar galon, ac os y glomen a gymerai i ffordd y galon, fod ei enaid ef yn gadwedig: ag a ddoeth y glomen ag a gymerodd i ffordd y galon.

Yn ôl chwedl arall fe werthodd John of Kent ei hun i'r Diafol yn gyfnewid am ddoniau goruwchnaturiol, gan gytuno y câi'r Cythraul ei enaid pe cleddid ei gorff y tu mewn neu'r tu allan i'r eglwys. Ond John a orfu drwy drefnu iddo gael ei gladdu o dan fur yr eglwys, hanner y tu mewn a hanner y tu allan iddi: mae un hanner o'r bedd honedig i'w weld hyd heddiw y tu allan i fur eglwys y Grysmwnt, y pentref nesaf at Lan-gain! Fe anfarwolwyd y cymeriad hwn mewn llenyddiaeth Saesneg yng nghomedi Anthony Munday *John a Kent and John a Cumber* a berfformiwyd yn Llundain yn 1594. Ynddi adroddir hanes ymryson am oruchafiaeth rhwng John a Kent, a ddarlunnir fel dewin o Gymro, a chymeriad tebyg iddo o'r Alban.[30]

Er gwaethaf yr hud a lledrith fe all fod cymeriadau

hanesyddol o gig a gwaed a chanddynt enwau tebyg iddo wedi bwrw peth o'u cysgod ar gymeriad rhyfedd John of Kent. Fe awgrymwyd bod rhai o ddysgedigion enwog yr oesoedd canol yn berthnasol yn y cyswllt hwn: gellir crybwyll John de Went (m. 1348) a fu'n byw yn Henffordd ac a ddaeth yn bennaeth urdd Sant Ffransis ym Mhrydain, gŵr o Gaerllion ar Wysg o'r enw John Kent neu John Caerleon a flodeuai ganrif yn ddiweddarach, seryddwr a raddiodd o Brifysgol Caer-grawnt, a hefyd y cardinal John Kemp (m. 1454), archesgob Caerefrog a Chaer-gaint. Ac, wrth gwrs, fe all fod Siôn Cent, y bardd, yn rhywle yn y cefndir. Beth bynnag am y rhain, mae'n drawiadol iawn yn y cyswllt hwn, er hynny, fod cynifer o'r hanesion am y cymeriad hwn wedi eu lleoli yng nghyffiniau Llan-gain a'r Grysmwnt a bod rhai'n ei gysylltu'n benodol â Chwrt Llan-gain. Yn ôl rhai fe fu gŵr o'r enw John Kent yn gwasanaethu'n rheithor Llan-gain rhwng 1381 ac 1390, a, meddir, yn gaplan i'r Sgidmoriaid (honiad a wnaed hefyd am y bardd Siôn Cent). Yn ôl traddodiad arall yr oedd yn was stabl addawol yng Nghwrt Llan-gain a anfonwyd i Rydychen i'w addysgu ar gyfer gyrfa eglwysig. Mwy sicr yw'r wybodaeth fod gŵr o'r enw John of Kent wedi gwasanaethu yn saethydd mewn mintai dan gapteiniaeth Syr John Skydmore a groesodd i Ffrainc yn haf 1415 fel rhan o'r fyddin Seisnig; gellid tybio y byddai cyswllt agos rhwng capten a'r dynion yn ei fintai. Adlewyrchu ymwybyddiaeth o gysylltiad rhyw Siôn Cent â'r Sgidmoriaid hefyd a wna nodyn a ysgrifennwyd yn llawysgrif Caerdydd 50 yn ystod chwarter olaf yr unfed ganrif ar bymtheg (er ei bod yn bosib mai camgysylltu'r bardd Siôn Cent â'r teulu a wneir mewn gwirionedd):

> John Kent a fv varw ynghwrt llan gayn yn sir henffordd ac yn llan gayn y kladdwyd. Mr Skidmore oedd i feisder.

John Kent arall o gyfnod diweddarach yr oedd iddo gysylltiadau â Swydd Henffordd – er nad yn benodol â Llan-gain – oedd yr un a ddaeth i sylw'r awdurdodau yn 1483 oherwydd ei 'treasons, felonies, trespasses, and other offences ... in the county of Hereford and the marches of Wales adjacent'. Hawdd y gallasai dihirwch gŵr fel hwn fod yn rhannol gyfrifol am ysbrydoli cymeriad rhyfygus a thros-ben-llestri John of Kent llên gwerin y gororau.[31]

Fe nodwyd uchod fod llên gwerin wedi cymysgu weithiau rhwng John of Kent ac Owain Glyndŵr. Yng nghyfrol William Coxe yn 1801 y gwelais i'r enghraifft gynharaf o gyfeirio at hyn: yn ôl Coxe, 'A respectable person, long resident in the village of Kentchurch ... conjectures that this wizard [John of Kent] was Owen Glendower himself, who, when proscribed, wandered about in a shepherd's habit, and took refuge with one of his daughters.' Fe geir enghreifftiau o'r un duedd mewn perthynas â'r traddodiadau am Lyndŵr sy'n benodol gysylltiedig â Chwrt Llan-gain. Fe gyfeiriodd Charles J. Robinson yn ei bennod ar Gwrt Llan-gain mewn llyfr cynhwysfawr ar dai bonedd Swydd Henffordd a gyhoeddwyd yn 1872 at '"John a Kent" ... who may be safely identified with Owen Glyndwr'. I ryw raddau fe ddaeth Glyndŵr a John of Kent yn enwau cyfnewidiol. Mewn cyfrol safonol ar lên gwerin Swydd Henffordd a gyhoeddodd yn 1912 fe alwodd Ella Mary Leather 'Ystafell Owain Glyndŵr' yn 'Jack o' Kent's bedroom'. Fe honnwyd gan fwy nag un awdur fod John of Kent yn arfer stablu ei geffylau – rhai hudol a gwyrthiol o gyflym a bedolid o chwith i ddrysu ymlidwyr – yn selerydd y plasty, tra honnwyd hefyd i Owain Glyndŵr wneud hynny. Yn yr un modd, yn y parc ar y llethr uwchben y plasty fe geir derwen hynafol a gysylltwyd weithiau â Jack of Kent, dro arall â Glyndŵr. Yn y pen draw mae'n bur sicr mai'r cymysgu hwn rhwng Glyndŵr a Jack of Kent a barodd i rai gredu mai llun o Lyndŵr yw'r llun enwog o'r henwr yn y plasty. Ac fe wthiwyd y cymysgu hwn rhwng y ddau i eithafion rhyfedd gan un awdur diweddar a ddefnyddiodd elfennau o'r chwedlau am John of Kent i lunio llinellau ar fap ffordd modern a llwyddo i ganfod union leoliad bedd Glyndŵr mewn eglwys yn Sir Gaerfyrddin lle'r oedd y llinellau'n croesi![32]

Oes, mae ansicrwydd ac amwysedd ynghylch rhai o'r

Derwen Jack of Kent (a gysylltir hefyd ag Owain Glyndŵr) ym mharc ceirw Cwrt Llan-gain
(Llun: Michel Timacheff)

hanesion sy'n cysylltu Owain Glyndŵr â Chwrt Llan-gain. Fe gymysgwyd rhwng John of Kent a Siôn Cent a rhwng y ddau ohonynt ac Owain Glyndŵr. Wyneb yn wyneb â'r fath ddryswch, annoeth fyddai honni gormod. Ond ni ellir gwadu i'r cof am Owain Glyndŵr – pa mor anhanesyddol bynnag – adael ei ôl ar Gwrt Llan-gain: yma yn anad unman y mae Owain y dychymyg yn dal yn fyw. Ac efallai fod hynny ynddo'i hun yn arwyddocaol. A fu i gof pell ac egwan am yr Owain go iawn – cof go ddryslyd weithiau efallai – fwydo dychymyg cenedlaethau diweddarach? Os camgymeriad fyddai bod yn rhy hygoelus, eto, o gofio bod cysylltiad Alys Glyndŵr â'r hen dŷ bonedd hwn yn un cwbl safadwy a bod hen draddodiad iddi lochesu ei thad dan ei gronglwyd ar ddiwedd ei ddyddiau, efallai nad yw anghrediniaeth lwyr yn gweddu ychwaith.

5

Monnington-on-Wye

MEWN UN GORNEL fechan o Swydd Henffordd, o fewn ychydig dros dair milltir i'w gilydd, fe geir dau le o'r enw Monnington – Monnington-on-Wye a Monnington Straddle – cyd-ddigwyddiad anffodus ar un ystyr. Fe gawn ystyried Monnington-on-Wye i ddechrau. Ar gyrion y pentref bychan hwn yn nyffryn hyfryd afon Gwy, nid nepell o blasty Monnington Court – sylwer ar yr enw – ynghudd o olwg y byd i lawr lôn las fechan, gul a gwrychoedd a choed o'i phoptu a nant fechan yn llifo'n ddioglyd ar un ochr iddi, fe saif eglwys y plwyf, eglwys Mair. Mae lleoliad yr eglwys neilltuedig hon – y bu'r dyddiadurwr Francis Kilvert yn ymweld â hi yn Oes Fictoria pan oedd ei chwaer yn wraig i'r ficer yno – yn gyfareddol. Mae ardal ffrwythlon Monnington-on-Wye heddiw yn un aml ei pherllannau: y tu ôl i'r eglwys heb derfyn rhyngddynt a'r fynwent ymestynna rheng ar ôl rheng o goed afalau un o berllannau mwyaf cwmni Bulmers, y gwneuthurwyr seidr enwog.

Nodwedd amlycaf yr eglwys o'r tu allan yw'r tŵr trawiadol a'i grib castellog sy'n dyddio o'r bymthegfed ganrif, ond adeilad a ailgodwyd yn ddiweddar yn yr ail ganrif ar bymtheg, yn 1679–80, yw gweddill yr eglwys. Ysgwïer Monnington Court ar y pryd, Uvedall Tomkins, a'i wraig Mary a fu'n gyfrifol am yr ailadeiladu. Yn un o lawysgrifau'r Llyfrgell Brydeinig, llawysgrif Harley 6832, casgliad o bapurau'r herodr Gregory King (1648–1712), fe geir dalen – na wyddom pwy a'i lluniodd

Eglwys Monnington-on-Wye

– yn rhestru achau ac yn darlunio arfbeisiau teulu Skydmore Cwrt Llan-gain: ymhlith yr enwau a gofnodir y mae Syr John Skydmore a'i wraig, Alys, merch Glyndŵr. Ond er bod arwyddocâd i'r deunyddiau teuluol, y darn rhyddiaith o danynt sydd fwyaf perthnasol o'n safbwynt ni. Mae hwn yn adrodd hanes am ddigwyddiad hynod yn ystod ailadeiladu'r eglwys:

> About 1680 the Church at Monington was rebuilt. In the Church-Yard stood the Trunke of a Sycomore [*sic*], in height about 9 foot, diameter 2 foot & halfe which being in the Workemens way was cut down: directly under it about a foot below the surface of the ground was laid a large Grave Stone without any Inscription: and that being removed, there was discover'd at the bottom of a well stoned Grave the Body (as is supposed) of Owen Glendôr: which was whole & entire, & of goodly stature. But there were [no] tokens or remains of any Coffin. Where any part of it was toucht, it fell to ashes. After it had been exposed two days mr. Tomkins order'd the stone to be placed over it again & the earth to be cast in upon it.

Darganfod bedd a gweddillion honedig Glyndŵr a drodd yn lludw: mae'r hanes yn un dramatig. Ac fe ychwanegodd dychymyg llên gwerin ato: fe honnwyd bod Glyndŵr yn ddewin ac iddo gael ei gladdu o dan fur yr eglwys wreiddiol, ei ben a'i ysgwyddau y tu mewn a gweddill ei gorff a'i goesau y tu allan, arwydd arall o'r cymysgu a fu rhyngddo a John of Kent, yr honnwyd iddo gael ei gladdu yn yr un modd anghysurus yn eglwys y Grysmwnt.[33]

Fe gafodd yr hanes hwn ei dderbyn gan lawer yn y bedwaredd ganrif ar bymtheg. Tua diwedd y ddrama fydryddol hir *Owen Glendower; A Dramatic Biography* a gyhoeddwyd yn 1870, gwaith y Cymro twymgalon Rowland Williams (1817–70) – diwinydd galluog yn ei ddydd a gŵr a fu'n ddirprwy brifathro Coleg Llambed – fe geir golygfa deimladwy lle mae Glyndŵr ar drothwy ei farw yn ymson â'i ferch Margaret ym mynwent Monnington ar ôl iddo ddewis man ei fedd:

> This was the yew tree, which I spoke of, child;
> Here, where the morning sun may kiss the turf
> With early-seeking radiance, I would lie.

Ychydig flynyddoedd yn ddiweddarach, yn 1875, fe dystiodd Kilvert yntau yn delynegol iddo weld yn y fynwent 'what I knew must be the grave of Owen Glendower':

> It is a flat stone of whitish grey shaped like a rude obelisk figure sunk deep into the ground in the middle of an oblong patch of earth from which the turf has been pared away, and, alas, smashed into several fragments. And here in the little Herefordshire churchyard within hearing of the rushing of the Wye and close under the shadow of the old grey church the strong wild heart, still now, has rested by the ancient home and roof tree of his kindred since he fell asleep there more than four hundred years ago. It is a quiet peaceful spot.[34]

Bu'r garreg faluriedig yno ger porth yr eglwys hyd yn ddiweddar (mae llyfryn sydd ar werth yn yr eglwys yn sôn amdani fel pe bai'n dal yno, ond nid oes dim i'w weld bellach). Ond ei dwyllo a gafodd Kilvert a llawer ynghynt ac wedyn a dybiai iddynt weld gweddillion bedd Glyndŵr. Fel y pwysleisiodd amryw awduron, rhaid taflu dŵr oer ar yr honiad mai bedd ac ysgerbwd Glyndŵr a ganfuwyd yn 1679–80. Perchenogion maenor Monnington-on-Wye ers dechrau'r bedwaredd ganrif ar ddeg oedd y teulu Audley, a bu'r pedwerydd barwn Audley, John Touchet, a etifeddodd y teitl yn sgil ei briodas ag un o ferched teulu Audley, yn elyn amlwg i Lyndŵr, yn dal castell ac arglwyddiaeth Aberhonddu a chastell Llanymddyfri yn ei erbyn ac yn aelod blaenllaw o'r fyddin Seisnig a fu'n gwarchae castell Aberystwyth yn 1407. Ar ôl i Audley farw yn 1408 fe'i holynwyd gan ei fab, ac mae'n annhebygol dros ben y caniateid claddu hen elyn ei dad mewn ardal dan reolaeth aelod o'r teulu hwn. Oherwydd hyn rhaid cytuno â'r awduron a wrthododd ar ei ben yr hanes mai bedd Glyndŵr a ganfuwyd yn Monnington-on-Wye yn 1679–80. Barnodd yr hynafiaethydd gwybodus George Marshall, ysgrifennydd y Woolhope Club, cymdeithas hanes Swydd Henffordd, a'i gwelodd yn 1933 y gall mai caead arch o'r drydedd ganrif ar ddeg oedd y garreg honedig a gysylltwyd ag Owain Glyndŵr.[35]

Fe fu'r gred mai beddfaen Glyndŵr oedd y garreg yn Monnington-on-Wye yn gyndyn a hirhoedlog, ac fe fu i hyd yn oed Lloyd George ei ran yn yr hanes! Yn Awst 1936 fe ysgrifennodd offeiriad o Sais, James Stuart, canon yn eglwys gadeiriol Caersallog, ato ar ôl ymweld â Monnington. Mynegai Stuart ei bryder ynghylch cyflwr y beddfaen honedig, 'I was very distressed to find that the grave (near the North Porch) was overgrown with weeds and grass', gan fynegi'r gobaith y gellid gwneud y lle 'worthy of one who was a great Welsh hero & patriot'. Fe gysylltodd Lloyd George â'r hanesydd a'r hynafiaethydd amlwg Edward Owen (1853–1943) i geisio'i gael i ymgymryd â chodi arian i adfer y garreg, gan nodi'n fachog mewn un llythyr, 'The Pharisees at least whitewashed the graves of their prophets.' Er i Owen amau dilysrwydd y cysylltiad â Glyndŵr ar y dechrau, pan gafodd hyd i lawysgrif Harley 6832 yn yr Amgueddfa Brydeinig fe'i hargyhoeddwyd gan yr hanes ynddi (ni wyddai am sylwadau George Marshall). Ond yn y misoedd ar ôl llosgi'r Ysgol Fomio ym Mhenyberth pryderai Owen – cyn-fargyfreithiwr a gwas sifil a gŵr pur sefydliadol ei osgo – mewn llythyr at Lloyd George ynghylch peryglon adfer y garreg neu godi cofeb yn Monnington: 'at the present moment when Welsh patriotic feeling is highly strung, even this really desirable step might by others be used to accentuate our racial differences'. Er i Owen lunio llythyr apêl yn 1937 i'w anfon yn enw Lloyd George at ddarpar noddwyr o Gymry cefnog fe ddaeth pethau eraill – yn bennaf dirywiad y sefyllfa ryngwladol yn Ewrop – i gymryd sylw'r gwleidydd ac fe aeth tynged y garreg yn Monnington yn angof.[36]

Dychwelwn at yr hanesyn a gofnodwyd yn Harley 6832. Pam tybed y tybiwyd mai bedd a gweddillion Glyndŵr – yn hytrach na neb arall – a ganfuwyd yn 1679–80? Gellir awgrymu bod cysylltu Glyndŵr â bedd yn Monnington-on-Wye yn tystio bod traddodiad byw yn Swydd Henffordd yn yr ail ganrif ar bymtheg a oedd yn cysylltu claddu Glyndŵr â lle o'r enw Monnington. Fel yr awgrymodd Syr J. E. Lloyd, mae'n debyg mai'r hyn a ddigwyddodd oedd bod cof gwlad wedi cymysgu rhwng Monnington-on-Wye a Monnington Straddle (nodwyd pa mor agos oedd y ddau le i'w gilydd, a gallai bodolaeth lle o'r enw Monnington Court yn y naill ardal a'r llall hybu'r cymysgu ymhellach). Mae nodi ach teulu Skydmore yn Harley 6832 ar yr un ddalen â'r hanes am ganfod y bedd yn 1679–80 yn awgrym go bendant hefyd fod y teulu hwn yn cael ei gysylltu yng nghof gwlad â chladdu Glyndŵr. Efallai mai pwysigrwydd yr hanes am ganfod y bedd yn Monnington-on-Wye felly yw ei fod yn tystio'n anuniongyrchol i fodolaeth traddodiad a ddyddiai'n ôl i o leiaf chwarter olaf yr ail ganrif ar bymtheg ynghylch claddu Glyndŵr yn y Monnington arall – Monnington Straddle – ac a uniaethai deulu Skydmore Cwrt Llan-gain rywfodd â'r claddu hwnnw.[37]

Honnwyd weithiau fod aelodau o'r teulu Monington y priododd merch i Lyndŵr ag un ohonynt yn berchenogion

Monnington-on-Wye a Monnington Court yno (cymharer cyfeiriad Kilvert at agosrwydd bedd honedig Glyndŵr at drigfan ei dylwyth ac at gyfeiriad arall ganddo at 'the old grey mansion of the Glendowers'). Ond nid oes unrhyw sail i'r honiad hwnnw sy'n deillio o gymysgu rhwng yr enw lle a'r cyfenw. Ac fel yr awgrymwyd uchod, i ychwanegu at y dryswch fe fu cymysgu hefyd rhwng y ddau le o'r enw Monnington Court, y naill yn Monnington-on-Wye a'r llall yn Monnington Straddle. Fe arweiniodd hyn weithiau at honni ar gam mai yn y plasty yn Monnington-on-Wye gerllaw eglwys Mair y bu Glyndŵr yn llochesu ac y bu farw.[38]

6

Monnington Straddle

TUA HANNER FFORDD i lawr dyffryn afon Dore (*Ystrad Dour* neu'r 'Golden Valley') ar ôl cyrraedd pentref bychan Vowchurch, yn lle dilyn y ffordd gyda'r afon i lawr y dyffryn gellir dewis troi i'r neilltu a chymryd y ffordd i'r dwyrain sy'n arwain maes o law i Henffordd. O deithio rhyw filltir drwy gyrion y dyffryn fe ddeuir at lôn gul ar y chwith sy'n arwain at ffermydd sylweddol Holsty Farm a Monnington Court ac sy'n fforchio at adeilad llai Chapel House gerllaw. Fe saif Monnington Court ar safle hen faenor Monnington Straddle, atgof o'r enw hynafol Straddle a oedd yn enw ar ardal lawer ehangach yn yr oesoedd canol. Tebyg mai'r enw Cymraeg *ystrad* sy'n llechu yn rhan gyntaf yr enw, ond Saesneg yw'r ail elfen, efallai *dael* ('dyffryn') neu *leah* ('coedwig'): fe ddaeth yr ardal hon dan ddylanwad Saeson Mercia cyn cyfnod goruchafiaeth y Normaniaid. Prawf o ryw gymaint o orffennol Cymraeg yn Monnington Straddle yw enwau tri o gaeau Monnington Court – *Cae Buck* (Cae Bach?), *The Graig* a *Graig Close* – ond prin iawn yw enwau o'r fath ym mhlwyf Vowchurch o'i gymharu â phlwyfi Euas ac Ergyng ymhellach i'r de.[39]

Adeilad sgwâr urddasol o frics coch a godwyd yn gynnar yn y bedwaredd ganrif ar bymtheg yw ffermdy Monnington Court

Ffermdy Monnington Court

heddiw. Mae'n edrych allan dros erwau bras a gwastad o dir coch Swydd Henffordd, tir toreithiog y tystia Llyfr Domesday i'r Normaniaid yn eu tro ei chwennych a'i gyfanheddu. Fel llawer o ffermydd yn y cyffiniau fe fu'r fferm am ddwy ganrif yn rhan o ystad Ysbyty Guy's yn Llundain cyn i gwmni yswiriant mawr y Prudential ei phrynu yn 1962. Ond yn 2000 – yn eironig braidd o ystyried y cysylltiadau hanesyddol – fe brynwyd yr ystad o 11,000 o aceri gan ymddiriedolwyr Dugiaeth Cernyw, ei pherchenogion ffodus hyd heddiw. Nid yw'n syndod bod y teulu Stokes, a fu'n denantiaid Monnington Court ers tair cenhedlaeth dan feistri tir gwahanol, yn ymwybodol iawn o adleisiau hanesyddol y lle, a'r rheiny'n rhai sy'n ymwneud ag Owain Glyndŵr. Fe soniodd Mr Richard Stokes, sy'n ffermio Monnington Court heddiw, wrthyf fod enw un o'i gaeau, y 'Bloody Field', yn cofnodi lleoliad un o frwydrau Glyndŵr; llên gwerin efallai, ond mae'n dangos y lle amlwg sydd i Owain yn nychymyg poblogaidd yr ardaloedd hyn. Fe soniodd hefyd fod ei dad, pan ymddeolodd o'r fferm a symud i fyngalo mewn ardal gyfagos, wedi dewis galw ei gartref newydd yn 'Glyndŵr'.[40]

Mae'r cyfeiriad cynharaf a ganfûm i at gysylltu Monnington Straddle â chladdu Owain Glyndŵr yn digwydd mewn adroddiad gan ohebydd dienw yn 1891 yn nhrafodion y Woolhope Naturalists' Field Club, cymdeithas yn ymwneud â hanes a hynafiaethau Swydd Henffordd:

> It may be remarked that the inhabitants of the locality of Monnington Straddle in the Golden Valley, near Vowchurch believe that Owen Glendower was buried in their district.

Er mor ddiweddar yw'r cyfeiriad hwn – a hawdd y gall fod rhai cynharach na welais mohonynt – fe ellir bod yn gwbl hyderus fod y traddodiad y cyfeirir ato yn llawer hŷn na diwedd y bedwaredd ganrif ar bymtheg. Fe adroddwyd uchod (gw. t. 92) fel y darganfuwyd bedd y tybiwyd ar gam mai un Owain ydoedd ym mynwent eglwys Monnington-on-Wye yn 1680. Mae'n eglur mai'r hyn a barodd gysylltu'r bedd yn Monnington-on-Wye â Glyndŵr oedd cymysgu rhwng y ddau Monnington – fod traddodiad yn bodoli yn 1680 fod Owain wedi ei gladdu yn 'Monnington', ond mai'r Monnington hwnnw mewn gwirionedd oedd Monnington Straddle. Mae'n bur debyg hefyd fod bodolaeth dau le o'r enw Monnington Court, y naill yn Monnington-on-Wye a'r llall yn Monnington Straddle, wedi peri i gof gwlad gymysgu rhwng y ddwy ardal. O ystyried popeth, gellir mentro gwthio'r traddodiad ynghylch cysylltiad Glyndŵr â Monnington Straddle yn ôl cyn belled â chwarter olaf yr ail ganrif ar bymtheg pan wnaed y darganfyddiad honedig yn y Monnington arall. Ac mae cofnodi'r hanes am ddarganfod y bedd yn Monnington-on-Wye ar ddalen yn llawysgrif Harley 6832 lle ceir ach y Sgidmoriaid yn awgrymu bod cof gwlad ar y pryd yn cysylltu'r teulu hwn â chladdu Glyndŵr.[41]

Un ffaith bur arwyddocaol yw bod tystiolaeth ddogfennol sicr sy'n cysylltu Syr John Skydmore, gŵr Alys, merch Glyndŵr, â maenor Monnington Straddle: yn 1428 fe dalodd ffi marchog o 3s/4c – tâl ffiwdal i Harri VI, y brenin ar y pryd – fel deiliad *Moniton Straddhull*. Dyma sefydlu cysylltiad pendant rhwng

Rhan o'r domen ger Monnington Court

y Sgidmoriaid â Monnington Straddle a hynny'n agos iawn at ddyddiau Glyndŵr. Yn 1999 fe honnodd Jan Lucas-Scudamore o Gwrt Llan-gain mewn rhaglen deledu fod traddodiad yn y teulu fod cyfrinach man claddu Glyndŵr wedi ei chadw gan etifeddion gwrywaidd y Sgidmoriaid a'i thraddodi ganddynt o genhedlaeth i genhedlaeth drwy'r canrifoedd. Amhosib, wrth reswm, yw profi na gwrthbrofi honiad o'r fath. Sut bynnag am hynny, mae'n sicr fod Sgidmoriaid yr ugeinfed ganrif wedi arddel a hyrwyddo Monnington Straddle fel man claddu Glyndŵr yn go bendant o bryd i'w gilydd. Yn ei lyfr ar hanes ei deulu a gyhoeddwyd yn 1949 fe honnodd Owen Croft, disgynnydd i un arall o ferched Glyndŵr (gw. t. 68 uchod), fel a ganlyn:

> Some few years ago Mrs. Lucas Scudamore of Kentchurch invited the writer to meet some experts at Monnington Straddle to view a mound which they dated much earlier than the burying period of Glyndwr.

Yn nes at ein dyddiau ni – ar droad yr ugeinfed ganrif – mae tystiolaeth fod Sgidmoriaid y genhedlaeth bresennol wedi cyfeirio sylw pobl a ymddiddorai yn hanes Owain Glyndŵr at y domen yn Monnington a ddangoswyd i'r Uwch-gapten Croft a'r arbenigwyr ddegawdau yn gynharach.[42]

Fe saif y domen dan sylw o fewn libart ffermdy Monnington Court, heibio'r prif dai allan a thu ôl i sied wair fawr. Pan dynnwyd llun pensel o'r domen yn 1952 gan R. E. Kay, hynafiaethydd galluog a fu'n flaenllaw gyda'r Woolhope Club ac y cedwir ei bapurau yn archif Comisiwn Henebion Cymru, mae'n ymddangos bod ei hamlinell yn fwy amlwg nag ydyw yn awr oherwydd y trwch o dyfiant a choed sydd o'i chwmpas. Mae'r domen yn un gymharol ddisylw, rhyw ddeuddeg troedfedd a hanner ar y mwyaf o ran uchder, gyda ffos o'i hamgylch a nant fechan yn llifo iddi. Nid yw'n rhyfedd efallai i rai – gan gynnwys llunwyr mapiau'r Arolwg Ordnans – dybio mai gweddillion castell mwnt a beili ydyw. Fe ddenodd y domen sylw o sawl math yn yr ugeinfed ganrif. Mae'n ymddangos bod rhywrai wedi bod yn cloddio ynddi tua 1932 yn ôl tystiolaeth tad Mr Richard Stokes, tenant presennol Monnington Court:

> I remember, in about 1932, when I was twelve years of age, two archaeologists from North Wales spent a week or so excavating the top of the mound. Hughes and Rowlands were their names ... They dug about six feet down right in the centre of the mound, but found nothing at all.

Nid yw'n ymddangos bod cofnod o'r cloddio hwn, ac ni ellir ond dyfalu ai archaeolegwyr wrth eu proffes ynteu gwladgarwyr chwilfrydig oedd y meistri Hughes a Rowlands. Fe fu'r domen yn gyrchfan i ysbrydegwyr hwythau yn eu tro a fu yma ar berwyl gobeithiol i gyfathrachu ag ysbryd Glyndŵr. Yn 1995, ar sail ymchwil a wnaeth yn Llyfrgell Dinas Henffordd ac Archifdy'r Sir ynghyd â chyfweliadau â thrigolion lleol, fe honnodd Clive Betts, gohebydd Cymreig y *Western Mail*, yn bendant o dan bennawd dramatig 'Hero's riddle laid to rest' mai ar domen

Monnington Court y claddwyd Glyndŵr. Erbyn diwedd y ganrif yr oedd y gred fod Glyndŵr wedi ei gladdu yn Monnington yn ddigon cryf i ysgogi chwilio yno gyda chymorth offer gwyddonol modern. Yn y flwyddyn 2000 – blwyddyn dathlu chwechanmlwyddiant dechrau'r gwrthryfel – fe gomisiynodd Cymdeithas Owain Glyndŵr archwiliad geoffisegol o'r domen, gyda chydweithrediad y corff cadwriaethol Seisnig English Heritage ac ystad Dugiaeth Cernyw, a oedd biau'r tir.[43]

Fe ddefnyddiwyd offer electronig soffistigedig – gan gynnwys radar a allai dreiddio dan wyneb y pridd – gan arbenigwyr geoffisegol cwmni Terradat o Gaerdydd a fu'n archwilio pen y domen. Siom o ran prif gymhelliad yr archwiliad oedd na lwyddodd y dechnoleg i ganfod unrhyw arlliw o olion bedd, ond fe gydnabu'r cwmni ei bod yn bosib fod unrhyw olion felly wedi dirywio i'r fath raddau dros y canrifoedd fel na fyddai digon o wahaniaeth rhyngddo a'r deunydd o'i gwmpas i adael ôl geoffisegol. Os na chanfuwyd olion bedd yno, yr hyn a ganfu'r profion geoffisegol oedd olion tybiedig seiliau adeilad hirsgwar o gryn faint yn rhedeg o'r gogledd i'r de. O ystyried natur y disgwyliadau a ysgogodd ymchwiliad Terradat nid rhyfedd efallai oedd cael ambell honiad camarweiniol yn sgil hynny. Rhyfedd oedd honiad papur newydd y *Guardian* – mewn adroddiad dan y pennawd llwythog 'Hi-tech pointer to Welsh rebel's last resting place' – fod rhediad seiliau'r adeilad o'r gogledd i'r de yn awgrymu mai gweddillion adeilad crefyddol oeddynt: wynebu tua'r dwyrain a wna eglwysi fel rheol. Mwy rhyfedd fyth oedd y sôn mewn llyfr ar lên gwerin Swydd Henffordd a gyhoeddwyd yn 2002 fod esgyrn wedi eu canfod yn sgil yr archwiliad: ysywaeth, gellir datgan yn ddibetrus na chanfuwyd esgyrn Glyndŵr na neb arall yn sgil ymchwiliadau Terradat! Fe archwiliwyd y domen yn drylwyr – heb ei chloddio – wedi hynny gan yr archaeolegydd Neil Phillips, a luniodd draethawd ymchwil ar gestyll pridd Gwent ac Ergyng. Ei gasgliad ef oedd nad gweddillion castell mwnt a beili oedd tomen Monnington ond gweddillion annedd gaerog ('a late period fortified residence'), casgliad tebyg i'r un y

Chapel House, ger Monnington Court

daeth yr hynafiaethydd George Marshall iddo cyn hynny yn 1938. Os seithug fu'r ymchwil yn y fan hon am fedd Owain Glyndŵr, fe gadarnhawyd mai dyma safle un o ragflaenyddion y Monnington Court presennol yn yr oesoedd canol.[44]

Efallai mai oherwydd cof cymysglyd neu ddychymyg gorffrwythlon y credwyd mai ar domen Monnington Court y claddwyd Owain. Ond os nad yno y'i claddwyd, a oes posibilrwydd iddo gael ei gladdu yn rhywle arall yn y cyffiniau? Yn yr oesoedd canol, gwrthun fyddai meddwl am gladdu corff yn unman heblaw mewn tir wedi ei gysegru: ymwybyddiaeth o hynny efallai a barodd i rywrai fynnu – yn groes i'r dystiolaeth – i archwiliad 2000 ganfod olion eglwys ar ben tomen Monnington Court. Tybed, fodd bynnag, a oedd eglwys o ryw fath yn agos i'r fan gyda mynwent wedi ei chysegru ynghlwm wrthi? Draw dros gornel o gae o domen Monnington Court – lai na chanllath i ffwrdd – gellir gweld Chapel House neu Chapel Farm gynt (Chapel Cottages bellach), adeilad sy'n gyfuniad o ffrâm bren a brics coch ac a fu'n stordy amaethyddol cyn ei adfer tua phymtheng mlynedd yn ôl a'i droi'n ddau fwthyn. Bernir bod rhannau hynaf yr adeilad yn dyddio o'r unfed ganrif ar bymtheg. Fe fu'r hanesydd mawr Syr J. E. Lloyd yn ei gyfrol ar Owain Glyndŵr yn ddigon llygadog i weld arwyddocâd posib enw'r adeilad hwn:

> If his last refuge is to be looked for in this region [sc. Swydd Henffordd], the likeliest spot is Monnington Straddel in the Golden Valley. Here there was a manor of John Scudamore, whose marriage to Owen's daughter Alice is not in doubt; a substantial mound marks the spot and there was a chapel hard by, commemorated to this day in the name 'Chapel Farm'.[45]

Erbyn hyn fe ellir manylu ychydig mwy ar sail sylwadau Lloyd. Yn sgil y rhestr fanwl o gapeli canoloesol Swydd Henffordd – capeli yn yr ystyr o is-eglwysi – a luniodd yr hanesydd Paul Hair fe wyddom ychydig mwy am y capel a safai unwaith yn Monnington Straddle. Mae tystiolaeth ddogfennol i'w fodolaeth yn 1346 a chofnod o benodi caplan i'w wasanaethu yn 1379, ac ar y map o Swydd Henffordd a gyhoeddodd Christopher Saxton yn 1577 fe nodir ei safle â symbol eglwys. Os edrychir ar fap degwm 1845 fe welir i'r hen gapel adael ei ôl ar enwau'r caeau o'i gwmpas, *Chapel Close, Chapel Orchard* a *Chapel Meadow*, caeau Monnington Court bob un ohonynt a'r enwau yn dal yn fyw heddiw. Hawdd tybio mai ar safle'r capel y codwyd adeilad Chapel House yn yr unfed ganrif ar bymtheg. Ond os is-eglwys oedd yma, p'run oedd y fam eglwys tybed? Mae eglwys Vowchurch braidd yn agos i feddu ar gapel yn y fan hon, ond gellir awgrymu posibilrwydd arall. Mae'r enw *Court* yn aml yn arwydd o fodolaeth maenor tŷ crefydd gynt, tir a gâi ei ffermio at gynhaliaeth mynachlog. Fe wyddom fod gan Abaty Dore – lai na phum milltir i ffwrdd – naw maenor yn y dyffryn, gan gynnwys rhai yn Vowchurch a'r cyffiniau. Tybed ai un arall o faenorau'r abaty oedd Monnington Court yn wreiddiol? Fe dybiai'r hynafiaethydd R. E. Kay mai dyna ydoedd, ac fe dynnodd sylw hefyd at olion pysgodlyn ryw chwarter milltir o Monnington Court, nodwedd gyffredin ar diroedd mynachlogydd gynt. Byddai rhagdybio bodolaeth maenor yn perthyn i'r abaty yn esbonio bodolaeth y capel gerllaw Monnington Court: fe geid capeli yn aml iawn ar faenorau mynachlogydd ar gyfer anghenion ysbrydol y brodyr lleyg a'r llafurwyr a weithiai'r tir neu fynaich ar ymweliad. Fe lwyddodd rhai o'r capeli hyn i ennill yr hawl i gladdu, hawl a gâi ei gwarchod yn eiddigeddus yn yr oesoedd canol: o ran Abaty Dore, fe wyddom fod mynwent ynghlwm wrth faenor yr abaty yn Llanfair Cilgoed yng Ngwent, ryw ddeng milltir o Monnington. A oedd gan y capel yn Monnington Straddle ar un adeg fynwent a hawl i gladdu ynddi tybed, ac, os felly, ai yno y rhoddwyd Glyndŵr i orffwys ar ddiwedd ei ddyddiau? A oedd y capel yno i ryw raddau dan reolaeth y Sgidmoriaid ar y pryd, perchenogion hysbys y faenor tua'r un adeg? Ai traddodiad dilys ond dryslyd sydd wrth wraidd 'cyfrinach' honedig y Sgidmoriaid? A fu Owain yn llochesu ar faenor gymharol neilltuedig Monnington Straddle, ynteu a gludwyd ei gorff o Gwrt Llan-gain i'w gladdu yn y dirgel mewn man ymhellach i ffwrdd er mwyn cyfeirio sylw ymaith oddi wrth y teulu ac osgoi peryglu eu safle a'u statws – yr oedd Syr John Skydmore yn un o Aelodau Seneddol Swydd Henffordd yn 1414 – pe drwgdybid eu bod wedi llochesu Glyndŵr? Mae'n anorfod fod y cwestiynau'n amlhau, a'r un mor anorfod hefyd nad oes atebion sicr iddynt.[46]

Mewn llythyr a ysgrifennodd yn 1931 fe ddywedodd Syr J. E. Lloyd hyn:

> Legend was bound to gather around the latter years of so striking and weird a figure as that of Glyn Dwr, and my own feeling is that there is very little one can maintain on this head with any confidence. The Monnington Straddle suggestion is the farthest point to which I am inclined to go and even that I put forward with some hesitation.

Mae geiriau'r hanesydd mawr yn nodweddiadol ofalus a'i betruster yn gwbl ddealladwy. Ni fynnwn innau ychwaith honni gormod. Ond gobeithio er hynny fod yr hyn a draethwyd uchod yn ddigon i argyhoeddi'r darllenydd na ellir anwybyddu'r dystiolaeth ynghylch Monnington Straddle a'i hen gapel diflanedig wrth ymdrin â phwnc y gyfrol hon.[47]

7

Fforest Haywood

RHAN O UN o'r fforestydd brenhinol niferus yn Lloegr yn yr oesoedd canol – sef 'the Haye of Hereford' – oedd Fforest Haywood, coedwig a'i chanolbwynt lle mae pentref Haywood, ryw ddwy filltir a hanner i'r de-orllewin o Henffordd, heddiw. Fel fforestydd brenhinol eraill yr oesoedd canol, nid dim ond coed a geid yn yr 'Haye of Hereford' ond tiroedd o sawl math ac ansawdd. Term technegol oedd 'fforest' yn dynodi tir heb ei amgáu a neilltuid yn bennaf ar gyfer helfeydd brenhinol a phorthi ceirw, tir a gâi ei warchod gan gyfreithiau'r fforest, a gyfyngai ar hawliau deiliaid y brenin. Ymestynnai'r 'Haye of Hereford' yn wreiddiol o borth deheuol pont Henffordd am tua chwe milltir i'r de-orllewin, ac ynddi bron bum mil o aceri. Dangosir Fforest Haywood yn eglur ar fap Christopher Saxton o Swydd Henffordd yn 1577, a dengys arolwg ohoni yn 1604 fod ynddi tua mil o aceri o goed a thua 650 acer arall yr adeg honno. Dim ond gweddillion pitw o Fforest Haywood sydd ar ôl heddiw.[48]

Rhaid ystyried Fforest Haywood yng nghyswllt yr hanesion am ddiwedd Owain Glyndŵr oherwydd cyfeiriad a geir yng nghyfrol John Price *An Historical & Topographical Account of Leominster and It's* [*sic*] *Vicinity* a gyhoeddwyd yn 1795. Yr oedd Price – brodor o Lanllieni ac athro ieithoedd nad oedd ond dwy ar hugain oed ar y pryd – yn ŵr galluog ac egnïol: fe gyhoeddodd nifer o gyfrolau eraill, ar hanes Henffordd, Llwydlo a Chaerwrangon ac ar gyfreithiau a llywodraeth Lloegr, ynghyd ag opera gomig boblogaidd *The Seaman's Return*, cyn ei farw yn ddim ond naw ar hugain oed yn 1801. Mae ôl cryn chwilio a darllen – mewn ffynonellau print a llawysgrif – ar ei gyfrol ar hanes Llanllieni.[49]

Mewn cyflwyniad cyffredinol ar hanes Llanllieni mae gan Price adran hir ar Owain Glyndŵr (tt. 16–28). Negyddol yw ei ddarlun o Lyndŵr, un, meddai, 'by his cruelty and extortions made every Inhabitant in the country his enemy'. Mae'r adran yn gorffen fel hyn:

> Here terminates the history of Glendour, as far as regards Herefordshire, it is certain, that at some period of his life, he became a fugitive, and presents us with a remarkable instance of the instability of human affairs, for lurking from place to place thro' the woods, (as some accounts mention) habited as a Shepherd, in a low and forlorn condition, and even forced to take shelter in caves and desert places from the fury of his enemies, without a single friend to partake of his misery: it is related by many Writers, that he was found at length in Haywood Forest, starved to death. A death, which as the Records of that time say, divine Providence inflicted upon him, as a punishment for his sacrilegious plundering the Churches, Convents &c. But other accounts say, that he died Anno 1415, at the house of one of his Daughters, and Pennant in his Tour, seems to think this the most probable, but whether at that of his Daughter Scudamore or Monnington, is uncertain; according to the tradition of the county of Hereford, at the House of his daughter Monnington; and it is said, that he was buried in the church-yard of Monnington, but there is no monument or memorial of him to be found there.

Mae rhan olaf y darn uchod yn adlewyrchu dylanwad *Tour in Wales* Pennant (1778) a'r traddodiad cyfeiliornus am gladdu Glyndŵr yn Monnington-on-Wye. Ond beth oedd ffynhonnell Price ar gyfer yr honiad fod Glyndŵr wedi marw yn Fforest Haywood? Er gwaethaf ei gyfeiriad at 'many Writers' ni lwyddais i ganfod unrhyw gyfeiriad blaenorol at yr hanes hwn. Mewn troednodyn ganddo sy'n cyfeirio at y 'many Writers' yr unig awdur a noda Price yw 'Pere d'Orleans', sef yr hanesydd Jeswitaidd Ffrengig Pierre Joseph de Orleans (1641–98) a gyhoeddodd ei *Histoire des Révolutions d'Angleterre* yn 1693–4. Ond nid yw'r gwaith hwnnw yn cynnwys unrhyw gyfeiriad at farw Glyndŵr. Mae'n sicr fod Price yn llinach awduron Seisnig Tuduraidd fel Edward Hall a Raphael Holinshed a honnodd fod yr adyn Glyndŵr wedi ffoi ar ddiwedd ei oes i fannau anghyfannedd, 'desert places and solitary caves', ac iddo yno 'for pure honger and lacke of foode myserably ended his wretched lyfe' (Hall): mae 'caves and desert places' Price yn adleisio union eiriad Hall (a Holinshed yntau). Tybed ai Price ei hun a ddychmygodd y manylyn ynghylch Fforest Haywood er mwyn rhoi blas a lliw lleol i'r traddodiad am ddiwedd truenus Glyndŵr a oedd wedi datblygu'n rhan o'r naratif Seisnig amdano? Ynteu a glywodd ryw draddodiad lleol yn Swydd Henffordd, llên gwerin na chafodd ei gofnodi yn unman arall am farw Glyndŵr yn Fforest Haywood?[50]

Awdur arall a ysgrifennodd am Lanllieni ychydig flynyddoedd ar ôl Price oedd y Cymro o Raeadr Gwy, Jonathan Williams (1754–1829), clerigwr a fu'n brifathro Ysgol Ramadeg Llanllieni ac yn gurad plwyf Eyton y tu allan i'r dref. Yn ei gyfrol *The Leominster Guide* (1808) mae yntau'n cyfeirio at yr honiad fod Glyndŵr wedi marw yn Fforest Haywood. Ond Cymro twymgalon a edmygai Lyndŵr oedd Williams ac mae naws ei ymdriniaeth ef yn bur wahanol i un John Price:

> The monks and ecclesiastics, between whom and Glendour subsisted an implacable animosity, retaliated his depredations, by loading his memory with the grossest calumnies, and unfounded aspersions. They represent him as suffering the divine judgements in punishment of his crimes, and describe him as a miserable exile, wandering in disguise, and at last perishing with hunger in the Haywood-forest. The reverse of this fictitious catastrophe is true.

Prin y gellir ystyried Williams yn dyst annibynnol ynghylch yr hanes fod Glyndŵr wedi marw yn Fforest Haywood. Mae'n eglur mai llyfr Price oedd ffynhonnell Williams, ac mai ateb i sylwadau dilornus Price yw geiriau'r awdur o Gymro yn eu hanfod.[51]

O ystyried y ffaith na cheir yr hanes yn unman arall o'i flaen, ni ellir rhoi llawer o goel ar honiad Price fod Glyndŵr wedi marw yn Fforest Haywood. Nid oedd yr 'Haye of Hereford' yn lle arbennig o anghysbell a diarffordd yn ei adeg ef: ceir cofnodion am sawl math o weithgarwch yno yn y bedwaredd ganrif ar ddeg – hela, pori, torri a chasglu coed a chwarela – ac yr oedd mannau llawer mwy diarffordd yn Swydd Henffordd lle gallai ffoadur fod wedi cuddio oddi wrth yr awdurdodau.[52]

Fe gafwyd llithriad annodweddiadol mewn cyfrol boblogaidd dda ar Lyndŵr gan Geoffrey Hodges pan honnodd i Price ddweud bod Owain wedi marw mewn coedwig arall, sef coedwig Harewood, wyth milltir o Henffordd i gyfeiriad y Rhosan ar Wy. Ond ni ddywedir hyn yn unman gan Price, ac mae'n ymddangos bod Hodges wedi camgopïo neu gamgofio ei ffynhonnell a chymysgu rhwng dwy fforest a chanddynt enwau digon tebyg.[53]

8

Kimbolton (a La Verne)

I'R SAWL A ymddiddorodd yn hanes Owain Glyndŵr o'r blaen mae'n debyg y bydd enwau'r rhan fwyaf o'r mannau yn Swydd Henffordd y sonnir amdanynt yn y gyfrol hon yn lled gyfarwydd. Ond nid felly Kimbolton (a yngenir gyda'r acen ar y sillaf olaf ond un: *Kimbólton*). Pentref bychan o ryw bedwar cant a hanner o drigolion yw hwn heddiw, ryw dair milltir i'r gogledd-ddwyrain o dref Llanllieni. Dyma'r tro cyntaf i gysylltiad posib Kimbolton ag Owain Glyndŵr gael ei drafod mewn print.

Man dechrau'r trywydd hwn oedd gweld cyfeiriad yn un o lawysgrifau casgliad Peniarth yn y Llyfrgell Genedlaethol. Peniarth 287 yw'r llawysgrif bwysicaf o achau a luniwyd gan yr hynafiaethydd mawr Robert Vaughan o'r Hengwrt (?1592–1667). Ar dudalennau 373–7 ynddi fe gofnodir achau disgynyddion Madog ap Gruffudd Maelor, tywysog Powys Fadog; yn eu plith, yn dirwyn i lawr tudalen 374, fe geir ach Owain Glyndŵr a'i deulu. Yn ei ddull trefnus a thaclus arferol mae Vaughan yn cofnodi enwau brawd Owain, Tudur, ei holl chwiorydd a'u priodasau, ac yna blant Owain, yn feibion ac yn ferched, gan orffen gyda'r merched a'u priodasau. Ar waelod isaf y tudalen, wedi ei wasgu i mewn ar ôl enwau'r merched, fe ychwanegwyd nodyn mewn ysgrifen wahanol o'r math a geid yn y ddeunawfed ganrif:

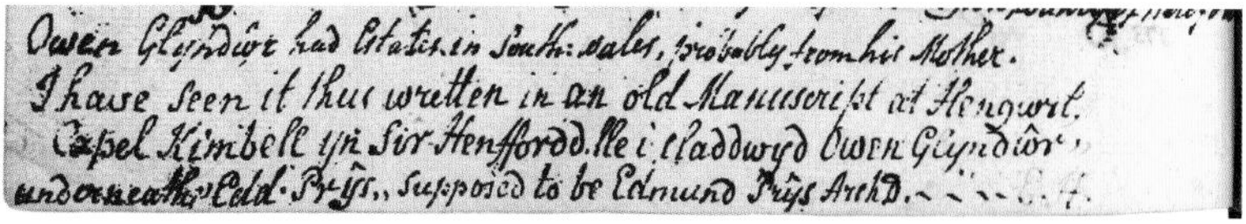
Owen Glyndŵr had Estates in South: Wales, probably from his Mother.
I have seen it thus written in an old Manuscript at Hengwrt.
Capel Kimbell yn Sir Henffordd lle i claddwyd Owen Glyndŵr
underneath Edd. Prŷs, supposed to be Edmund Prŷs ArchD.

Cofnod Evan Herbert ynghylch claddu Owain Glyndŵr (llsgr. Peniarth 287, t. 374)
(Llun: Trwy garedigrwydd y prosiect digiDo, Llyfrgell Genedlaethol Cymru)

> Owen Glyndŵr had Estates in South: Wales, probably from his Mother. I have seen it thus written in an old Manuscript at Hengwrt, "Capel Kimbell yn Sir Henffordd lle i claddwyd Owen Glyndŵr" underneath "Edd. Prŷs" supposed to be Edmund Prŷs ArchD. E.H.

Fe wyddom pwy oedd 'E.H.', awdur y nodyn hwn a nodiadau eraill a welir yma a thraw dan ei enw yn y llawysgrif, rhai'n ymwneud â manion achyddol yn bennaf. Ei enw llawn oedd Evan Herbert, gŵr a fu'n gurad nifer o blwyfi yn Sir Feirionnydd – Llandanwg gyda Llanbedr, Llanfachreth a Llanelltyd – o ddechrau'r 1770au ymlaen ac a benodwyd yn brifathro Ysgol Ramadeg Dolgellau yn 1790. Fe fu Herbert yn byw yn Sir Feirionnydd hyd ei benodi'n rheithor Llanfairfechan yn 1801, lle gwasanaethodd hyd ei farw yn 1830. Yn ystod ei gyfnod ym Meirion fe wyddom ei fod yn un o'r deallusion lleol yn ardal Dolgellau – dynion yn ymddiddori mewn hanes, hynafiaethau a hen lenyddiaeth – a fanteisiodd ar y cyfle i bori yn llyfrgell enwog Hengwrt ym mhlwyf Llanfachreth lle gwasanaethai Herbert yn gurad, llyfrgell a gynullwyd dros ganrif ynghynt gan Robert Vaughan. Ymhlith y llawysgrifau y bu Herbert yn ddigon ffodus i'w benthyg o Hengwrt yr oedd Llyfr Du Caerfyrddin a Llyfr Taliesin.[54]

Er chwilio'n ddyfal mewn nifer o lawysgrifau tebygol yng nghasgliad Peniarth ac yn y catalogau o'r casgliad hwnnw, ni lwyddais i daro ar y cofnod y mae Evan Herbert yn cyfeirio ato. Ofnais y gallasai'r llawysgrif a welodd Evan Herbert fod wedi diflannu o Hengwrt, fel sawl llawysgrif arall – gan gynnwys Llyfr Aneirin a Llawysgrif Hendregadredd – yn ystod cyfnod Hugh Vaughan (m. 1783), gor-or-ŵyr Robert

Vaughan, gŵr a aeth yn fethdalwr ac y dirywiodd y llyfrgell dan ei oruchwyliaeth. (Fe gwynodd y Parch. Richard Thomas, curad Llanegryn ac un arall o fynychwyr llyfrgell Hengwrt, am ei chyflwr yn 1778, 'mae'r Llygod Freingig, Gwlaw, drwg Gadwraeth, gwedi gwneud Anrhaith didrefn ... a'r rhan fwyaf o'r Llyfrau gorau gwedi eu dwyn.'). Ond wedi imi ymgynghori â Daniel Huws, cyn-Geidwad Llawysgrifau'r Llyfrgell Genedlaethol a gŵr digymar ei wybodaeth o'n llawysgrifau Cymreig, fe gofiodd ef iddo unwaith weld cofnod tebyg i'r un y cyfeiria Evan Herbert ato yn un arall o lawysgrifau Robert Vaughan. O chwilio'i nodiadau bu mor garedig â thynnu fy sylw at lawysgrif Peniarth 327, rhan ii (mae tair rhan i'r llawysgrif, wedi eu rhwymo ar wahân). Casgliad amrywiol o bapurau rhydd a gasglwyd gan Robert Vaughan oedd Peniarth 327, ii yn wreiddiol, gyda nifer helaeth ohonynt yn rhai a ysgrifennwyd gan Vaughan ei hun, llawer ohonynt yn cofnodi achau. O fynd ati i archwilio'r llawysgrif, cyffrous oedd troi i dudalen 259 a gweld y pennawd 'Owen Glyndwr'. Oddi tanodd fe gofnodwyd y disgynyddion o briodas ei ferch (a enwir yn 'Elsbeth') â Syr John Skydmore o Gwrt Llan-gain. Ar waelod y tudalen yr oedd y nodyn hollbwysig a ganlyn:

> Cappel Kimbell lle i clawddwyd
> Owen Glyn : yn sir Henffordd .Ed:Prys

Dyma'n sicr y nodyn a welodd Evan Herbert yn llyfrgell Hengwrt. Mae Daniel Huws yn barnu bod achau disgynyddion Syr John Skydmore a'i wraig wedi eu cofnodi yn llaw gynnar

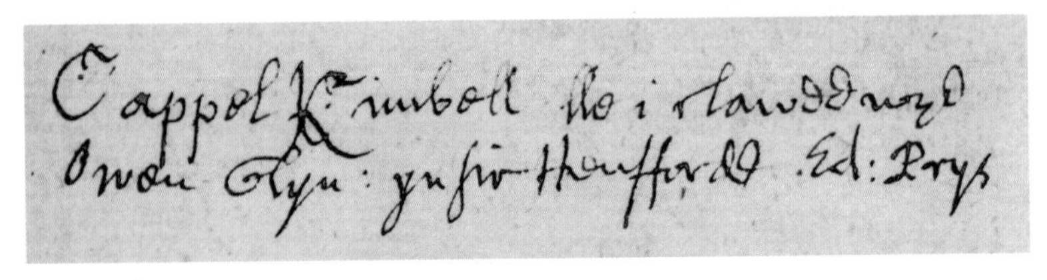
Cappel Kimbell lle i clawddwyd
Owen Glyn : yn sir Henffordd .Ed:Prys

Cofnod Robert Vaughan ynghylch claddu Owain Glyndŵr (llsgr. Peniarth 327, ii, t. 259)
(Llun: Trwy garedigrwydd y prosiect digiDo, Llyfrgell Genedlaethol Cymru)

Robert Vaughan a'r nodyn ynghylch claddu Glyndŵr wedi ei ysgrifennu ganddo'n ddiweddarach.[55]

Mae'n ddiamau mai'r 'Cappel Kimbell' yn Swydd Henffordd y cyfeiria nodyn Robert Vaughan ato yw eglwys sant Iago yn Kimbolton, eglwys y plwyf heddiw. Fe saif yr eglwys fechan hynafol a hardd hon o gerrig tywodfaen gyda'i thŵr uchel pigfain dan orchudd o deils derw a chyda'i mynwent daclus o'i hamgylch ar safle amlwg ar godiad tir uwchlaw'r pentref. Fe gredir bod rhannau o'r eglwys yn dyddio o'r ddeuddegfed ganrif; yn sicr, fe geir cyfeiriadau ati mewn dogfennau eglwysig o ddiwedd y drydedd ganrif ar ddeg. Mae'r dogfennau hyn a rhai diweddarach yn dangos mai 'capel' ydoedd o ran statws yn yr oesoedd canol, hynny yw, eglwys ddibynnol, un a berthynai i briordy cyfagos urdd Sant Bened yn Llanllieni: dyna sy'n cyfrif am y cyfeiriad at yr eglwys fel 'Cappel Kimbell' yn nodyn Robert Vaughan yn Peniarth 327, ii.[56]

Fe gredai Evan Herbert fod yr enw 'Ed.Prŷs' yn dalfyriad o enw Edmwnd Prys (1543/4–1623), archddiacon enwog Meirionnydd, awdur y Salmau Cân ac un o'r pennaf o'r dyneiddwyr Cymreig. Yr oedd Prys yn ŵr dysgedig a diwylliedig

Eglwys Kimbolton

y byddai'n rhesymol tybio y byddai ganddo ddiddordeb yn hanes a thraddodiadau ei wlad. Yn ŵr ifanc fe fyddai Robert Vaughan wedi adnabod yr hen archddiacon a throi yn yr un cylchoedd ag ef: bu'r ddau ohonynt yn gwasanaethu gyda'i gilydd ar gworwm Ynadon Heddwch Sir Feirionnydd rhwng 1618 a marw Prys yn 1623, ac yr oedd deoniaeth wledig Ystumanner a gynhwysai blwyf Llanfachreth lle'r oedd cartref Vaughan o dan awdurdod eglwysig yr archddiacon. Os ef yn wir oedd yr 'Ed.Prys' a roddodd yr wybodaeth i Vaughan ynghylch man claddu honedig Glyndŵr – ac mae hynny'n bur debygol – fe gyfyd posibilrwydd diddorol. Rhwng 1576 ac 1579 fe fu Prys yn offeiriad yn esgobaeth Henffordd, yn rheithor Llwydlo yn Sir Amwythig, rhyw ddeng milltir yn unig o Kimbolton dros y ffin yn Swydd Henffordd. Tybed a glywodd Prys yn ystod ei gyfnod yn Llwydlo am ryw draddodiad lleol am gladdu Owain Glyndŵr yn Kimbolton ac mai adlais o draddodiad felly a welir yn nodyn Robert Vaughan? Os felly, mae'n ymddangos yn debygol fod y traddodiad a gofnododd Robert Vaughan yn dyddio'n ôl o leiaf i saithdegau'r unfed ganrif ar bymtheg pan oedd Prys yn rheithor Llwydlo. Mae'n ddiddorol bod Robert Vaughan wedi ysgrifennu ei nodyn ar dudalen yn y llawysgrif lle mae'n nodi achau disgynyddion Syr John Skydmore a'i wraig, merch Glyndŵr. Yn ôl pob tebyg, ymwybyddiaeth Vaughan o'r cyswllt gwaed rhwng y Sgidmoriaid a Glyndŵr sy'n cyfrif am hynny. Ond efallai na ddylid diystyru'n llwyr ychwaith y posibilrwydd fod Vaughan yn ymwybodol fod a wnelo'r Sgidmoriaid rywfodd â chladdedigaeth Glyndŵr.[57]

Mae darn o dystiolaeth arall y mae'n bwysig ei ystyried yn y cyswllt hwn, un sy'n ymwneud â hanes Kimbolton. Yn yr Archifdy Gwladol yn Llundain fe gadwyd dogfen ddyddiedig 20 Ionawr 1392 sy'n ymwneud â maenor Kimbolton ynghyd â thiroedd eraill yn Llanllieni a'r cyffiniau. Mae a wnelo'r ddogfen â chytundeb rhwng pedwar o bobl, sef, ar y naill law, Syr Walter Devereux a John Skyd(e)more o La Verne, cymdogion o uchelwyr yn ardal Bodenham i'r de o Lanllieni, ac ar y llaw arall, gŵr o'r enw John Kirby a'i wraig Julian.

Mae'n weddol sicr mai'r John Skyd(e)more y cyfeirir ato oedd tad Syr John Skydmore a briododd maes o law ag Alys, merch Owain Glyndŵr (gellir tybio ar dir amseryddol ei bod yn llai tebygol mai'r mab, y Skydmore ieuaf, ydoedd): yn ogystal â Chwrt Llan-gain yr oedd gan John Skydmore yr hynaf gartref hefyd yn La Verne (a elwid hefyd yn La Fern a The Vern), Bodenham, maenor ganoloesol yn agos at afon Llugwy (Lugg) lle heddiw y saif plasty y mae ei ran hynaf yn dyddio o'r unfed ganrif ar bymtheg. Math o ddogfen a elwir yn droedgytgord (*foot of fine*) yw'r ddogfen dan sylw, dosbarth digon problemus o ddogfennau. Fe ddefnyddid dogfennau o'r fath i warantu cytundebau cyfreithiol a oedd yn ymwneud â thir. Fe'u seilid ar wrandawiadau yn Llys y Plediau Cyffredin, un o lysoedd canolog y deyrnas: fe ysgrifennid dogfen deirgwaith ar un ddalen o femrwn, gan gadw'r darn isaf – y 'troed' – ymhlith cofnodion y llys a'r ddwy ran uwchben gan y pleidiau a oedd yn ymwneud â'r achos. Yn anffodus, fodd bynnag, anodd, onid amhosib, yn aml, oni cheir gwybodaeth ategol o ffynonellau eraill, yw barnu union natur y cytundebau y mae dogfennau fel hyn yn cyfeirio atynt: fe allant ymwneud â phrynu tiroedd yn uniongyrchol neu eu morgeisio, neu â threfniannau eraill mwy cymhleth. Mae'r ddogfen y cyfeirir ati yn tystio i Devereux a Skydmore dalu arian i John a Julian Kirby ac i'r rheiny ryddhau'r tiroedd iddynt; un posibilrwydd felly yw eu bod wedi prynu'r tiroedd, a maenor Kimbolton yn eu plith, er bod trefniannau eraill hefyd yn bosib. Rhaid osgoi neidio i gasgliad pendant ar sail tystiolaeth dogfen o'r fath, ond fe all fod yma awgrym o gyswllt uniongyrchol rhwng y Sgidmoriaid, teulu-yng-nghyfraith Alys, merch Glyndŵr, a Kimbolton. Pe bai gan Syr John Skydmore, gŵr Alys, fuddiannau ym maenor Kimbolton – fel y mae'n bosib yr oedd gan ei dad – y mae'n amlwg y byddai ganddo ddylanwad yno. Os bu farw Glyndŵr ym Medi 1415 fe fyddai Syr John ei hunan i ffwrdd ar y pryd – yr oedd yn aelod o fyddin Harri V a laniodd yn Ffrainc ganol Awst – ond mae'n deg tybio y byddai Alys, ei wraig, a'r rhai a weinyddai ei ystadau yn ystod ei absenoldeb yn ymwybodol iawn o hyd a lled ei ddylanwad.

The Vern (gynt La Verne) yn Bodenham, Swydd Henffordd, un o gartrefi'r Sgidmoriaid yng nghyfnod Owain Glyndŵr

A fanteisiodd Alys felly ar ddylanwad ei gŵr yn Kimbolton ac ai'r dylanwad hwn a hwylusodd y ffordd ar gyfer claddu (neu efallai ailgladdu) ei thad yno?[58]

Mae cysylltiad John Skydmore yr hynaf, tad Syr John Skydmore, mab-yng-nghyfraith Glyndŵr, â La Verne yn Bodenham yn ddiymwad, gyda'r cyfeiriad cynharaf sy'n ei gysylltu â'r fan hon yn dyddio'n ôl i 1383. Cwestiwn sy'n codi yw a fu ei fab, Syr John, yn dal yr eiddo hwn yn ogystal â Chwrt Llan-gain ac a fu ef a'i briod Alys yn byw yno. Dyna, yn sicr, a ddisgwylid. Dogfen bwysig yn hyn o beth yw troedgytgord arall, un o'r flwyddyn 1412 sy'n cofnodi trefniant ynglŷn â thir ac eiddo mewn lle o'r enw Sutton rhwng offeiriad o'r enw 'William Broke' ar y naill law a 'John Skydemore' o La Verne a'i wraig 'Alice' ar y llaw arall. I gymhlethu pethau, rhaid nodi mai Alys/Alice oedd enw mam Syr John Skydmore yn ogystal â'i wraig, merch Glyndŵr, felly ni ellir bod yn gwbl sicr ai John Skydmore yr hynaf a'i wraig ynteu Syr John yr ieuaf a'i wraig yw'r pleidiau a grybwyllir yn y ddogfen. Ond byddai John Skydmore yr hynaf mewn cryn oedran erbyn 1412 ac efallai ei bod yn fwy tebygol mai at Syr John Skydmore, mab-yng-nghyfraith Glyndŵr, a'i wraig y cyfeirir. Ond mae cofnod dogfennol arall i'w ystyried hefyd. Yn 1418 yng nghofrestr Edmund Lacy, esgob Henffordd, fe gofnodwyd i weinyddiad ystad John Skydmore 'de la Feerne', gŵr ifanc a fu farw'n ddiewyllys, gael ei ymddiried i'w dad Syr John Skydmore: rhaid casglu felly i ŵyr John Skydmore yr hynaf a mab Syr John fyw yn La Verne am gyfnod cyn marw'n ŵr ifanc. Ond anwybydder cymhlethdodau'r gwahanol genedlaethau: yr hyn sy'n eglur yw bod cysylltiad sicr rhwng teulu'r Sgidmoriaid a La Verne yn ystod y blynyddoedd pan oedd Glyndŵr ar encil a phan fu farw. Ystyrier wedyn leoliad La Verne, dim ond chwe milltir a hanner yn ôl hediad brân o Kimbolton. O ystyried hyn, a dylanwad uniongyrchol posib y Sgidmoriaid yn Kimbolton, ymddengys yr honiad i Lyndŵr gael ei gladdu yno yn un sy'n fwyfwy credadwy. Ystyrier hefyd mai rhyw dair milltir yn unig oedd rhwng La Verne a Lawton's Hope lle'r oedd un arall o ferched Owain, priod Syr Richard Monington, yn byw. Fe gofier i 'Hanes Owain Glyndŵr' honni i rai ddweud amdano 'he dyed at his daughter Scudamores, others, at his daughter Moningtons house'. A fu Owain ar ddiwedd ei ddyddiau yn bwhwman rhwng cartrefi ei ferched yn La Verne a Lawton's Hope ac ai yn Kimbolton, nid nepell i ffwrdd, maes o law y'i claddwyd?[59]

Fe all sefyllfa capel Kimbolton mewn perthynas â phriordy Llanllieni hefyd fod yn arwyddocaol yn y cyswllt hwn. Fe geir tystiolaeth o'r ddeuddegfed ganrif a'r drydedd ganrif ar ddeg fod y priordy yr adeg honno yn bur eiddigeddus o'i hawliau claddu mewn perthynas â'i gapeli dibynnol, megis Kimbolton; yr oedd elw i'w gael o'r taliadau a wnaed yn sgil angladdau. Nid ydym yn gwybod a lwyddodd capel Kimbolton i ennill hawliau claddu annibynnol ai peidio, ond os na wnaeth fe fyddai angen sêl bendith y priordy ar gyfer claddu yno. Mae dau beth i'w grybwyll yn y cyswllt hwn. Yn gyntaf, rhaid cofio bod Syr John Skydmore yn ŵr o gryn awdurdod yn Swydd Henffordd, yn un a berthynai i haen uchelwrol uchaf y sir: fe fu unwaith yn siryf yno a bu'n un o'i Haelodau Seneddol mor ddiweddar â Thachwedd 1414. Fe fyddai aelodau o'i deulu mewn sefyllfa dda i ddwyn perswâd ar yr awdurdodau eglwysig. Yn ail, rhaid cofio am yr hen berthynas a fu rhwng priordy Llanllieni a theulu'r Mortmeriaid, prif bendefigion Swydd Henffordd a'u tiroedd a'u dylanwad yn eang yno. Fe gofir i Edmund Mortimer briodi merch Glyndŵr a chynghreirio ag ef, perthynas a adlewyrchwyd yn narpariaethau'r Cytundeb Tridarn (1405) y byddai Mortimer wedi elwa o'i weithredu. Mewn cyfrol safonol ddiweddar ar hanes priordy Llanllieni fe ddamcaniaethwyd y gall fod y sefydliad – oherwydd ei gysylltiad â'r Mortmeriaid – yn un o'r tai crefydd yn Lloegr yr honnwyd iddynt roi arian tuag at ymgyrch Glyndŵr. Yng nghyswllt yr honiad fod Glyndŵr wedi ei gladdu yn Kimbolton y mae agwedd ffafriol bosib y priordy – mameglwys capel Kimbolton – at hen gynghreiriad a thad-yng-nghyfraith Edmund Mortimer yn ffactor gwerth ei ystyried.[60]

Mae'n drawiadol iawn fod claddu Glyndŵr wedi ei gysylltu mewn ffordd mor benodol â lle mor ddinod â Kimbolton, lle na fyddai fawr neb y tu hwnt i Swydd Henffordd a'r cyffiniau yn gwybod amdano (a lle na chofnodwyd mewn unrhyw ffynhonnell brint o'r blaen fod posibilrwydd o gysylltiad rhyngddo a'r Sgidmoriaid). Gellid dal bod y cysylltiad posib rhwng Kimbolton a'r Sgidmoriaid, cysylltiad y Sgidmoriaid â La Verne, perthynas capel Kimbolton â phriordy Llanllieni, natur benodol y cyfeiriad a gofnodwyd gan Robert Vaughan (ac wedyn Evan Herbert) a dinodedd Kimbolton yn dadlau o blaid y traddodiad. Yn sicr iawn, mae'r traddodiad a gofnododd Vaughan a Herbert ac a ddeilliodd, yn ôl pob tebyg, o Edmwnd Prys yn fwy na theilwng i'w ystyried ochr yn ochr â'r traddodiadau eraill ynghylch marw neu gladdu Glyndŵr y rhoir sylw iddynt yn y gyfrol hon. Yn wir, os yw'n deillio o gyfnod Prys yn rheithor Llwydlo yn y 1570au gellir ei olrhain ymhellach yn ôl na'r un o'r traddodiadau eraill y mae a wnelont â Swydd Henffordd sy'n cael eu trafod yma.

O holi mewn mannau eraill yn Swydd Henffordd y sonnir

amdanynt yma mewn perthynas â thraddodiadau am farw neu gladdu Glyndŵr – mannau fel Cwrt Llan-gain, Monnington Straddle, Lawton's Hope a Monnington-on-Wye – fe ganfûm bob tro fod y trigolion yn ymwybodol iawn o'r traddodiadau hyn. Ond gwahanol iawn oedd yr hanes yn Kimbolton. O holi yno – a holi'n fwy eang nag yn y mannau eraill, gan gynnwys ymgynghori â phobl sy'n hyddysg iawn yn hanes yr ardal – ni lwyddais i ganfod unrhyw un a glywsai am y traddodiad am gladdu Glyndŵr yno. P'run ai yw'n wir ai peidio – ac mae'r achos o blaid Kimbolton yn gryfach nag achosion y rhan fwyaf o'r lleoedd eraill a drafodwyd yma – mae'n ymddangos mai traddodiad a aeth yn llwyr angof fel arall yw'r traddodiad y gwyddai Edmwnd Prys amdano ac a gofnodwyd gan Robert Vaughan ac Evan Herbert.[61]

9

Swydd Henffordd: crynhoi

MAE'R YMDRINIAETHAU YN y rhan hon o'r gyfrol yn tystio i'r argraff gref a adawodd Owain Glyndŵr ar ddychymyg poblogaidd Swydd Henffordd. Fe gafwyd sawl traddodiad yn y sir yn ymwneud â'i farw a'i gladdu, traddodiadau cryfach, yn wir, na'r rhai tebyg a gafwyd yng Nghymru. Efallai mai'r prif reswm am nifer y traddodiadau hyn yw'r ffaith ei bod yn wybyddus i ferched Owain briodi aelodau o deuluoedd uchelwrol Swydd Henffordd. Ers yr ail ganrif ar bymtheg – ddwy ganrif a mwy ar ôl marw Owain – fe honnwyd mai gyda'r naill neu'r llall o'i ferched a briododd aelodau o'r teuluoedd Monington a Skydmore y treuliodd ei ddyddiau olaf ac y bu farw.

Oherwydd bod nifer o draddodiadau am ddiwedd Owain yn bodoli yn y sir, nid rhyfedd fod rhai wedi ceisio llunio naratif ynghylch ei ddyddiau olaf drwy gyfuno elfennau o'r traddodiadau hyn. Mae'r ysfa i wneud hyn yn hollol naturiol a dealladwy. Fe gafwyd y cynnig mwyaf cyfrifol ar lunio naratif o'r fath ar ddiwedd cyfrol boblogaidd dda ar Lyndŵr gan Geoffrey Hodges, gŵr a oedd yn hyddysg iawn yn hanes Swydd Henffordd ddiwedd yr oesoedd canol. Ond gorchwyl mentrus iawn yw llunio naratif o'r fath gan fod elfennau o ansicrwydd ynghylch pob un o'r traddodiadau am ddiwedd Glyndŵr a leolir yn Swydd Henffordd. O gyfuno'r traddodiadau hyn yn naratif cysylltiedig a thaclus mae perygl amlwg o godi tŷ ar y tywod, ac, er gwell neu er gwaeth, fe ddewisais ymatal rhag ceisio llunio naratif o'r fath yn y gyfrol hon.[62]

Mae'n eglur fod rhai o'r traddodiadau yr ymdrinnir â hwy yn y rhan hon o'r gyfrol yn fwy credadwy na'i gilydd. Gellir dyfarnu'n bur bendant nad oes unrhyw sylwedd yn perthyn i'r hanes am farw Glyndŵr yn Fforest Haywood nac am ei gladdu yn Monnington-on-Wye. Fe geisiodd Owen Croft wneud yn fawr o gysylltiadau achyddol hollol ddilys un o'i hynafiaid â Glyndŵr gan awgrymu y gallai'r 'proud old warrior' fod wedi llochesu ar wahanol adegau yng nghartrefi pob un o'i ferched yn Swydd Henffordd ond gan honni'n falch yr un pryd 'in my view Croft was the best bolt hole then, as it would be to-day'. Ond ni honnwyd cyn yr ugeinfed ganrif nac yn unman arall heblaw cyfrol Owen Croft fod Glyndŵr wedi cael lloches yn Croft Castle.[63]

Mae'r cyfeiriad at farw Glyndŵr ar Lawton's Hope ger Canon Pyon yn un diddorol oherwydd cysylltiad Syr Richard Monington a briododd un o ferched Owain – Sioned, gweddw Syr John Croft, yn ôl pob tebyg – â'r fan honno. Ond fe all mai amrywiad ar y syniad fod Glyndŵr wedi marw mewn man diarffordd – rhan o'r naratif Seisnig amdano ers y cyfnod Tuduraidd – sydd wrth wraidd y cyfeiriad hwn, ac i farw Glyndŵr gael ei gysylltu â'r lle oherwydd bod cysylltiad priodasol un o'i ferched ag aelod o'r teulu Monington yn hysbys. Eto mae'r traddodiad hwn yn un a gofnodwyd yn llawysgrif Harley 35 yn ystod chwarter cyntaf yr ail ganrif ar bymtheg ac yn un na ddylid ei wrthod ar ei ben, a dylid cofio i 'Hanes Owain Glyndŵr' yn yr un ganrif ddweud bod rhai yn credu i Lyndŵr farw 'at his daughter Moningtons house'. Fe all fod yn arwyddocaol hefyd nad oedd Lawton's Hope ond rhyw dair milltir o La Verne, cartref tebygol un arall o ferched Glyndŵr. Sylwer na honnodd unrhyw un mai yn Lawton's Hope nac yn agos at y fan honno y claddwyd Owain.

Yr oedd priodas un o ferched Glyndŵr â Syr John Skydmore yn ffaith ddiymwad ac er gwaethaf yr haen drwchus iawn o ramant a llên gwerin sy'n cysylltu Owain â Chwrt Llan-gain – rhamant a llên gwerin a gymysgodd weithiau rhyngddo ef a'r cymeriad rhyfedd John of Kent – mae'n bosib fod cnewyllyn o wirionedd yn yr honiadau iddo lochesu yno. Yn niffyg tystiolaeth bendant i'r gwrthwyneb, ni ellir anwybyddu'r honiad yn 'Hanes Owain Glyndŵr' ynghylch marw posib Glyndŵr 'at his daughter Scudamores' na honiad John Aubrey iddo dderbyn lloches gyda hi 'secretly in the ebbe of his fortune'. Ond er gwaethaf y rhamant sy'n cysylltu Glyndŵr â Chwrt Llan-gain, mae'r un mor bosib iddo lochesu hefyd yng nghartref arall llai enwog y Sgidmoriaid yn La Verne yn Bodenham.

O ran mannau claddu posib i Lyndŵr yn Swydd Henffordd, mae'r traddodiad sy'n ymwneud â Monnington Straddle yn un cryf (mae'n debyg mai bodolaeth y traddodiad hwn a arweiniodd at yr honiad cyfeiliornus ynghylch darganfod ei fedd yn y Monnington arall, Monnington-on-Wye, yn 1680). Mae'n arwyddocaol fod tystiolaeth bendant sy'n cysylltu Syr John Skydmore â maenor Monnington Straddle yn 1428 (ni chadwyd tystiolaeth ynghylch hynt y faenor yn gynharach yn y bymthegfed ganrif pan oedd Glyndŵr yn fyw). Ond mae anhawster ynghylch y safle hwn, oherwydd yr honiadau tebygol ddi-sail a wnaed ynghylch y domen ger Monnington Court, safle trigfan gaerog o'r oesoedd canol yn ôl pob tebyg yn hytrach na safle unrhyw fedd. Ni ellir anwybyddu Monnington Straddle yn y cyswllt hwn, fodd bynnag, oherwydd bodolaeth safle hen gapel canoloesol gerllaw, un a goffeir yn enw'r adeilad Chapel House ac mewn enwau caeau o'i gwmpas. Gan y gwyddom fod mynwentydd weithiau ynghlwm wrth gapeli ar faenorau mynachlogydd – a gall fod maenor o'r fath yn perthyn i abaty Dore yn Monnington Straddle – gellir cynnig bod posibilrwydd mai ar dir cysegredig yn perthyn i'r capel hwn y claddwyd Glyndŵr, os claddwyd ef o gwbl yn Monnington Straddle.

Yn nwy o lawysgrifau casgliad Peniarth (327 ii a 287) ceir tystiolaeth bwysig na cheir mohoni yn unman arall – ac na sylwyd arni cyn hyn – sy'n lleoli claddu Glyndŵr yng nghapel Kimbolton ger Llanllieni. Mae'n deg tybio i Robert Vaughan, a ysgrifennodd y cofnod perthnasol yn Peniarth 327, ii, dderbyn ei wybodaeth gan Edmwnd Prys, a bod yr wybodaeth yn deillio o'r cyfnod yn saithdegau'r unfed ganrif ar bymtheg pan oedd Prys yn rheithor Llwydlo nid nepell o Kimbolton ac yn yr un esgobaeth. Ni ellir olrhain unrhyw draddodiad arall am gladdu Glyndŵr mor bell yn ôl â'r unfed ganrif ar bymtheg. Mae dinodedd di-sôn-amdano Kimbolton – lle nad yw'n ei gynnig ei hun ar gyfer ei awgrymu ar hap fel man claddu Glyndŵr – yn ddadl gref o blaid dilysrwydd yr wybodaeth a gafodd Vaughan gan Prys. Mae'n annhebygol dros ben y byddai Prys yn gwybod am y cysylltiad posib rhwng teulu'r Sgidmoriaid a Kimbolton a awgrymir gan y troedgytgord yn ymwneud â throsglwyddo tir yno yn 1392, ac mae agosrwydd Kimbolton at gartref hysbys y Sgidmoriaid yn La Verne yn Bodenham a chartref merch arall i Lyndŵr yn Lawton's Hope yn bur arwyddocaol. Mae'n sicr y dylid rhoi ystyriaeth ddifrifol i'r posibilrwydd i Lyndŵr gael ei gladdu yn Kimbolton.

Yng nghyd-destun ystyried safleoedd claddu posib yn Swydd Henffordd, rhaid cofio am honiad Adda o Frynbuga i Owain gael ei ailgladdu gan i'w fedd gael ei ganfod gan ei elynion. Mae'n anodd gwybod faint o goel y dylid ei roi ar yr honiad hwn. Fe fu Adda yn dal bywoliaeth Hopesay, plwyf yn ne Swydd Amwythig ac yn esgobaeth Henffordd, ychydig dros ddeng milltir o Lwydlo, rhwng 1414 ac 1423: yn ystod y cyfnod hwn yr ysgrifennodd y rhan o'i gronicl lle ceir yr honiad am gladdu ac ailgladdu Glyndŵr. Fe all fod sibrydion am ddiwedd Glyndŵr yn cylchredeg mewn man ar y gororau fel Hopesay, heb fod ymhell o Swydd Henffordd. Mae'n demtasiwn credu i Adda gael achlust ohonynt, er na wyddom am ba hyd, os o gwbl, y bu'r croniclwr yn drigiannol yn Hopesay. Os derbynnir y stori am ailgladdu Glyndŵr, ni ellir ond dyfalu ai ei gladdu gyntaf mewn un safle yn Swydd Henffordd a wnaed a'i ailgladdu wedyn mewn safle arall o fewn y sir, ynteu ei symud o orffwysfan wreiddiol yn Swydd Henffordd i un arall fwy diogel a dirgel y tu hwnt i ffiniau'r sir, yn fwyaf tebygol yng Nghymru. Bwriad unrhyw ailgladdu fyddai cuddio safle bedd Owain rhag pawb ond, efallai, ei berthnasau agos ac ychydig gefnogwyr pybyr. Os bu ailgladdu, fe gyflawnwyd y bwriad hwn, fel yr awgrymodd geiriau Adda, yn dra llwyddiannus gan warantu heddwch i lwch Owain na lwyddodd na dialgarwch gelynion na dyfalu'r canrifoedd i darfu arno.[64]

Nodiadau

1 Ffiniau canoloesol Swydd Henffordd ac ar ôl y Ddeddf Uno: map yn M. A. Faraday (gol.), *Herefordshire Taxes in the Reign of Henry VII*, xiv a'r sylwadau, 18–19.

2 Amddiffynfeydd Llanllieni: J. a C. Hillaby, *Leominster Minster, Priory and Borough c660–1539*, 230; llythyr Richard Kingston: *OGCasebook*, 88–91; llythyr y Tywysog Harri: ibid., 102–3; cyfeiriadau at ymosodiadau ar Swydd Henffordd yn Rholiau'r Senedd 1407, 1411, 1414: ibid., 136–7, 142–3, 148–55.

3 Hanes brwydr y Bryn Glas yn Peniarth 135: ibid., 174–5; lladdedigion y frwydr: ibid., 462–3 (ymhlith y gwŷr amlwg o Swydd Henffordd a laddwyd yr oedd Robert Chwitnai (Whitney), Syr Kynard de la Bere a Syr Walter Devereux); amharchu honedig ar y celanedd: ibid., 160–1 (hefyd sylwadau M. Livingston, ibid., 454, Davies, *Revolt*, 107, ac A. Marchant, *The Revolt of Owain Glyndŵr in Medieval English Chronicles*, 158–61); Henffordd yn ganolfan filwrol: cymh. Rh. Griffiths, 'Prince Henry's War: Armies, Garrisons and Supply during the Glyndŵr Rising', *Bwletin y Bwrdd Gwybodau Celtaidd*, 34 (1987), 173: 'It is a singular irony that tradition assigns the last resting place of Glyndŵr to Herefordshire, the very area which contributed so much to the frustration of Welsh ambitions.'; y brenin a'r tywysog yn Henffordd: Lloyd, *Owen Glendower*, 73, 75, 89, 96; gwŷs 1401: *OGCasebook*, 56–9 (a'r nodiadau, 309); gwŷs 1405: ibid., 118–21; crynodeb o yrfa filwrol Gilbert Talbot: Davies, *Revolt*, 244–5 (bu ei frawd iau, John Talbot (*c*. 1387–1453), hefyd yn ymladd yng Nghymru – e.e. yng ngwarchaeau cestyll Aberystwyth a Harlech – ac ar ôl gwasanaethu yn Iwerddon daeth yn un o brif gadfridogion Seisnig y Rhyfel yn Ffrainc); Syr John Oldcastle: gw. J. A. F. Thomson, 'Oldcastle, John, Baron Cobham (d. 1417), soldier, heretic, and rebel', *Oxford Dictionary of National*

Biography, cyf. 41, 668–72, ond cywirer 'Gruffudd ab Owain' yn 'Maredudd ab Owain' (ar bresenoldeb Oldcastle ym mrwydr y Pwll Melyn gw. *OGCasebook*, 190–1; Parry, *The Last Mab Darogan*, 228).

4 Y Gymraeg yn Ergyng: am arolwg (sy'n canolbwyntio ar enwau lleoedd) gw. B. G. Charles, 'The Welsh, their Language and Place-names in Archenfield and Oswestry', yn H. Lewis (gol.), *Angles and Britons: O'Donnell Lectures*, 87–96; ymweliad esgobol 1397: A. T. Bannister, 'Visitation Returns of the Diocese of Hereford in 1397', *English Historical Review*, 44 (1929), 279–89 (daw'r enwau a nodir o blwyfi Kilpeck, Llanrothal a Garwy); enwau Cymraeg yn Euas yn y 1540au: Faraday (gol.), *Herefordshire Taxes*, 17 (a sylw ar y Gymraeg yn Webtree a Wormelow, 18); cwyn plwyfolion Garwy: Bannister, 'Visitation Returns', 289 (hefyd Ll. B. Smith, 'Yr Iaith Gymraeg cyn 1536', yn G. H. Jenkins (gol.), *Y Gymraeg yn ei Disgleirdeb: Yr Iaith Gymraeg cyn y Chwyldro Diwydiannol*, 17); enwau caeau Swydd Henffordd: daw'r enghreifftiau o blwyfi Llan-gain (Kentchurch) a Llanfihangel (Michaelchurch), gw. y bas-data cynhwysfawr (a seiliwyd yn bennaf ar fapiau'r degwm) *http://htt.herefordshire.gov.uk/smrSearch/FieldNames/FieldNamesSearch.aspx* (cyrchwyd Mehefin 2014).

5 Cefnogaeth bosib i Lyndŵr yn Swydd Henffordd: gw. sylwadau H. Watt, '"On account of the frequent attacks and invasions of the Welsh": The Effect of the Glyn Dŵr Rebellion on Tax Collection in England', yn G. Dodd a D. Biggs (goln), *The Reign of Henry IV: Rebellion and Survival 1403–13*, 72–4; darparu nwyddau i wrthryfelwyr: *Calendar of Patent Rolls*, Henry IV, ii, 135 (hefyd Watt, '"On account of the frequent attacks"', 72–3; Hillaby a Hillaby, *Leominster Minster*, 231); Richard Foncell (neu Fonsell): *Calendar of Inquisitions Miscellaneous (Chancery)*, vii, 136–7 (hefyd Watt, '"On account of the frequent attacks"', 74); Gruffudd ap Harri: *Calendar of Patent Rolls*, Henry IV, ii, 261; Lewis Byford: Lloyd, *Owen Glendower*, 115–18; Davies, *Revolt*, 186–7, 212; Parry, *The Last Mab Darogan*, 210, 257, 269–70; Gwallter (Walter) Brut: am fywgraffiad rhagorol gw. M. Jurkowski, 'Who Was Walter Brut?', *English Historical Review*, 127 (2012), 285–302 (cyfeirir at ymdriniaethau diweddar â Brut a'i waith ibid., 285, n.5); disgrifiad Brut ohono'i hun: W. W. Capes (gol.), *The Register of John Trefnant Bishop of Hereford (A.D. 1389–1404)*, 285 ('peccator, laycus, agricola, cristianus, a Britonibus ex utraque parente

originem habens'); y Cymry yn genedl etholedig: ibid., 294 ('inter omnes alias gentes quasi ex Dei eleccione specialiter fuisse ad fidem vocatos et conversos'); dienyddiad Brut: Jurkowski, 'Who Was Walter Brut?', 297–8 (ond anghywir yw'r honiad ibid. fod Brut wedi troi'n wrthryfelwr ar ôl i'w arglwydd ffiwdal, Edmund Mortimer, gynghreirio â Glyndŵr, gan i Brut gael ei ddienyddio cyn 29 Medi 1402, ddeufis cyn i Mortimer briodi merch Glyndŵr ar 30 Tachwedd 1402).

6 Priodasau merched Glyndŵr: tt. 23–32 uchod; y Moningtoniaid yn colli eu hawl i arddel pais arfau oherwydd eu cysylltiad â Glyndŵr: Siddons, *Visitations by the Heralds in Wales*, 87 (hefyd Herefordshire Record Office, llsgr. B56/1. 82r); dienyddio Philpod Skydmore: tt. 17, 30 uchod; swyddi Syr John Skydmore: tt. 29–30, 117–18 uchod; honiadau John Oke ynghylch Syr John: tt. 30, 64 uchod; trafod dyddiad posib priodas Syr John ag Alys Glyndŵr: tt. 31, 80 uchod.

7 Dyddiad y castell: K. Ray a T. Hoverd, *Croft Castle Estate: An Archaeological Survey 2001–2*, Herefordshire Archaeology Report No. 49 (2003), Vol. 1, 36, ar-lein *http://htt.herefordshire.gov.uk/docs/HA49_SHE18473_CroftVol1.pdf* (cyrchwyd Mai 2014), lle nodir 'there was no evidence at all for the survival of any standing medieval fabric'.

8 Cerdd Dr John Dee a Siancyn Gwyn: llsgr. Caerdydd 18, 85–6 (yn llaw Siôn Dafydd Rhys); enwau bedydd y Croftiaid cyntaf: Croft, *The House of Croft*, 4; gwerthu'r castell: ibid., 106 (hefyd O. Garnett, *Croft Castle* (arweinlyfr cyfredol yr Ymddiriedolaeth Genedlaethol), 2 (cyfeirir at gysylltiad Thomas Johnes I a II ibid., 34; gw. hefyd E. Inglis-Jones, *Peacocks in Paradise*); prynu'r castell yn ôl gan y Croftiaid: Croft, *The House of Croft*, 126 (hefyd Garnett, *Croft Castle*, 38).

9 Cyfeiriad at Lyndŵr yng ngherdd John Dee a Siancyn Gwyn: Caerdydd 18, 85; priodas Sioned merch Glyndŵr â Syr John Croft a phriodas gynharach bosib rhwng y teuluoedd: t. 26 uchod.

10 Cydymdeimlad Syr John Croft â'r Lolardiaid: Kightly, 'The Early Lollards', 180–4 (hefyd M. Jurkowski, 'Who was Walter Brut?', 296); llw Croft: Capes (gol.), *The Register of John Trefnant*, 147–8; ei yrfa filwrol a chyfnod ei oes: Croft, *The House of Croft*, 28–30 (perthyn y cofnod sicr olaf amdano i'r flwyddyn 1410; ansicr yw'r dystiolaeth a gyflwynir ibid., 29, iddo fyw ar ôl 1410).

11 Arfbais y Croftiaid: ibid., 141–7; dehongliad Syr Anthony Wagner o'r gwifr ar y crest, ibid., 145; llun o'r arfau wedi eu chwarteru:

ibid., rhwng tt. 34 a 35; rhestr o'r rhai a gynrychiolir ar yr arfau wedi eu chwarteru: ibid., 146.

12 Ffyddlondeb y Croftiaid i'r Goron: ibid., 4; Glyndŵr heb gael ei fradychu: ibid., 31; gyrfa'r Arglwydd Croft ac enwi ei fab: A. S. Thompson, 'Croft, Henry Page, first Baron Croft (1881–1947), politician', *The Oxford Dictionary of National Biography*, cyf. 14, 235–8; sylw'r Arglwydd Croft am Lyndŵr: *My Life of Strife*, 350; Syr Owen Glendower Croft (1932–): Croft, *The House of Croft*, 126; C. Kidd (gol.), *Debrett's Peerage & Baronetage 2008*, B255.

13 Glyndŵr yn llochesu yng nghartrefi ei ferched: gw. uchod tt. 44–5; awgrym iddo lochesu yn Croft Castle: Croft, *The House of Croft*, 31; llety i Gymro yn Croft Castle: ibid.; darganfod sgerbwd yn 1913: dienw, *The View from Here: A Colloquial History of Croft Castle*, 19 ('Apparently there is a void under the oak room turret where a giant skeleton was discovered during some renovation work. Stories abounded about it possibly being the remains of the Welsh nobleman Owain Glyndwr ... Strangely, the skeleton disappeared without a trace soon after it was discovered, so the opportunity to solve the Glyndwr legend was once again thwarted.' [Â hyn cymh. yr hanes am ganfod sgerbwd honedig Francis Lovell (m. ar ôl 1488) mewn ystafell wedi ei chloi ym mhlasty Minster Lovell yn ystod gwaith adeiladu yn 1708, gw. A. J. Taylor, *Minster Lovell Hall, Oxfordshire*, 8–9.]

14 Arian Canon Pyon: J. Stevenson, 'Hereford Museum Acquisitions 1998–99', *Transactions of the Woolhope Naturalists' Field Club* [= *Woolhope Transactions* o hyn ymlaen], 49 (1999), 479–81 (am lun o'r arian gw. *OGCasebook*, 346).

15 Ffermdy Lawton's Hope: *An Inventory of the Historical Monuments in Herefordshire*, II, 47; y mwnt yno: *http://htt.herefordshire.gov.uk/smrSearch/Monuments/Monument_Item.aspx ID=6324* (cyrchwyd Awst 2014).

16 Ar Livio gw. A. Curry, 'Livio, Tito, dei Frulovisi [Titus Livius Forojuliensis] (*fl.* 1429–56), humanist and historian', *Oxford Dictionary of National Biography*, cyf. 34, 89; dyddiad ysgrifennu Harley 35: C. L. Kingsford, *The First English Life of King Henry the Fifth*, vi; dyfyniad ynghylch marw Glyndŵr ar fryn Lawton's Hope: Harley 35, 4v; dedfrydau Hall a Holinshed ar Lyndŵr: *OGCasebook*, 227, 248 (yr oedd tuedd cyn hyn i groniclwyr gysylltu Glyndŵr ag ogofâu a mannau anghyfannedd, gw. Marchant, *The Revolt of Owain Glyndŵr in Medieval English Chronicles*, 111–12); natur

unigryw cyfeiriad Harley 35: Kingsford, *The First English Life*, 191 ('an otherwise unknown legend of Glendower's death').

17 Y cyfeiriad at farw Glyndŵr 'at his daughter Moningtons house': gw. t. 44 uchod.

18 Lawton's Hope yn eiddo i esgobion Henffordd: W. H. Cooke, *Collections towards the History and Antiquities of the County of Hereford. In Continuation of Duncumb's History. Hundred of Grimsworth. Part II*, 74; Syr John Lawton yn fyw yn 1369: *Calendar of Close Rolls*, Edward III, xiii, 75–6 (tyst i ddwy ddogfen); J. H. Parry (gol.), *The Register of John de Trillek Bishop of Hereford (A.D. 1344–1361)*, 231–2; priodas merch Syr John Lawton â Hugh Monington: G. W. M. [= G. W. Marshall], 'Monumental Inscriptions at Sarnesfield, Co. Hereford', *The Genealogist*, new series, XII (1896), 9 (yn V. M. Norr, *Some Early English Pedigrees: Combined from Most Available Sources, 1958–1968*, 86, honnir, yn anghywir, yn ôl pob tebyg, i'r briodas ddigwydd genhedlaeth ynghynt); Hugh Monington yn Aelod Seneddol Swydd Henffordd: J. Duncumb, *Collections towards the History and Antiquities of the County of Hereford*, I, 152; Richard Monington yn fab i Hugh Monington, A.S.: Norr, *Some Early English Pedigrees*, 86; Hugh Monington II a sefydlu llinach Sarnesfield: F. W. Weaver (gol.), *The Visitation of Herefordshire made by Robert Cooke, Clarencieux, in 1569*, 48 (hefyd C. J. Robinson, *A History of the Manors and Mansions of Herefordshire*, adarg., 277); honni'n anghywir mai i gangen Sarnesfield o'r teulu y perthynai Syr Richard Monington: e.e. LlGC 7008E, 36; LlGC 20898E, 62r; priodas Syr Richard Monington â Sioned, merch Glyndŵr a rhestru rhai o'u disgynyddion: llsgr. Harley 1975, 107r (rhifiant dalennau gwreiddiol); lleoli'r disgynyddion yn Lawton's Hope: ibid. (disgrifir un o'r disgynyddion, John Monington, a'i ŵyr ill dau fel 'of buttas & Lawton'; cymh. Weaver (gol.), *The Visitation of Herefordshire*, 50 sy'n cysylltu John Monington â'r un lleoedd ac yn nodi ei fod yn fyw yn 1551, a hefyd Herefordshire Record Office, llsgr. B56/1, 56r); John Monington (cynharach) yn denant Lawton's Hope yn 1437: A. T. Bannister (gol.), *Registrum Thome Spofford, Episcopi Herefordensis*, 224; sylwadau Kingsford: *The First English Life*, 191, n.1 (yn ogystal â chymysgu rhwng Syr Richard Monington a Thomas Monington, anghywir yw'r honiad ibid. mai yn sgil ei briodas ag Elizabeth Lawton y daliai John Monington Lawton's Hope yn ystod teyrnasiad Harri VI).

19 Treflannau Cymreig King's Pyon a Wormsley: A. J. Roderick, 'Villa

Wallensica', *Bulletin of the Board of Celtic Studies*, 13 (1948–50), 90–92 (goroesodd Welsh Town fel enw ar gae yn King's Pyon tan fapiau degwm y 1840au, gw. *http://htt.herefordshire.gov.uk/smrSearch/FieldNames/FieldNamesSearch.aspx* (cyrchwyd Mehefin 2014) o dan King's Pyon); Cymraeg yn Yazor: J. E. Southall, *Wales and her Language*, 343–4.

20 Y Moningtoniaid yn colli'r hawl i arddel pais arfau oherwydd eu cysylltiad â Glyndŵr: Siddons, *Visitations by the Heralds in Wales*, 87 (hefyd Herefordshire Record Office, llsgr. B56/1. 82r).

21 Sylw ar yr enw 'Golden Valley': W. Camden, *Britannia*, cyf. R. Gough (1789), 442; yr enwau Cymraeg: I. Williams, *Enwau Lleoedd*, 29; J. B. Coe, 'The Place-Names of the Book of Llandaf', traethawd PhD Prifysgol Cymru, Aberystwyth (2001), 384–5; T. Hearne, *The Itinerary of John Leland the Antiquary*, VIII, 78–9 (er gwaethaf y dystiolaeth i fodolaeth y ffurfiau Cymraeg *Ystrad Dour* a *Diffrin dore* dylid nodi bod Guto'r Glyn yn y 15g. yn cyfeirio at *Dyffryn Aur*, gw. *http://www.gutorglyn.net*, cerdd 36.7 (cyrchwyd Medi 2014) ac I. Williams (gol.), *Gwaith Guto'r Glyn*, LXXXIII.7); yr enw Kentchurch/Llan-gain: B. Coplestone-Crow, *Herefordshire Place-names*, 123; P. C. Bartrum, *A Welsh Classical Dictionary*, 95; tystiolaeth 'Hanes Owain Glyndŵr' a John Aubrey: uchod, tt. 44–5.

22 Hanes pensaernïol Cwrt Llan-gain: fe'i disgrifiwyd yn 1963 gan N. Pevsner, *The Buildings of England: Herefordshire*, 200–1 (ceir disgrifiad llawnach yn arg. 2012 a adolygwyd gan A. Brooks, 382–4; gw hefyd *An Inventory of the Historical Monuments in Herefordshire*, I, 153–5, ac am luniau o'r adeilad fel yr oedd yn y 18g. Robinson, *Mansions and Manors*, 174); hen enw Cymraeg Garway Hill: Coplestone-Crow, *Herefordshire Place-names*, 103–4 (hen enw Cymraeg arall oedd *Llygad Amr*); prynu'r tir lle mae'r parc ceirw: Robinson, *Mansions and Manors*, 176 a J. H. Matthews, *Collections towards the History and Antiquities of the County of Hereford. in Continuation of Duncumb's History: Hundred of Wormelow (Upper Division. Part II)*, 12.

23 Skydmore yn 'walstawd' Gwidigada ac Elfed: Griffiths, *Principality of Wales*, 411–12 (ar natur y swydd gw. ibid., 72); enwau Cymraeg ar gaeau ystad Cwrt Llan-gain: *http://htt.herefordshire.gov.uk/smrSearch/FieldNames/FieldNamesSearch.aspx*, dan 'Kentchurch' (cyrchwyd Mehefin 2014); gwasanaethau Cymraeg y Grysmwnt hyd y 18g.: M. N. J. [= M. Newton Jackson], *Bygone Days in the March Wall of Wales*, 153–4 (canfuwyd mewn adeilad yn perthyn i'r

eglwys gopi o Lyfr Gweddi Gyffredin Cymraeg 1664 gyda nodiadau ynddo yn dangos iddo gael ei ddefnyddio hyd o leiaf 1702).

24 Mabwysiadu'r cyfenw Lucas-Scudamore: *Burke's Landed Gentry*, 18fed arg., III, 815; 'Tŵr Owain Glyndŵr': ni wyddys pa mor hen yw'r traddodiad sy'n cysylltu Owain â'r tŵr, ond fe'i cofnodir yn ail hanner y 19g., e.e. yn 1872 gan Robinson, *Mansions and Manors*, 176, a nodwyd yr enw yn 1892 gan H. T. Timmins, *Nooks and Corners of Herefordshire*, 123.

25 Pensaernïaeth yr ystafell: *An Inventory of the Historical Monuments in Herefordshire*, I, 154; lithograff: un o gyfres o arwyr Cymru a gyhoeddwyd gan D. S. Hughes, cymh. Portreadau, bocs A/5 yn Llyfrgell Genedlaethol Cymru; ysbryd yn 'Ystafell Owain Glyndŵr': y cyfeiriad cynharaf a welais yw E. M. Leather, *The Folk-lore of Herefordshire*, 166 (cofnodir yr hanes mewn amryw weithiau diweddar, e.e. C. Barber, *In Search of Owain Glyndŵr*, 150, Gibbon, *Jack of Kent & Owain Glyndŵr*, 94, a chymh. ysgrif yr ysbrydegwr Elwyn Roberts, 'Awr golau hir ddirgelwch', *Y Cymro*, 4 Awst 1999, 29–30).

26 Y cyfeiriad cyntaf at y llun: W. Coxe, *An Historical Tour through Monmouthshire*, II, 337 (engrafiad R. C. Hoare); cuddio'r llun rhag y beilïaid: W. Skidmore, 'Some Notes on Kentchurch Court, Herefordshire', 189–90, ar CD, *Scudamore/Skidmore Family History*; dyddio'r llun: N. Rogers, 'The so-called portrait of Siôn Cent', *Bwletin y Bwrdd Gwybodau Celtaidd*, 31 (1984), 103–4 (mae llithriadau yn yr ysgrif hon, ond gellir derbyn y dyddiad a gynigir).

27 Atgynhyrchir y llun tt. 85, 186; awgrymu mai Cwrt Llan-gain yw'r adeilad yn y llun: yn 'The Birmingham Exhibition of Midland Art Treasures', *The Burlington Magazine for Connoiseurs*, 66 (1935), 30, n.2 dyfynna N. Pevsner farn S. C. Kaines Smith, ceidwad Oriel Birmingham, i'r perwyl hwn (ailadroddir hyn gan Pevsner yn *The Buildings of England: Herefordshire*, 200; hefyd arg. 2012 (adol. A. Brooks), 383).

28 Y dyfyniad o Coxe: *Historical Tour*, II, 337; William Owen-Pughe: dyfynnir sylw ganddo yn J. Evans a J. Britton, *A Topographical and Historical Description of the County of Monmouth*, 74–5; enghreifftiau o dybio mai Siôn Cent yw gwrthrych y llun: Jackson, *Bygone Days*, 171–2, ac mae hyn yn ymhlyg yn ymdriniaeth Hodges, *Owain Glyn Dŵr*, 166 a gw. hefyd ymdriniaeth gymysglyd Barber, *In Search of Owain Glyndŵr*, 150 (crybwylla'r tair ffynhonnell hon y traddodiad i'r bardd fod yn gaplan i'r Sgidmoriaid), a chymh. hefyd

deitl ysgrif Rogers, 'The so-called portrait of Siôn Cent'; honiad ynghylch cyfieithu'r Beibl i'r Lladin: cofnodir y traddodiad gyntaf yn Coxe, *Historical Tour*, II, 274; defnyddio'r llun i ddarlunio ysgrif ar Siôn Cent: A. O. H. Jarman a G. R. Hughes (goln), *A Guide to Welsh Literature Volume 2*, 181.

[29] Enghreifftiau o'r llun mewn llyfrau poblogaidd ar Owain Glyndŵr: cymh. cloriau Hodges, *Owain Glyn Dŵr*, a Gibbon, *Jack of Kent & Owain Glyndŵr*, a gw. hefyd I. Skidmore, *Owain Glyndŵr*, arg. clawr papur, plât gyferbyn â t. 165 (ni chanfûm i unrhyw dystiolaeth o blaid yr honiad ibid., 178, fod y Sgidmoriaid yn y 19g. yn credu mai llun o Lyndŵr ydoedd); ceisio cysoni anghysondeb dyddiadau: Gibbon, *Jack of Kent & Owain Glyndŵr*, 173 a 300; *Wyneb Glyndŵr*: darlledwyd y rhaglen ar 1 Mawrth 2011 (am sylwadau pellach ar y rhaglen gw. Atodiad I isod); awgrymu mai Sain Sierôm yw'r gwrthrych: Pevsner, 'The Birmingham Exhibition', 30, a chymh. Rogers, 'The so-called portrait of Siôn Cent', 103–4.

[30] Llên gwerin a chwedlau ynghylch John of Kent: yr ymdriniaeth orau ddiweddar yw M. P. Bryant-Quinn, 'Chwedl Siôn Cent', *Cof Cenedl*, XX (2005), 1–31, ond gwerthfawr hefyd yw ymdriniaeth gynharach Ifor Williams mewn rhagymadrodd ar y bardd Siôn Cent yn H. Lewis, T. Roberts ac I. Williams (goln), *Cywyddau Iolo Goch ac Eraill 1350–1450*, cxxxvi–clxvii (arg. newydd, lxii–lxxx); am enghreifftiau o'r chwedlau gw. Leather, *Folk-lore of Herefordshire*, 163–6, J. Simpson, *The Folklore of the Welsh Border*, 57–60, a Gibbon, *Jack of Kent & Owain Glyndŵr, passim* (ond dylid gochel wrth ddefnyddio'r gwaith hwn); Iolo Morganwg: O. Jones, E. Williams a W. O. Pughe (goln), *The Myvyrian Archaiology of Wales*, ail arg., 828 (gw. sylwadau Bryant-Quinn, 'Chwedl Siôn Cent', 14–17); sylw Coxe: *Historical Tour*, II, 337; dyfyniad o lawysgrif John Jones, Gellilyfdy: Peniarth 114, 110; claddu hanner y tu mewn a hanner y tu allan i'r eglwys: e.e. Coxe, *Historical Tour*, II, 337, Evans a Britton, *Topographical and Historical Description*, 73; Leather, *Folk-lore of Herefordshire*, 163; Simpson, *Folklore of the Welsh Border*, 59; Gibbon, *Jack of Kent & Owain Glyndŵr*, 195, 197, 292–3; *John a Kent and John a Cumber*: gw. sylwadau Bryant-Quinn, 'Chwedl Siôn Cent', 22–3, hefyd Williams, *Iolo Goch ac Eraill*, clix–clxi (arg. newydd, lxxiv–lxxv).

[31] John de Went, John Caerleon a John Kemp: arnynt gw. Bryant-Quinn, 'Chwedl Siôn Cent', 17–18 a Williams, *Iolo Goch ac Eraill*, cl–clix (ail arg., lxx–lxxiv); John de Kent yn rheithor Llan-gain: Jackson,

Bygone Days, 171, Bryant-Quinn, 'Chwedl Siôn Cent', 18 (ond ni chyfeirir at benodiad o'r fath yng nghofrestri esgobion Henffordd); gwas stabl yng Nghwrt Llan-gain: Skidmore, 'Some Notes on Kentchurch Court, Herefordshire', 190; John of Kent yn saethydd dan gapteiniaeth Syr John Skydmore: TNA E 101/44/30/3 m 2, gw. *http://www.medievalsoldier. org/search_musterdb.php,* chwiliad d.e. Scudamour, John (cyrchwyd Mawrth 2014); nodyn llsgr. Caerdydd 50: Caerdydd 50 [= Caerdydd 3.11], 379; drwgweithredwr o'r enw John Kent (1483): *Calendar of Patent Rolls*, Edward IV, Edward V, Richard III, 345.

[32] Dyfyniad o Coxe: *Historical Tour*, II, 338 (a chymh. Evans a Britton, *Topographical and Historical Description*, 74); sylw Robinson: *Mansions and Manors*, 176; Ystafell Owain Glyndŵr hefyd yn 'Jack of Kent's bedroom': Leather, *Folk-lore of Herefordshire*, 166; stablu ceffylau yn selerydd Cwrt Llan-gain: Coxe, *Historical Tour*, II, 337; Evans a Britton, *Topographical and Historical Description*, 73; Timmins, *Nooks and Corners*, 123; Leather, *Folk-lore of Herefordshire*, 166; Jackson, *Bygone Days*, 179; Simpson, *Folklore of the Welsh Border*, 59; Gibbon, *Jack of Kent & Owain Glyndŵr*, 94, 142, 180 [ceffylau Jack of Kent], Matthews, *Collections towards the History and Antiquities of the County of Hereford*, 12; Croft, *House of Croft*, 34 [ceffylau Owain Glyndŵr]; cysylltu'r dderwen â John of Kent ac â Glyndŵr: Gibbon, *Jack of Kent & Owain Glyndŵr*, 94, 132, 171; canfod safle honedig bedd Glyndŵr ar sail chwedlau am John of Kent: ibid., 216–17, 230–5.

[33] Ailadeiladu'r eglwys gan Uvedall a Mary Tomkins: *An Inventory of the Historical Monuments in Herefordshire*, III, 151; darganfod bedd a gweddillion honedig Glyndŵr: llsgr. Harley 6832, 224r; claddu Glyndŵr o dan fur yr eglwys: dienw, 'Moccas Park', *Woolhope Transactions* (1870), 313 ('He is said to have died there [Monnington Court] (1416), and being a wizard, to have been buried under the walls of the original church, half in and half out – his head and shoulders inside and his body and legs outside.'); claddu John of Kent yn y Grysmwnt: gw. t. 87 uchod.

[34] Dyfyniad o'r ddrama: Goronva Camlan (Rowland Williams, D.D.), *Owen Glendower; A Dramatic Biography*, 194; dyfyniad o ddyddiadur Kilvert: W. Plomer (gol.), *Kilvert's Diary 1870–1879*, 327 (cofnod am 6 Ebrill 1875).

[35] Llyfryn yr eglwys: dienw, *St. Mary's Church Monnington-on-Wye*, [2] ('The broken stone grave slab to the west of the porch is reputed

to be that of Owen Glendower'); gwrthod y traddodiad ynghylch claddu Glyndŵr yn Monnington-on-Wye: ceir yr ymdriniaeth orau gan George Marshall, Ysgrifennydd y Woolhope Club (ond cywirer Thomas Touchet yn John Touchet) mewn adroddiad 'First Field Meeting Thursday, May 25th, 1933: Monnington and Moccas', *Woolhope Transactions* (1933), xi–xii ('Now this Baron [= y Barwn Audley] fought for the King against Owen Glendower, and it is almost fantastic to suggest that the latter should have sought shelter, with a price on his head, on a manor of one of his chief opponents, with whom he had not even any sort of family ties.'); am ymdriniaethau blaenorol (er eu bod yn cyfeiliorni o ran rhai manylion) gw. Cooke, *Collections towards the History and Antiquities of the County of Hereford. In Continuation of Duncumb's History. Hundred of Grimsworth. Part II*, 132, 135–7, a [H. C. Moore], 'The Burial Place of Owen Glendower', *Woolhope Transactions* (1894), 226–7; gyrfa filwrol John Touchet yn y rhyfeloedd yn erbyn Glyndŵr: Lloyd: *Owen Glendower*, 44, 73, n.3, 131; Davies, *Revolt*, 114, 241; Parry, *The Last Mab Darogan*, 110, 145, 172–3, 262; awgrym mai caead arch oedd y garreg: Marshall, 'Monnington and Moccas', xi.

36 Mae'r paragraff hwn yn seiliedig ar y llythyrau a'r copïau o lythyrau yn llsgr. LlGC 17990D [= Edward Owen 17]. Daw'r dyfyniadau o gopi o lythyr James Stuart at Lloyd George, 22 Awst 1936, llythyr Lloyd George at Edward Owen, 19 Medi 1936, a drafft o lythyr Owen at Lloyd George, 30 Hydref 1936.

37 Cymysgu rhwng Monnington-on-Wye a Monnington Straddle: Lloyd, *Owen Glendower*, 145, n.2.

38 Honni bod y teulu Monington yn berchenogion Monnington-on-Wye: gw. e.e. Robinson, *Mansions and Manors*, 238–9; cyfeiriad at 'the old grey mansion of the Glendowers': Plomer (gol.), *Kilvert's Diary*, 353 (cofnod am 23 Ebrill 1876); honni mai yn Monnington Court yn Monnington-on-Wye y bu Glyndŵr yn llochesu ac y bu farw: dienw, 'Moccas Park', 313 (cymh. hefyd T. Thomas, *Memoirs of Owen Glendower (Owain Glyndwr)*, 168–9).

39 Yr enw Straddle (hefyd Straddel): mae E. Ekwall, *Concise Oxford Dictionary of English Place-Names*, 449 yn tarddu'r enw o **strat + dael* (llai tebygol efallai yw awgrym Coplestone-Crow, *Herefordshire Place-names*, 25 sy'n tarddu'r enw o Hen Saes. *stræt*, 'ffordd Rufeinig' + *leah*, 'coedwig') [diolchaf i Patrick Sims-Williams am drafod yr enw â mi]; enwau caeau: atgynhyrchiad o fap degwm Vowchurch gan Geoff Gwatkin, Y Rhosan ar Wy (1998) (hefyd *http://htt.*

herefordshire.gov.uk/smrSearch/FieldNames/FieldNamesSearch.aspx (dan 'Vowchurch'; cyrchwyd Mehefin 2014)).

40 Llyfr Domesday: F. a C. Thorn (goln), *Domesday Book, 17: Herefordshire*, 19; perchnogaeth yr ystad yn y cyfnod modern: *http://apps.nationalarchives.gov.uk/a2a/records.aspx?cat=044-c99&cid=0#0* (cyrchwyd Awst 2014); *https://www.princeofwales.gov.uk/sites/default/files/documents/DuchyReview1-11.pdf* (cyrchwyd Awst 2014); 'Bloody Field' ac enwi tŷ yn 'Glyndŵr': gwybodaeth gan Mr Richard Stokes (hefyd Barber, *In Search of Owain Glyndŵr*, 161, 164).

41 Cyfeiriad at Monnington Straddle a chladdu Glyndŵr: [Moore], 'The Burial Place of Owen Glendower', *Woolhope Transactions* (1891), 226.

42 Syr John Skydmore a Monnington Straddle: *Inquisitions and Assessments relating to Feudal Aids ... A.D. 1284–1431*, II, 410; honiad mewn rhaglen deledu: 'Weird Wales', cynhyrchiad HTV Cymru, 9 Awst 1999 (copi yn Archif Sgrin a Sain Llyfrgell Genedlaethol Cymru); hanes gweld y domen: Croft, *The House of Croft*, 34 (awgrymodd Jan Lucas-Scudamore wrthyf mai Sybil Frances Lucas-Scudamore (1876–1965), gwraig Edward Scudamore Lucas-Scudamore (1853–1917), oedd y Mrs Lucas-Scudamore dan sylw); Sgidmoriaid diweddar yn cyfeirio sylw at y domen: ceir enghreifftiau o hyn yn 1999, cymh. Roberts, 'Awr golau hir ddirgelwch', 30 ('Datgelwyd safle bedd Owain Glyndwr i ni cyn gadael [Cwrt Llan-gain] ar Fai 20, 1999'); hefyd G. Gibbs, 'Hi-tech pointer to Welsh rebel's last resting place', *The Guardian*, 3 Gorffennaf 2000, 9 ('The society [Cymdeithas Owain Glyndŵr] pinpointed the site last year after the burial place was reportedly divulged by John Scudamore, a descendant of Glyndwr's daughter, Alice.').

43 Llun o'r domen gan R. E. Kay: 'Arch. Notes, Series III, Vol, V (Jan 1952–April 52)', 454 (rhif C17235 yn Archif Comisiwn Brenhinol Henebion Cymru); uchder y domen: *An Inventory of the Historical Monuments in Herefordshire*, II, 245 (ond cymh. N. Phillips, 'Earthwork Castles of Gwent and Ergyng', traethawd PhD Prifysgol Sheffield (2005), 253 a gofnoda'r uchder fel 2.79m, sef ychydig dros naw troedfedd); disgrifio'r domen fel castell mwnt a beili: Ordnance Survey, Landranger 149, SO 383 369 (hefyd 'Report on Field Meeting', *Herefordshire Archaeological News*, 29 (January 1975), 5); archaeolegwyr yn 1932: dyfynnir tystiolaeth Mr Stokes yr hynaf yn Barber, *In Search of Owain Glyndŵr*, 164; ysbrydegwyr:

gwybodaeth gan Mrs Brenda Stokes (hefyd Roberts, 'Awr golau hir ddirgelwch', 30); *Western Mail*: C. Betts: 'Hero's riddle laid to rest', *Western Mail*, 5 Ionawr 1995, 1 ac ibid., t. 3, o dan y pennawd 'Glyndwr's last hideout' (er bod yr ymchwil yn safonol, mae'r prif gasgliad yn llawer rhy hyderus, ac anghywir yw'r honiad fod Roger [*sic*] Monnington, gŵr un o ferched Glyndŵr, wedi bod yn 'squire of Monnington Court').

44 Diolch i Gymdeithas Owain Glyndŵr (ac yn arbennig i'w Hysgrifennydd, Sally Roberts Jones) am ddarparu copi imi o adroddiad anghyhoeddedig Terradat, 'Geophysical Surveys Carried Out to Investigate a Possible Burial Site, Monnington Court Farm, Herefordshire'; casgliadau'r adroddiad: ibid., 3 (am grynodeb cyhoeddedig o ddulliau'r ymchwil, yr offer a'r casgliad gw. R. Shoesmith, 'Reports of the Sectional Recorders, Archaeology, 2000', *Woolhope Transactions*, 50 (2000), 111); honiad y *Guardian*: Gibbs, 'Hi-tech pointer', *Guardian*, 3 Gorffennaf 2000, 9; honiad ynghylch canfod esgyrn: R. Palmer, *Herefordshire Folklore*, 26; traethawd ymchwil: Phillips, 'Earthwork Castles of Gwent and Ergyng', 253–4; casgliad Marshall: G. Marshall, 'The Norman Occupation of the Lands in the Golden Valley, Ewyas, and Clifford and their Motte and Bailey Castles', *Woolhope Transactions* (1938), 147 (lle bernir ei bod yn 'annhebygol' mai castell mwnt a beili a geid yn Monnington).

45 Claddu mewn tir wedi ei gysegru: cymh. C. Daniell, *Death and Burial in Medieval England, 1066–1550*, 103, 'it was expected that a Christian would be buried in consecrated ground' (a hefyd ibid., 109, 'The horror of a non-cemetery or non-church burial was such that in practice few people were exempted'); adeilad Chapel House: *An Inventory of the Historical Monuments in Herefordshire*, I, 245 (hefyd 'Report on Field Meeting', *Herefordshire Archaeological News*, 29 (January 1975), 5); J. E. Lloyd: *Owen Glendower*, 144–5.

46 Tystiolaeth ynghylch capel yn Monnington Straddle: P. Hair, 'Chaplains, Chantries and Chapels of North-West Herefordshire c. 1400 (Second Part)', *Woolhope Transactions* (1989), 252, 280; enwau caeau: atgynhyrchiad o fap degwm Vowchurch (Geoff Gwatkin) (hefyd *http://htt.herefordshire.gov.uk/smrSearch/FieldNames/FieldNamesSearch.aspx* (dan 'Vowchurch'; cyrchwyd Mehefin 2014)); yr enw *Court* yn arwyddo bodolaeth maenor mynachlog: D. H. Williams, *The Welsh Cistercians*, 193; maenorau Abaty Dore yn Ystrad Dŵr (Golden Valley): idem, 'The Abbey of Dore', yn R. Shoesmith a R. Richardson (goln), *A Definitive*

History of Dore Abbey, 29 (gw. hefyd y map yn idem, *White Monks in Gwent and the Border*, vi–vii); tyb Kay fod Monnington Court yn un o faenorau Abaty Dore: 'Arch. Notes' (Comisiwn Henebion Cymru C17235), 454; pysgodlyn mynachaidd tebygol: ibid. (a hefyd 456); capeli ar faenorau mynachlogydd: Williams, *Welsh Cistercians*, 196–9 (hefyd Hair, 'Chaplains, Chantries and Chapels of North-West Herefordshire', *Woolhope Transactions*, 46 (1988), 59); hawliau claddu: ceir trafodaeth ddiddorol ar y pwnc mewn perthynas â Swydd Henffordd yn I. Forrest, 'The Politics of Burial in Late Medieval Hereford', *English Historical Review*, 125 (2010), 1110–1138; claddu mewn capeli mynachlogydd a mynwent Llanfair Cilgoed: Williams, *Welsh Cistercians*, 197.

47 Llythyr J. E. Lloyd (at Owen Croft): Croft, *The House of Croft*, 34.

48 Yr wyf yn dra dyledus i David Lovelace, a fu'n arwain prosiect 'Ancient Woodlands and Trees of Herefordshire', am wybodaeth werthfawr am yr 'Haye of Hereford' a Fforest Haywood (am ymdriniaethau â fforestydd brenhinol yn gyffredinol gw. e.e. R. Grant, *The Royal Forests of England* a J. Langton a G. Jones (goln), *Forests and Chases of Medieval England and Wales c. 1100–c. 1500*); arolwg Heywood 1604: *ex inf.* D. Lovelace (seiliedig ar TNA E101/536/23).

49 Ar hanes Price gw. cyflwyniad P. Holliday i'r adarg. (2012), *An Historical & Topographical Account of Leominster and Its Vicinity*.

50 Dyfyniad o Price: *An Historical & Topographical Account of Leominster and It's Vicinity* (arg. gwreiddiol), 27–8; Hall a Holinshed: *OG Casebook*, 227 a 248.

51 Dyfyniad o Williams: *The Leominster Guide: Containing an Historical and Topographical View of the Ancient and Present State of Leominster*, 2il arg., gol. E. Turton, 31 (ar hanes Williams gw. ibid., 'Editorial Note' ac *Y Bywgraffiadur Cymreig*, 994).

52 'Haye of Hereford' yn y 14g.: gwybodaeth gan D. Lovelace (seiliedig ar gyfrifon y siecr, TNA E32).

53 Honiad ynghylch fforest Harewood: Hodges, *Owain Glyn Dŵr*, 161.

54 Nodyn Evan Herbert: Peniarth 287, 374; gyrfa eglwysig Herbert: 'Clergy of the Church of England Database', *http://db.theclergydatabase.org.uk/jsp/search/index.jsp* (cyrchwyd Mai 2014); prifathro ysgol Dolgellau: A. M. Rees ac E. Jones, 'Dr John Elis' School, Dolgellau and its Successors, 1665–1965', *Cylchgrawn Cymdeithas Hanes a Chofnodion Sir Feirionnydd*, 5 (1965–8), 119; ei

ymwneud â llyfrgell Hengwrt: Huws, *Medieval Welsh Manuscripts*, 298; benthyg y Llyfr Du a Llyfr Taliesin: G. Tibbott, 'A Brief History of the Hengwrt-Peniarth Collection', *Handlist of Manuscripts in the National Library of Wales*, I, x.

55 Dirywiad llyfrgell Hengwrt a cholli llawysgrifau: Huws, *Medieval Welsh Manuscripts*, 297–8 (hefyd Tibbott, 'Brief History', ix–x); cwyn Richard Thomas: ibid., ix; nodyn Robert Vaughan ynghylch claddu Glyndŵr: Peniarth 327, ii, 259; disgrifiad o'r llsgr.: *Report on Manuscripts in the Welsh Language*, I, 1124.

56 Eglwys Kimbolton: *An Inventory of the Historical Monuments in Herefordshire*, III, 77; ei statws fel 'capel': Hair, 'Chaplains, Chantries and Chapels of North-West Herefordshire *c.* 1400 (Second Part)', *Woolhope Transactions*, 46 (1989), 267 (Hillaby a Hillaby, *Leominster Minster*, 147–8).

57 Edmwnd Prys: yr ymdriniaeth gryno ddiweddaraf arno yw f'ysgrif 'Prys, Edmwnd (1542/3–1623), Church of England clergyman and Welsh poet', *Oxford Dictionary of National Biography*, cyf. 45, 494–5 (am ymdriniaeth fwy manwl gw. fy nghyfrol *Ymryson Edmwnd Prys a Wiliam Cynwal*, xci–cxvi); Prys a Vaughan yn ynadon yr un pryd: J. R. S. Phillips, *The Justices of the Peace in Wales and Monmouthshire 1541 to 1689*, 44–5; deoniaeth Ystumanner ac archddiaconiaeth Meirionnydd: M. Richards, 'Rhaniadau Eglwysig', *Atlas Meirionnydd*, gol. G. Bowen, 50–1; H. Pryce, 'The Medieval Church', *History of Merioneth Volume II*, gol. J. B. Smith a Ll. B. Smith, 256 (yr oedd Llanfachreth yng nghwmwd Tal-y-bont ond perthynai i ddeoniaeth Ystumanner).

58 Troedgytgord sy'n crybwyll maenor Kimbolton: TNA CP 25/1/83/50, rhif 55 (crynodeb ar *http://www.medievalgenealogy.org.uk/fines/abstracts/CP_25_1_83_50.shtml*, cyrchwyd Ionawr 2014) [ymhlith yr ymdriniaethau â'r dosbarth hwn o ddogfennau y mae R. E. Latham, 'Hints on Interpreting the Public Records (I) The Feet of Fines', *The Amateur Historian*, I (1952), 5–9]; La Verne (heddiw The Vern): gw. A. Brian, *A Brief History of the Houses in the Parish of Bodenham, Herefordshire in the Township of Bodenham Devereux*, 50–1; *An Inventory of the Historical Monuments in Herefordshire*, II, 17; Syr John Skydmore yn Ffrainc: rhestrau milwyr yn A. Curry, *Agincourt: A New History*, 283, 281 (hefyd bas-data 'The Soldier in Late Medieval England', *http://www.medievalsoldier.org/search_musterdb.php* d.e. 'Scudamour', cyrchwyd Mawrth 2014). [Hoffwn ddiolch i'r Athro Curry (Prifysgol Southampton) am

drafod milwrio Syr John yn Ffrainc â mi. Dangosir yn TNA E358/6 m.3 nad oedd yn bresennol ym mrwydr Agincourt (25 Hydref 1415) gan iddo ymuno ar 6 Hydref 1415 â'r garsiwn a warchodai Harfleur.]

59 Cartref John Skyd(e)more yr hynaf yn La Verne: fe'i cysylltir â'r fan hon yn 1383 ac 1388, gw. *Calendar of the Fine Rolls*, Richard II, x, 20, 267 (cymh. hefyd ibid., Henry IV, xii, 286, 291 lle cysylltir gŵr o'r un enw â La Verne yn 1404, ond ni ellir bod yn sicr ai at y tad neu'r mab o'r un enw y cyfeirir; dogfen 1412: TNA CP 25/1/83/52, rhif 38 (crynodeb ar *http://www.medievalgenealogy.org.uk/fines/abstracts/CP_25_1_83_52.shtml* (cyrchwyd Ionawr 2014)); cofnod 1418 ynghylch ystad John Skydmore 'de la Feerne': J. H. Parry ac A. T. Bannister, *Registrum Edmundi Lacy, Episcopi Herefordensis,* 44 (disgrifir y John Skydmore a fu farw fel *domicellus*, sef mab ifanc gŵr bonheddig).

60 Hawliau claddu priordy Llanllieni mewn perthynas â'i gapeli dibynnol: B. Kemp, 'Some Aspects of the *Parochia* of Leominster in the 12th Century', yn J. Blair (gol.), *Minsters and Parish Churches: The Local Church in Transition 950–1200* , 83–95; swyddi cyhoeddus Syr John Skydmore: Roskell, Clark a Rawcliffe (goln), *The History of Parliament: The House of Commons, 1326–1421*, IV, 391; perthynas priordy Llanllieni â'r Mortmeriaid a chefnogaeth ariannol bosib y priordy i ymgyrch Glyndŵr: Hillaby a Hillaby, *Leominster Minster*, 231; y Cytundeb Tridarn: yr ymdriniaeth ddiweddaraf yw M. Livingston, 'An "Amazing" Claim: *The Tripartite Indenture*', *OGCasebook*, 489–95.

61 Diolch i Sarah Walter, Pennaeth Ysgol Gynradd St James, Kimbolton am ei charedigrwydd yn trefnu i gyhoeddi ymholiad gennyf yng nghylchgrawn eglwys y plwyf. Diolch hefyd i Anthony J. Malpas, Cadeirydd y Leominster History Study Group, a'i wraig Dr Ann Malpas (cyd-awduron cyhoeddiadau ar hanes Kimbolton), y Parch. Will Pridie, Cadeirydd y Leominster Historical Society a chyn-offeiriad Kimbolton, a Joyce Marston, Warden Eglwys Kimbolton, am ymateb i'r ymholiad a gyhoeddwyd yn y cylchgrawn.

62 Hodges, *Owain Glyn Dŵr*, 163–4 (am ymgais lai cyfrifol ac anghredadwy i wneud yr un peth gw. Gibbon, *Jack of Kent & Owain Glyndwr, passim*).

63 Dyfyniadau o Croft, *The House of Croft*, 31 (dywedir hefyd ibid., 34, 'He probably moved between Kentchurch Court, Monnington

Straddle and Croft Castle, and his last resting place may well be at any one of these places').

64 Ailgladdu Glyndŵr: Given-Wilson (gol.), *The Chronicle of Adam Usk*, 262; Adda yn dal bywoliaeth Hopesay: ibid., xxxiv (nid oedd yn drigiannol yno yn 1418, ibid., xxxiv, 86n.); ysgrifennu rhan o'r cronicl tra daliai Hopesay: ibid., xlvi, xlviii (ysgrifennwyd yr adran ar Ebrill 1414–Mehefin 1421 rhwng gaeaf 1415–16 a dechrau haf 1421).

RHAN III

CYMRU

1

Cymru: cyffredinol

> After y[e] yeare 1411 Owen was so weakened his men deserting him and returning to y[e]· Kings obedience, that he was forced often to change his quarters and keepe least in sight.

Felly y soniodd 'Hanes Owain Glyndŵr' am Owain yn ystod blynyddoedd machlud ei wrthryfel. Ni wyddom ddim i sicrwydd am ei hynt yn ystod y blynyddoedd pan aeth 'mewn difant' – pan ddiflannodd – hyd ei farw tebygol yn 1415. Naturiol fyddai tybio mai ar ddaear Cymru y byddai wedi treulio'r rhan fwyaf o'r cyfnod hwn. Er mai prin oedd y bygythiad milwrol o du Owain bellach, yr oedd y wlad ymhell iawn o fod wedi heddychu'n llwyr. Yr oedd fflam y gwrthryfel yn dal i fudlosgi'n ystyfnig mewn sawl ardal, nid leiaf yn hen gynefin Owain yn Sir Feirionnydd: bu'n rhaid anfon llu sylweddol o filwyr Seisnig i'r Bala ac abaty Cymer i warchod yr heddwch mor ddiweddar ag 1412. Yr oedd gan Lyndŵr ei ganlynwyr anghymodlon mewn sawl ardal, 'gwerin Owain' nad oedd wedi plygu glin i'r awdurdodau nac ildio i'r drefn. Fe gawn gipolwg gwerthfawr ar dymer herfeiddiol gwŷr o'r fath yng nghywyddau Llywelyn ab y Moel pan oedd ar herw, cywyddau y mae'n bur sicr eu bod yn perthyn i flynyddoedd machlud y gwrthryfel. Yng Nghoed y Graig Lwyd ar Graig Llanymynech ar ororau Cymru a Lloegr fe geid lloches barod i wŷr fel Llywelyn gyda'i sôn am 'ransymiaw Sais' a 'Dwyn Sais a'i ddiharneisio', gwŷr a'u bryd hefyd ar ysbeilio treflannau Seisnig dros y ffin (mae Llywelyn yn enwi'r Un-dref-ar-ddeg (Ruyton XI Towns) yn Sir Amwythig yn y cyswllt hwn). Nid dychymyg gorffrwythlon bardd a adlewyrchir yn y cerddi hyn. Mor ddiweddar â Thachwedd 1414, yr un pryd â datgan bod y gwrthryfel bellach wedi ei drechu, fe gwynai cofnodion Senedd Lloegr fod gwrthryfelwyr 'mewn dull rhyfelgar ddydd a nos ... gan guddio a gwersylla mewn amryfal goedydd' yn dal i gipio llawer o ddeiliaid y brenin yn siroedd Seisnig y gororau a'u dwyn i fynyddoedd Cymru a hawlio pridwerth i'w rhyddhau. Mae'r un cofnod yn disgrifio Cymru fel gwlad lle na redai gwrit y brenin ('Gales, ou le brief du roy ne court'). Dyma Gymru anniddig Llywelyn ab y Moel a rhai tebyg iddo. Mewn Cymru o'r fath, gwlad aml ei mannau didramwy ac anghysbell, a lle byddai cydymdrech, cydobeithio a chyd-ddioddefaint degawd a mwy o wrthryfel dan arweiniad Owain wedi tynhau rhwymau teyrngarwch iddo, efallai na fyddai prinder llochesau iddo yn nydd ei gyfyngder, boed hynny yng nghwmni gweddillion ystyfnig ei luoedd ar herw neu dan gronglwydydd hen ddilynwyr neu berthnasau gwaed iddo a oedd yn ofalus i beidio â bloeddio eu hymlyniad wrtho ar bennau'r tai.[1]

Eto, hollol fud yw cofnodion a llenyddiaeth y dydd ynghylch symudiadau Owain yn y cyfnod hwn. Rhaid inni ddibynnu yn y cyswllt hwn ar friwsion pitw o oesoedd diweddarach, 'tystiolaeth' nad ydyw'n dystiolaeth ac na ellir gwarantu ei dilysrwydd mewn unrhyw fodd. Yn ugeiniau'r ddeunawfed ganrif, yn sgil ymweld â Sir Frycheiniog, fe soniodd yr awdur Daniel Defoe yn ei *A Tour through the Whole Island of Great Britain* fel a ganlyn:

> It is among the mountains of this county that the famous Glendower sheltered himself, and taking arms on the deposing [*sic*] Richard II proclaimed himself Prince of Wales; and they show several little refuges of his in the mountains, whither he retreated, and from whence, again, he made such bold excursions into England.

Blas synnwyr drannoeth yn hytrach na thystiolaeth hanesyddol ddilys, fodd bynnag, sydd i sylw fel hyn a'i gyffredinoli ynghylch llochesau honedig Owain 'in the mountains'. Am wybodaeth fwy daearyddol benodol rhaid troi at lên gwerin ddiweddarach, deunydd y mae'n anodd iawn gwybod faint o goel i'w roi arno. Mae peth o'r deunydd hwn yn adlewyrchu'r sefyllfa oedd ohoni ar ddiwedd y gwrthryfel pan oedd Owain yn ffoadur a rheidrwydd arno i guddio am ei einioes rhag yr awdurdodau.[2]

Perthyn yn benodol i'r cyfnod hwn – 'pan oedd ffawd yn pallu ar Owain Glyndwr' – a wna'r hanes mwyaf manwl o'r math hwn sydd gennym. Fe'i cofnodwyd gan William Jones, 'Bleddyn' (?1829–1903) mewn traethawd a fu'n gyd-fuddugol yn Eisteddfod Beddgelert yn 1860 ar 'Hynafiaethau a Chofianau Plwyf Beddgelert' – plwyf genedigol 'Bleddyn' – ac a gyhoeddwyd mewn rhannau yn *Y Brython* yn 1861. Yn ôl 'Bleddyn' fe gafodd Owain unwaith loches gan y bardd Rhys Goch Eryri yn ei gartref, Hafodgaregog yn Nanmor, rhan o blwyf Beddgelert:

> Ryw dro, pan oedd ffawd yn pallu ar Owain Glyndwr, efe a ffodd at ei gyfaill a'i bleidiwr twymgalon, Rhys Goch, i'r Hafod Garegog, am nodded a chuddfa. Eithr ni bu yn hir heb i'w elynion ddod o hyd i'w hynt, a rhyw ddiwrnod daeth haid o weision boneddwr gelynol i Owain, hyd at yr Hafod i'w ddal, i'r dyben o'i drosglwyddo i'r brenin. Ond un o weision Rhys a'u canfyddodd mewn pryd, ac a redodd i'r ty i rybuddio Owen a Rhys o'u perygl. A hwy a ffoisant ymaith yn nillad eu gweision. Rhys i fyny trwy flaen Nanmor, ac Owain hyd lan y Traeth. A'r gelynion wedi canfod Owain yn ffoi yn llechwraidd, a ymlidiasant ar ei ol, a phan welodd efe hwynt, ymdaflodd i'r traeth; ac er ei bod y pryd hyny yn uchaf y llanw, efe a nofiodd i'r lan yn ddiogel yn ymyl Dinas Ddu, ac a aeth i fyny ar hyd Cwm Oerddwfr, yn cael ei ddilyn gan ei erlidwyr yn dyn, hyd i'r Foel. Esgynodd Owain i fyny hyd i ymyl y *Simnai*; ond erbyn myned yno, yr oedd yn y perygl mwyaf; o blegid fod ei erlidwyr yn pwyso yn drwm arno, fel, os âi ym mlaen hyd i'r esgynfa gyffredin, y byddent yn sicr o'i oddiweddyd yn fuan. Edrychodd i fyny yr hafn serth, a gwelodd os gallai esgyn hwnw y caffai y blaen ar ei

> erlidwyr; ond yr oedd y graig yn noeth, serth, a diafael; os collai ei droed unwaith, nid oedd ond marwolaeth annocheladwy i'w ddysgwyl yn y codwm. Eithr gwron oedd Owain, ac â meddwl a phenderfyniad gwron, dechreuodd esgyn i fyny y *Simnai*; a phan oedd ei erlidwyr wedi cyrhaedd hyd ati, yr oedd Owain yn cael ei grib yn llwyddiannus! Nid oedd un o honynt a feiddiasai ei ddilyn y ffordd hono; felly gorfu arnynt fyned o gylch hyd i esgynfa hawddach. Yn y cyfamser rhedodd Owain yn anweledig iddynt hwy hyd uwch ben y *Diffwys*; a disgynodd i lawr drwy ddannedd y dibyn ofnadwy hwnw, i ogof eang. Aeth ei erlidwyr yn eu blaen i'r Pennant, gan dybio ei fod wedi myned y ffordd hono, ac felly hwy a'u collasant yn llwyr. Dywedir y bu Owain yn llechu yn ei ogof am chwe mis; ac yr oedd yn cael ei gynnal yno gan Brior Bedd Gelert. Aeth Rhys Goch yn ei flaen hyd i Nant y Benglog, a bu yntau yn llechu yno ryw hyd, mewn lle a elwir *'Twll Rhys Goch;'* a'i fod yn cael ei gynnal gan un Meredydd ab Ifan.

P'run ai dychymyg llên gwerin yw'r cyfan o'r hanes hwn ynteu a oes ynddo gnewyllyn o wirionedd – ynghyd â pheth gor-ddweud a dramateiddio efallai – mae'n amhosib dweud. Fel yr awgrymodd yr ysgolhaig llên gwerin Elissa R. Henken, yr oedd y gallu i ddianc yn wyrthiol rhag eu gelynion yn gynneddf ystrydebol ar arwyr mewn sawl gwlad, a thynnodd sylw'n arbennig at hanes yr arwr Gisli o Wlad yr Iâ, a ddarlunnir mewn saga yn dringo clogwyn ac yn nofio drwy'r môr i ddianc rhag ei elynion, er nad yw'r gyfatebiaeth yn fanwl mewn gwirionedd. Dylid nodi bod yr hanes a rydd 'Bleddyn' wedi ei wreiddio'n gadarn ac yn fanwl yn naearyddiaeth ardal Beddgelert: gellir canfod yr enwau lleoedd a grybwyllir ganddo – Hafodgaregog, Dinas Ddu, Cwm Oerddwr, Simnai'r Foel ac Ogof Owain Glyndŵr – a dilyn llwybr honedig Owain wrth iddo ddianc ar fap hyd heddiw.[3]

Ar ddiwedd yr hanes am Owain a geir gan 'Bleddyn' yn *Y Brython* mae'n cyfeirio hefyd at y modd y cafodd loches 'yn y cyfyngder byr hwnw' mewn ogof arall, sef Ogof Owain ym mhlwyf Llangelynnin yn Sir Feirionnydd. Mae'r ogof hon mewn clogwyn ar lan y môr ar draeth Felin Fraenen rhwng Tonfannau a Llwyngwril (SH564055), man anghysbell iawn

Ogof Owain Glyndŵr ar draeth Felin Fraenen rhwng Tonfannau a Llwyngwril

gynt, er bod rheilffordd Arfordir y Cambrian yn rhedeg uwchben yr ogof heddiw. Fe geir y cyfeiriad cynharaf sydd ar glawr am yr ogof hon a'i chysylltiad tybiedig ag Owain mewn llawysgrif yn y Coleg Arfau yn Llundain a ysgrifennwyd yn 1775–6 gan Richard Thomas, gŵr a fu'n gurad Llanegryn ac yn ymweld â phlasty Peniarth yn y plwyf:

> Ednyfed [= Ednyfed ab Aron] is said to have entertained Owen Glyndwr in a Cave by the sea side in the Parish of Llangelynin, which from him is called Ogo' Owen.

Yn fuan wedyn cawn gyfeiriad i'r un perwyl gan Thomas Pennant yn argraffiad cyntaf ei *A Tour in Wales* (1778):

> A cavern near the sea-side, in the parish of *Llangelynin*, in the county of *Merioneth*, is still called *Ogof Owain*, in which he was secretly supported by *Ednyfed ap Aaron*, of the tribe of *Ednowain ap Bradwen*.

Fe gysylltir Ednyfed ab Aron â Thonfannau ac â Pheniarth, ac fe ychwanega rhai ffynonellau diweddar y manylion iddo ddarparu lluniaeth i Owain yn yr ogof, un y dywedir amdani ei bod yn 'cavity inside the larger chamber, which is of considerable dimensions and might have been converted into a comparatively comfortable retreat'. Hawdd fyddai diystyru'r hanes hwn fel llên gwerin heb fawr o sail iddi oni bai am ddau beth. Awgrym go bendant o gefnogaeth Ednyfed ab Aron i Lyndŵr yn ystod y gwrthryfel yw ei fod yn un o brif wŷr Meirionnydd a lefarodd ar ran ei gymuned yn y Bala ym Mawrth 1414 pan ymddangosodd chwechant o wŷr y sir gerbron comisiynwyr y brenin i erfyn maddeuant ac i addo peidio â gwrthryfela eto. Ond, yn fwy arwyddocaol efallai, yr oedd cysylltiad mwy uniongyrchol bersonol rhyngddo a Glyndŵr: fe wyddom bellach mai nith i Ednyfed ab Aron – merch i'w chwaer Mallt a'i gŵr Ieuan ap Maredudd o Geulan, Llanfihangel Genau'r-Glyn yng ngogledd Ceredigion – oedd mam un o blant gordderch Glyndŵr, sef Gwenllian, gwraig Phylib ap Rhys o Genarth yn Saint Harmon, Sir Faesyfed. Hawdd y gellir credu y gallasai gŵr o'r cefndir hwn, un a fu'n wrthryfelwr ac yr oedd cyswllt gwaed rhyngddo ef a'i linach a Glyndŵr, fod wedi rhoi lloches i Lyndŵr, p'run ai'n llythrennol mewn ogof ai o dan ei gronglwyd ei hunan.[4]

Os treuliodd Glyndŵr ei flynyddoedd olaf, neu rai ohonynt, ar herw ar ddaear Cymru, tybed ai yno y bu farw ac y rhoed ei gorff i orwedd? Fe gawn ystyried y dystiolaeth sy'n berthnasol i'r cwestiwn hwn yn y ddwy bennod sy'n dilyn.

2

Mannau annhebygol

GAN NA CHADWYD dim gwybodaeth bendant ynghylch marw a chladdu Glyndŵr, mae'n anorfod y bu cryn ddyfalu a damcaniaethu ynghylch ei ddiwedd. O'r lleoedd yng Nghymru a gysylltwyd â marw a chladdu Owain, y mae bron y cyfan ohonynt yn rhai y mae'n rhaid dyfarnu nad ydynt – am amryfal resymau – yn gredadwy. Mae'n amlwg mai traddodiad llafar dychmygus gwerin gwlad a gysylltodd nifer o'r mannau hyn ag Owain. Fe gafodd mannau eraill eu cysylltu ag ef yng ngweithiau awduron a fu'n damcaniaethu – weithiau'n bur wyllt ac anwybodus – ynghylch ei dynged a'i ddiwedd.

Mae dau o'r mannau hyn yn rhai a gynigiwyd gan awduron yn sgil gwrthod cysylltu mannau eraill â diwedd Glyndŵr. Yn ei *Historical and Topographical Account of Leominster* (1795), yr oedd John Price wedi darlunio Glyndŵr ar ddiwedd ei oes fel ffoadur truenus mewn mannau anghyfannedd a honni iddo farw yn Fforest Haywood yn Swydd Henffordd. Yr oedd y syniad hwn yn wrthun i'r Cymro Jonathan Williams, gŵr yr oedd Glyndŵr yn arwr iddo. Yn *The Leominster Guide* (1808) daeth awduron fel Price a ddarluniodd Glyndŵr fel hyn o dan lach Williams:

> They represent him as suffering the divine judgments in punishment of his crimes, and describe him as a miserable exile, wandering in disguise, and at last perishing with hunger in the Haywood-forest. The reverse of this fictitious catastrophe is true.

Yr oedd gan Williams ei fersiwn ei hun – un tra anghredadwy – o ddiwedd Owain. Ar ôl i Harri V gynnig pardwn i Owain, mynnodd ei fod wedi dychwelyd i'w hen gynefin:

> After the conclusion of his pacific treaty with Henry, Glendour retired to his house at Ruthin in Merionethshire, part of which is now standing, where he lived many years surrounded by his bards, revered by his friends as the pillar of his country, and the avenger of its wrongs, and respected and dreaded by his enemies, many of whom had the generosity to do justice to his military prowess, while others, smarting under his vengeance, vilified his memory, and traduced his fame. He was privately inhumed in his own parish church. The place of his internment was long concealed, like that of his predecessor the renowned Arthur, with the charitable view of preventing his relentless enemies from the crime of violating the peaceful and hallowed asylum of the grave.

Ar wahân i ddim arall, mae'r ddaearyddiaeth gymysglyd ('Ruthin in Merionethshire') yn codi amheuon ynghylch yr hanes hwn; nid yw Williams yn adrodd beth oedd ymateb yr Iarll Grey, er enghraifft, i gael ei hen elyn yn gymydog iddo yn ei ymddeoliad nac i'w gladdu wedyn yn eglwys Rhuthun![5]

Mae'n debyg, fodd bynnag, mai'r hyn a wnaeth Jonathan Williams oedd cymysgu rhwng dau le: Corwen, yn hytrach na Rhuthun, oedd hen gynefin Glyndŵr. Fe ddaw hyn â ni at awgrym y Barnwr William Henry Cooke (1811–94), hynafiaethydd galluog a luniodd gyfrol a gyhoeddwyd yn 1892 fel dilyniant i waith anorffenedig John Duncumb ar hanes Swydd Henffordd. Ym marn drwynuchel Cooke, 'A tradition founded on provincial credulity' oedd y traddodiad am gladdu Glyndŵr yn Monnington-on-Wye a da y nododd fod y lle hwnnw yn eiddo i'r teulu Audley, gelynion Glyndŵr, gan ddibrisio'r hanes yn llawysgrif Harley 6832 am ganfod bedd a chorff Owain ym mynwent yr eglwys yno yn 1680. Ond prin, fodd bynnag, fod ei gynnig ef ei hun ynghylch man claddu Owain yn argyhoeddi:

> As regards the place of Owen's sepulture, it is probable that his remains may be covered by a stone in the churchyard on the south side of Corwen Church, and known as Owen Glyndwr's *sword*. It is a cross on an old coffin-shaped stone, not uncommon in many churchyards.

Mae'r garreg gyda'r groes arni y cyfeirir ati wedi ei gosod yn lintel drws porth deheuol eglwys Corwen, nid yn y fynwent fel y dywed Cooke. Mae ei chysylltu ag Owain Glyndŵr yn hen: dywedir yn *Parochialia* Edward Lhuyd ddiwedd yr ail ganrif ar bymtheg 'Mae Llŷn Dagger Owen ywch ben drws yr Eglwys'. Fe'i gwelwyd gan Thomas Pennant ac Edward Jones, 'Bardd y Brenin', bron ganrif yn ddiweddarach, ond 'Cleddyf Owain Glyndŵr' oedd yr enw a roesant hwy i'r groes ar y garreg. Mae cysylltu'r garreg hon â Glyndŵr yn enghraifft o'r llên gwerin gyfoethog sy'n ymwneud ag ef yn ei hen gynefin (yn blentyn fe glywais i sawl tro y stori iddo hyrddio'i ddagr o Ben y Pigyn uwchlaw'r eglwys ac i'r arf daro'r garreg islaw a gadael ei ôl arni). Mewn gwirionedd fe gerfiwyd y groes ar y garreg ganrifoedd lawer cyn dyddiau Glyndŵr, rywdro rhwng y seithfed a'r nawfed ganrif ym marn yr archaeolegwyr. Mae'n wir mai carreg fedd ydoedd yn wreiddiol, ond cam gwag enbyd ar ran Cooke oedd ensynio mai carreg fedd Glyndŵr ydoedd.[6]

Nid Cooke oedd yr unig un i awgrymu mai yng nghyffiniau Corwen y claddwyd Glyndŵr. Yn ei *Hynafiaethau Edeyrnion* a gyhoeddwyd yn 1878 fe draethodd H. Cernyw Williams ('Hywel Cernyw'), gweinidog yng Nghorwen, fel hyn amdano:

> Rhai a ddywedant mai yn sir Henffordd, yn nhy un o'i ferched, y tynodd yr anadliad olaf. Eraill a ddywedant mai yng Nglyndyfrdwy y gosodwyd ei gorff i orwedd yn y pridd.

Mewn ysgrif ddienw ar Lyndŵr yn *Y Llenor* yn 1897 – un yr awgryma'i harddull a'i chynnwys mai O. M. Edwards, golygydd y cylchgrawn, oedd ei hawdur – fe gafwyd awgrym tebyg:

> Ni ŵyr neb i sicrwydd pa le mae ei fedd. Dywed un traddodiad mai yn Nyffryn Gwy y mae; ond y tebygrwydd ydyw mai yn rhywle yn Nyffryn Dyfrdwy y gorwedd, ym mynwent Corwen feallai.

Mae'n annhebygol fod unrhyw sail i'r gred fod Glyndŵr wedi ei gladdu yng Nglyndyfrdwy neu yng Nghorwen. Rhaid ystyried gosodiadau Hywel Cernyw ac O. M. Edwards yn eu hanfod fel cynnyrch dyfalu ar sail cysylltiadau hysbys Glyndŵr ag Edeirnion. Er bod honiad Hywel Cernyw – 'Eraill a ddywedant' – yn awgrymu bodolaeth rhyw lun o draddodiad llafar ynghylch claddu Owain yng Nglyndyfrdwy, ni chadwyd unrhyw dystiolaeth gynharach ynghylch bodolaeth traddodiad o'r fath. Mae honiad Adda o Frynbuga fod Glyndŵr wedi ei ddatgladdu i arbed ei gorff rhag ei elynion yn awgrymu mor beryglus ac annhebygol fyddai ei gladdu mewn man mor amlwg ag un o eglwysi ei hen gynefin yn Edeirnion. Gellid nodi'r un peth mewn cysylltiad ag ysgrif yng nghylchgrawn *Cymru* yn 1914 lle cynhwysodd Thomas Matthews ddisgrifiad tra dychmygus o angladd tybiedig Glyndŵr yn Abaty Glyn-y-groes ger Llangollen gyda'i feibion a Iolo Goch yn bresennol. Mae'n amlwg mai agosrwydd Glyn-y-groes at hen gynefin Owain yng Nglyndyfrdwy a chysylltiad yr abaty â thywysogion Powys Fadog a ysgogodd ddychymyg Matthews yn hytrach na'i fod yn adlewyrchu unrhyw draddodiad neu gof gwlad.[7]

Fe berthyn diddordeb pellach i gofnod Edward Jones, 'Bardd y Brenin' (1752–1824), ynghylch carreg eglwys Corwen, cofnod sy'n digwydd yn llawysgrif 39B yng nghasgliad Llawysgrifau Ychwanegol y Llyfrgell Genedlaethol. Dan lun o gleddyf (yn cyfateb i'r groes gerfiedig ar y garreg) fe ysgrifennodd a ganlyn:

> Cleddyf Owen Glynn-dyfr the Sword of Owen Glyndwr which is engraved on a stone over a door on the south side of Corwen Church, in Merionethshire, which is said to be the door where he used to go to Church at: The above sword is about 23 Inches long. Near Corwen there is a place called pigyn Craig Owen which is the highest part of the rock above the town of Corwen where there

> is a Stone Chair called Cadair Owen, and in that, it is said Owen Glyndwr frequently used to sit.
>
> Some say, that Owen was buried at Llanfair Caereinion, Montgomeryshire.

Mae'r cyfeiriad yn y darn hwn at gladdu Owain yn Llanfair Caereinion yn unigryw hyd y gwn i. Mae'n amhosib barnu'n derfynol ynghylch ei wirionedd, ond erys amheuaeth. Gan mai yng nghyswllt adrodd ynghylch traddodiadau llên gwerin am Lyndŵr y cofnodwyd ef gan Edward Jones, mae'n bosib mai stori llên gwerin yw'r sôn hwn am ei gladdu hefyd. Mae'r 'some say' yn awgrym, wrth gwrs, o draddodiad a oedd yn cylchredeg ar lafar, ond fel yn achos 'Eraill a ddywedant' Hywel Cernyw, ni chadwyd unrhyw dystiolaeth i gadarnhau bodolaeth traddodiad o'r fath.[8]

Mae'n ymddangos fod syniad unwaith ar led fod Glyndŵr wedi ei gladdu yn eglwys gadeiriol Bangor. Yng nghroesfan ddeheuol yr eglwys fe geir bwa maen gyda chilfach oddi tano yn cynnwys beddfaen a chroes arno. Fe gyfeiriodd yr hynafiaethydd mawr o Sais Browne Willis ato yn ei gyfrol *A Survey of the Cathedral Church of Bangor* (1721):

> in a plain Arch in the Wall, there is a Tomb cover'd with a Freestone, on which is a Cross that divides the Length and breadth of the Stone. This is traditionally said to be the Monument of *Owen Glyndowr*. There is no Inscription upon it to discover to whom it belongs; however, 'tis suppos'd to be the Tomb of *Owen Gwynedd*, who dy'd *Anno* 1169.

Mae 'traditionally said to be the Monument of *Owen Glyndowr*' yn awgrym o hirhoedledd y syniad hwn, er nad yw'n ymddangos fod cofnod ohono cyn dyddiau Browne Willis. Yn ddiweddarach yn y ganrif fe gafwyd unfrydedd na ddylid cysylltu'r beddfaen â Glyndŵr. Yn y *Memoirs of Owen Glendowr* (1775) ailadroddwyd y farn mai beddfaen Owain Gwynedd ydoedd – gan gyfeirio at awdurdod yr Esgob Humphrey Humphreys – a dyna farn Thomas Pennant yntau, tra credai Richard Gough yn ei gyfieithiad o *Britannia* William Camden (1789) mai cofadail un o esgobion cynnar Bangor ydoedd. Parhaodd y syniad mai beddfaen Owain Gwynedd ydoedd hyd yr ugeinfed ganrif, ond er i Owain Gwynedd gael ei gladdu yn yr eglwys gadeiriol bernir bellach, ar sail arddull y bwa maen, ei fod yn perthyn i ddiwedd y drydedd ganrif ar ddeg, cyfnod rhy ddiweddar o ran unrhyw gysylltiad ag Owain Gwynedd a rhy gynnar o ran cysylltiad ag Owain Glyndŵr.[9]

Nid yw'n syndod efallai fod dirgelwch dyddiau olaf Glyndŵr wedi ennyn sylw'r dihafal Iolo Morganwg. Mae'n sicr mai ef oedd 'Antiquarius', awdur llythyr at olygydd *The Gentleman's Magazine* yn Nhachwedd 1785 ynghylch hynafiaethau Morgannwg, llythyr a gynhwysai, ymhlith pethau eraill, restr faith o gestyll y sir. Yr ugeinfed castell yn y rhestr yw Castell y Marchog – a elwid hefyd yn Castell Coch – castell tybiedig ym mhlwyf Llanddunwyd ym Mro Morgannwg (nid yw archaeolegwyr bellach yn derbyn mai castell ydoedd):

> Castell y Marchog, where it is said *Glendower* retired, and lived the life of a Hermit under the name of John Goodfellow, and where he died.

Dyma *alias* ymddangosiadol newydd ar gyfer Glyndŵr y ffoadur. Tybed ai enw arall oedd John Goodfellow ar John of Kent, y cymeriad y bu cymysgu rhyngddo ac Owain yn Swydd Henffordd ac y ceid chwedlau amdano ym Morgannwg hefyd (gw. tt. 86–7 uchod)? Ac oherwydd y cyfenw a rydd Iolo i Owain yn ei encil, efallai y dylid cofio hefyd am Robin Goodfellow, math o bwca direidus y bu llawer o sôn amdano yn llenyddiaeth boblogaidd Lloegr. Yn null arferol Iolo, fe geir amrywiadau ar yr hanes hwn mewn ffynonellau eraill o'r eiddo. Yn llawysgrif 13152A yng nghasgliad Llawysgrifau Ychwanegol y Llyfrgell Genedlaethol ceir ganddo hanes llawnach am ddiwedd Owain:

> Aeth Owain ar ddifant ac o'r wlâd heb le golwg arno na chlyw am Dano, sef y dywedir ei ddianc yn rhith medelwr yn dwyn fal y dywedai y diweddaf ai adnabyddai, a chwedi hynny ni wybuwyd fawr am dano na modd na mann ei ddifant. y rhan fwyaf a ddywedant ei farw mewn Coed ym Morganwg ond y Brudwyr a ddywant ei fod yn fyw efe a'i wŷr yn eu cwsg ar eu harfau mewn gogof a elwir gogof y ddinas ym Mro Gwent …

Yn llawysgrif 13129A yn yr un casgliad fe geir gan Iolo amrywiad arall ar yr hanes lle trodd John Goodfellow y meudwy yn 'Sion fellow y mwynwr' a lle enwir y coed lle honnir iddo farw a nodi man ei gladdu. Dywed Iolo i Lyndŵr

> ymguddio dan Enw Sion fellow y mwynwr yng Nghoed y Marchog, lle bu farw ai gladdu dan yr un enw dan y Gloch Aberth yn Llandunwyd.

Fel yn achos cymaint o waith Iolo, mae'r hanesion hyn yn broblemus. Gall fod yma adlewyrchiad o draddodiad llên gwerin neu gynnyrch dychymyg pur, neu efallai gymysgedd o lên gwerin a dychymyg! Gan mor annibynadwy yw Iolo fel ffynhonnell – mater o farn yw ai celwyddgi digywilydd ynteu rhamantydd gorddychmygus ydoedd ar brydiau – prin, wrth gwrs, y gellir rhoi unrhyw goel ar yr hanes a adroddir ganddo. Erys amheuaeth mai'r cyfan a geir yma yw enghraifft arall o awydd ysol Iolo i ddyrchafu Morgannwg, y tro hwn drwy hawlio iddi ran yn hanes Owain Glyndŵr (awydd a adlewyrchir hefyd efallai yn yr hanes enwog a geir gan Iolo am ymwneud Glyndŵr â Syr Lawrens Berclos).[10]

Fe fu tuedd naturiol mewn llên gwerin i gysylltu enw Owain Glyndŵr â henebion a nodweddion o wahanol fathau ar ddaear Cymru (fel y digwyddodd yn achos arwr cenedlaethol arall, Arthur). Enghraifft o'r fath yw'r honiad ynghylch Carn Owen (SN732882), carnedd gron o'r Oes Efydd (tua 2500–600 cc) ar gopa Cerrig yr Hafan ar gyrion mynydd-dir Pumlumon tua phum milltir uwchlaw pentref Tal-y-bont, Ceredigion, heb fod ymhell o gronfa ddŵr Nant-y-moch heddiw. Fe honnodd gohebydd o Ddolgellau dan yr enw 'A Travelling Antiquary' yn *Archaeologia Cambrensis* yn 1851 am y garnedd hon, 'some say ... the burial place of Owain Glyndwr' (y 'some say' eto, fel yng nghyfeiriad 'Bardd y Brenin' at y claddu honedig yn Llanfair Caereinion!). Fe wnaed honiad tebyg am lecyn o'r enw Pen Bedd Owen (SN868504) ar fynydd Cefn Gwair ger Llanddewi Abergwesyn, ryw dair milltir a hanner o Lanwrtyd ym Mhowys. Fe gofnodwyd esboniad arall ar yr enw gan yr hynafiaethydd lleol Evan Jones o Dy'n-y-pant, Llanwrtyd (1850–1928). Fe adroddodd ef stori fel y bu i ŵr o'r enw Owen o Landdewi Abergwesyn addo torri gwair mynydd tair o ffermydd yr ardal un haf, ond wedi llafurio'n hir iddo ddigalonni o sylweddoli cymaint y gwaith a oedd ar ôl a gwneud amdano'i hun â'i bladur; yn ôl y stori, fe'i claddwyd wedyn ar y mynydd. Nid annisgwyl efallai oedd yr awydd i gysylltu bedd yr Owen anffodus hwn – os gwir stori Evan Jones – â gŵr enwocach o'r un enw, ac fe awgrymwyd mai dyma fedd Owain Glyndŵr: yn ôl un fersiwn o'r stori bu farw Glyndŵr yng nghwmni dim ond un cydymaith a'i claddodd ar y mynydd. Fel yn achos Carn Owen, gellir bod yn hyderus iawn nad oes sail i gysylltu Pen Bedd Owen ag Owain Glyndŵr. Er mor ddiddorol yw'r hanesion hyn fel enghreifftiau o'r argraff annileadwy a adawodd Owain ar ddychymyg poblogaidd y Cymry, rhaid eu gwrthod fel hanes: ar wahân i ddim arall, byddai Cymry'r oesoedd canol wedi arswydo rhag claddu unrhyw un mewn tir nad oedd yn dir cysegredig.[11]

Fe geid traddodiad ar un adeg – fe'i cofnodwyd gan y Parch. Thomas Thomas o Aber-porth yn ei *Memoirs of Owen Glendower* (1822) – i Lyndŵr gael ei eni yn Nhrefgarn yn Sir Benfro. Yr oedd dau le o'r enw Trefgarn yn y sir honno, ac mae'n debyg, fel yr awgrymodd Syr J. E. Lloyd, fod y traddodiad ynghylch geni Glyndŵr yno yn seiliedig ar dybio mai Elen ferch Tomas ap Llywelyn, mam Glyndŵr o linach Deheubarth, oedd perchennog un ohonynt, sef Trefgarn Owain ym Mreudeth, a bod yr enw'n cyfeirio at ei mab enwog. Ond fe ddangosodd Lloyd yn eglur na fu Trefgarn Owain erioed yn eiddo i Elen – mae'r enw'n cyfeirio at Owain ap Llywelyn, ewythr Elen, nid at Owain Glyndŵr – a bod yn rhaid gwrthod y traddodiad ynghylch geni Glyndŵr yno os seiliwyd ef ar y gamdybiaeth ynghylch perchenogaeth. Ond nid dyna ddiwedd y stori: fe gafwyd cymysgu ar ben cymysgu. Fe geid Trefgarn arall, ychydig filltiroedd i'r gogledd o Hwlffordd, ac yno fe geid 'Great Trefgarn' o fewn y plwyf a 'Little Trefgarn' dros y ffin yn y plwyf nesaf, Llantydewi (St Dogwells). Mae cofnod ar blwyf Llantydewi yn *A Topographical Dictionary of Wales* Samuel Lewis (1833) yn cyfeirio at eni a marw Owain:

> This parish is noted, on traditional authority, as the birthplace and place of burial of that distinguished patriot and chieftain, Owain Glyndwr, who is said to have been born at Little Trefgarn, and to have been interred at the small village of Wolf's Castle, both situated within its limits.

Mae'n amlwg mai cymysgu rhwng dau Drefgarn sy'n gyfrifol am yr honiad i Lyndŵr gael ei eni yn Llantydewi. Ond mae'n bur sicr – fel y dangosodd J. E. Lloyd – na aned ef yn y naill Drefgarn na'r llall mewn gwirionedd, a gellir bod yn hyderus hefyd mai'r un cymysgu hanesyddol a daearyddol a barodd i ddychymyg gwlad roi cynffon bellach i'r stori a hawlio i Owain gael ei gladdu ym mhentref bychan Cas-blaidd (Wolf's Castle), a oedd yn rhan o blwyf Llantydewi.[12]

Fe gafwyd yr ymgais ryfeddaf un i leoli man claddu Glyndŵr yng Nghymru mewn cyfrol gymharol ddiweddar, sef *The Mystery of Jack of Kent & the Fate of Owain Glyndŵr* gan awdur o'r enw Alex Gibbon a gyhoeddwyd gyntaf yn 2004. Mae peth gwerth i'r gyfrol fel ffynhonnell chwedlau am John/Jack of Kent, ond mae iddi wendidau difrifol iawn fel ffynhonnell ar hanes Owain Glyndŵr. Canolbwynt damcaniaeth Gibbon yw'r cymysgu diamheuol a fu weithiau rhwng Glyndŵr a'r cymeriad Jack of Kent yn llên gwerin Swydd Henffordd, fel y nodwyd uchod. Ond mae Gibbon yn gwthio hyn i eithafion gan uniaethu Glyndŵr a Jack of Kent yn gyson. Fe gyfeiriwyd eisoes at chwedl am Jack of Kent a adroddai fod colomen a chigfran wedi ymryson am ei enaid ar ôl iddo farw ac at chwedl arall iddo gael ei gladdu hanner y tu mewn a hanner y tu allan i eglwys y Grysmwnt. Fe ddefnyddiodd Gibbon y chwedlau gwerin hyn i geisio lleoli man claddu Glyndŵr. Wrth olrhain manylion ymgyrch Glyndŵr yn Nyffryn Tywi yn 1403 fe sylwodd ar ddau enw ar fap, sef ffurf Seisnigedig Llanymddyfri – Llan*dove*ry – a Dinefwr (Llandeilo), safle prif lys yr Arglwydd Rhys y tybiai Gibbon, yn anghywir, y ceid cigfran ar ei arfbais. A dyna, meddai, golomen a chigfran y chwedl! Fe ganfu wedyn fod dau bentref o'r enw Halfway yng nghyffiniau afon Tywi, un i'r dwyrain ohoni ychydig i'r de-ddwyrain o Lanymddyfri a'r llall i'r gorllewin ohoni, i'r de o Dalyllychau. Yn ôl Gibbon, yn nyddiau Glyndŵr byddai'r naill Halfway yn cael ei weinyddu gan ddugiaeth Lancastr ar ran y Goron ac felly 'y tu mewn', a'r llall heb fod dan reolaeth y Goron ac felly 'y tu allan'. O dynnu llinell ar fap ffordd rhwng Llanymddyfri a Llandeilo a llinell arall rhwng y ddau Halfway fe welodd Gibbon fod y llinellau'n croesi ym mhentref Llanwrda. Yn sgil y 'darganfyddiad' hwn mynnodd i Lyndŵr gael ei gladdu mewn claddgell o dan gangell eglwys Cawrdaf Sant yn Llanwrda. Dychmyga Gibbon daith Syr John Skydmore – a adwaenai Sir Gaerfyrddin yn sgil ei wasanaeth i'r Goron yno – ac Alys ei wraig, merch Glyndŵr, wrth iddynt hebrwng corff Owain mewn cert ar draws gwlad o Swydd Henffordd i Lanwrda:

> At last they neared Llanwrda, where ... there came a moment after nightfall when two men in the pay of Maredudd Glyndŵr removed the simple wooden chest containing Owain's body from the baggage cart, and bore it swiftly across the fields to Llanwrda church.

Gellir cydnabod dyfeisgarwch a doniau creadigol yr awdur, ond gellir hefyd fod yn gwbl sicr na fu eglwys Llanwrda erioed yn llwyfan i'r ddrama arbennig hon.[13]

3

Maelienydd

YR OEDD CANTREF Maelienydd gynt yn cyfateb i ogledd yr hen Sir Faesyfed (a fodolai hyd 1974), gwlad brin iawn ei Chymraeg ers cenedlaethau. Eto, yn ystod yr oesoedd canol yr oedd y wlad hon yn un drwyadl Gymraeg. Fel y'n hatgoffwyd gan yr awdur gwych hwnnw Ffransis G. Payne yn yr ail o'i ddwy gyfrol hudolus *Crwydro Sir Faesyfed* (1968), yr oedd gan Faelienydd dreftadaeth lenyddol Gymraeg gyfoethog yn yr oesoedd canol, gyda'i huchelwyr diwylliedig yn croesawu beirdd o rannau eraill o Gymru i'w llysoedd. Ac at lenyddiaeth Gymraeg y mae iddi gysylltiadau â'r fro hon y mae'n rhaid inni droi am dystiolaeth a all fod yn berthnasol o ran ystyried dyddiau olaf Owain Glyndŵr.[14]

Fe esgorodd Rhyfeloedd y Rhosynnau – yr ymgiprys hwnnw am goron Lloegr rhwng pleidiau Iorc a Lancastr a ddaeth i ben gyda buddugoliaeth Harri Tudur yn 1485 – ar lawer o ganu gwleidyddol gan feirdd Cymru. Nodwedd gyffredin iawn yn y canu hwn oedd proffwydo dyfodiad mab darogan, gan ddilyn hen draddodiad mewn barddoniaeth Gymraeg. Gan amlaf fe roddid iddo enw un o hen arwyr Cymru, gan ddarparu math o *alias* ar gyfer un o arweinwyr yr ymrafael cyfoes, fel Siasbar neu Harri Tudur, y tybid – yn ddiniwed braidd – y byddai ei fuddugoliaeth yn fodd i ddial cam oesol cenedl y Cymry. Un o feirdd amlycaf y math hwn o ganu oedd Robin Ddu o Fôn (Robin Ddu ap Siencyn Bledrydd). Ymhlith y llu o gywyddau brud a ganodd ef – mae 'brud' a 'darogan' yn gyfystyr – mae un sy'n berthnasol i bwnc y gyfrol hon. Mae cyfeiriad yn y cywydd at yr uchelwr Cymreig Rhys ap Tomas yn awgrymu iddo gael ei ganu tua 1483–5, yn ystod teyrnasiad Rhisiart III, pan oedd Rhys mewn cysylltiad â Harri Tudur, a oedd yn alltud ar y pryd yn Llydaw a Ffrainc. Ond diddordeb y cywydd i ni yw fod ynddo adleisiau o gyfnod cynharach a chyfeiriadau tebygol at Owain Glyndŵr.[15]

Mae rhai o'r cerddi darogan cynharaf sydd gennym – fel 'Ymddiddan Myrddin a Thaliesin' a 'Cyfoesi Myrddin a Gwenddydd ei Chwaer' – ar ffurf ymddiddan, ac yn unol â'r traddodiad hwn fe geir dau lais yng nghywydd Robin Ddu, llais y bardd ei hunan a llais y brudiwr y cymerir arno ei fod yn datgelu'r brud i'r bardd. Llais y brudiwr sydd amlycaf o ddigon. Ar ôl cwpled agoriadol lle mae'r bardd yn llefaru, gan gyfeirio at 'gyfrinach' y brudiwr, mae'r brudiwr, y proffwyd, yn llefaru gan ddatgelu'r gyfrinach honno:

> Mae gŵr hen ym Maelienydd
> A'r gwallt megis blodau'r gwŷdd.
> Niwr[a] Dduw am air a ddywod
> I mi fyth amau ei fod.
> Mi a glywais, magl awen,
> Ganu hir i ŵr gwyn hen,
> Ac os hwn a gais ei hawl
> Ydyw'r gwyn daroganawl,
> Bwyall a chledd heb ohir
> A estyn terfyn ein tir.
> Mae'n agos, cof aros cur,
> Termau llawer cotarmur[b].
>
> [[a]'Ni ŵyr'; [b]Saes. *coat-armour*, 'arfwisg']

Mae'r rhan fwyaf o weddill y cywydd yn gonfensiynol, yn proffwydo'r digwyddiadau apocalyptaidd a ddeuai yn sgil dyfodiad y mab darogan gan dynnu ar hen fotiffau y brudiau. Yn fwy diddorol i ni, mewn un man fe enwir y mab darogan yn Owain ('Owain yno a 'nynnir') ac fe gyfeirir ato fel gŵr a fydd yn atgyfodi:

Un gŵr a wna iawn i gyd
Ac ef o farw a gyfyd.[16]

Mae'n drawiadol fod y brudiwr ar ddechrau'r cywydd yn cyfeirio at y mab darogan fel 'gŵr hen ym Maelienydd', fel 'gŵr gwyn hen' ac fel 'y gwyn daroganawl'; tua diwedd y cywydd mae'n cyfeirio ato drachefn yn yr un modd fel 'cleiriach oediawg', sef hen ŵr oedrannus. Yr oedd Owain yn enw cyffredin iawn ar y mab darogan yn y cyfnod hwn ac mae'n anodd gwybod yn aml pa un o'r Oweiniaid enwog yn hanes Cymru sydd dan sylw: fe all Owain y daroganau fod yn Owain ab Urien, Owain Gwynedd, Owain Lawgoch neu'n Owain Glyndŵr, neu weithiau'n gyfuniad o fwy nag un o'r rhain, yn enw hwylus ar arwr cenedlaethol generig. Ond eto mae cysondeb y darlun o'r Owain yng nghywydd Robin Ddu fel hen ŵr yn drawiadol. Mewn cywyddau a ganodd Lewys Glyn Cothi i Wenllian, merch anghyfreithlon i Lyndŵr a oedd yn byw yng Nghenarth ym mhlwyf Saint Harmon, ychydig dros y ffin o Faelienydd yng nghwmwd Gwerthrynion, mae'r bardd yn cyfeirio'n ddiamwys at ei thad fel 'Owain Hen' mewn dau gwpled sy'n amrywiadau ar ei gilydd:

Llawen fydd Gwenllian ferch
Owain Hen, awn i'w hannerch.

Llawen fu Wenllian ferch
Owain Hen, Duw'n ei hannerch.

Wrth gyfeirio at ŵr Gwenllian, Phylib ap Rhys, meddai Lewys mewn cywydd arall:

Mab yng nghyfraith, o threithir,
i'r Hen Gwyn yw'n rhannu gwir.

Ac mae'n bur sicr hefyd mai at Owain Glyndŵr – a'i gyfnod ar herw – y mae'r bardd Llawdden yn cyfeirio mewn cywydd arall i Phylib ap Rhys:

Hen iawn oedd hwnnw a wnaeth,
Hir arwain, brig herwriaeth.

Yr un fath, mae'n rhaid mai at Owain Glyndŵr y mae un arall o feirdd y cyfnod, Ieuan ap Tudur Penllyn, yn cyfeirio pan yw'n galw Edwart Pilstwn o Riwabon ym Maelor yn 'Blaidd Owain Hen, Bleddyn hil': yr oedd nain Pilstwn yn chwaer i Lyndŵr, a ddisgynnai o Fleddyn ap Cynfyn, tywysog Powys. Yr un ffunud, mewn englyn yn mydryddu blwyddyn marwolaeth Glyndŵr, fel 'Owain Hen' y cyfeiriodd Rhys Pennardd ato. Ac mewn englyn gan fardd anhysbys sy'n ymwneud â'r stori am gamgymryd corff Tudur, brawd Glyndŵr, ar ôl brwydr y Pwll Melyn (1405) am gorff Glyndŵr ei hunan, fel 'y gŵr llwyd hen' y disgrifir Owain. Mae'r enghreifftiau hyn yn dangos yn eglur fod galw Glyndŵr yn 'Owain Hen' neu enw cyfwerth yn gyffredin ymysg beirdd y bymthegfed ganrif. Oherwydd hyn mae'n ddiogel tybio mai Owain Glyndŵr yw'r Owain a ddisgrifir fel 'gŵr hen', 'gŵr gwyn hen', 'y gwyn daroganawl' a 'cleiriach oediawg' yng nghywydd Robin Ddu.[17]

O dderbyn mai Owain Glyndŵr yw'r Owain y cyfeiria'r cywydd ato, diddorol yw'r modd y cysylltir ef â chantref Maelienydd ('Mae gŵr hen ym Maelienydd'). Fe gaiff 'Owain Hen' ei gysylltu drachefn â Maelienydd gan Lewys Glyn Cothi mewn cywydd i noddwr o'r cantref, Maredudd ap Dafydd Fychan o Linwent ym mhlwyf Llanbister. Mae Lewys yn cyfeirio at gred yng Nghernyw fod Arthur eto'n fyw – yn yr ystyr ei fod yn arwr a oedd yn ganolbwynt i obeithion brudiol, gellir tybio – gan fynd rhagddo i honni bod cred gyffelyb ynghylch 'Owain Hen' ym Maelienydd:

medd Cernyw, "Byw yw 'mhob wart[a]
Arthur rasol", nerth Rhisiart;
medd Maelienydd, "Byw fydd fo,
Owain Hen", wrth wyn[b] honno.
[[a]'amddiffynfa'; [b]'dymuniad, dyhead']

Diddorol ac arwyddocaol yn y cyswllt hwn yw geiriau Lewys mewn cywydd i noddwr arall, Dafydd Goch ap Maredudd o Lanandras am y ffin â Maelienydd yng nghwmwd Llythyfnwg. Mewn cywydd sy'n adleisio'n drwm iaith a delweddau'r canu brud mae'n sôn fel y byddai Owain yn atgyfodi:

> fo gyfyd i'r byd o'r bedd
> cnawd Owain cyn y diwedd.[18]

Mae cysylltiadau daearyddol y cyfeiriadau barddol a ddyfynnwyd – maent wedi eu crynhoi o fewn terfynau'r wlad a ddaeth wedi'r Deddfau Uno yn Sir Faesyfed – yn awgrymog. Fe gofir am y sôn yn 'Hanes Owain Glyndŵr' Robert Vaughan a/neu Thomas Ellis fod Owain wedi marw yng nghartref y naill neu'r llall o'i ferched a oedd yn byw yn Swydd Henffordd, 'some say, he dyed at his daughter Scudamores, others, at his daughter Moningtons house'. Ond yn y cyswllt hwn mae'n sicr na ddylid anghofio am un o ferched eraill Owain, sef ei ferch anghyfreithlon Gwenllian, gwraig Phylib ap Rhys o Genarth, Saint Harmon, y wraig y canodd Lewys Glyn Cothi

Cefn Cenarth, Saint Harmon (mae ffermdai Bryn Cenarth, Y Fron a'r Pwll yn y cyffiniau)

iddi, ac y dengys ei gywyddau ef a dau fardd arall, Llawdden a Ieuan Gyfannedd, iddi hi a'i gŵr mor ymwybodol oedd y beirdd o'u cysylltiad â Glyndŵr. Fe all fod yn arwyddocaol fod cerddi Llawdden a Ieuan Gyfannedd i Phylib ap Rhys yn tystio i'w herwriaeth a'i filwriaeth, fel y bu Phylib a elwir yn 'Arthur enwog Gwerthrynion' yn gyfarwydd â 'thir rhyfel'. Rhaid gofyn felly a gafodd Owain loches o bryd i'w gilydd ym mlynyddoedd machlud y gwrthryfel neu ar ddiwedd ei oes yng Nghenarth gyda Phylib a'i wraig, 'merch glaer, hil Marchog y Glyn' fel y galwodd Llawdden hi. Mae'n amhosib bod yn sicr ynghylch union safle Cenarth heddiw, ond yr oedd yn rhywle yng nghyffiniau bryn isel Cefn Cenarth, ger pentref Pant-y-dŵr i'r gogledd o Saint Harmon. Yn *Crwydro Sir Faesyfed* fe noda Ffransis Payne Fryn Cenarth a'r Pwll, dwy fferm agos iawn at ei gilydd o dan Gefn Cenarth, fel safleoedd posib cartref Gwenllian a'i gŵr. Ond mae'n cyfeirio hefyd at fferm Y Fron yn uwch ar Gefn Cenarth, safle mwy tebygol efallai o ystyried bod Llawdden a Ieuan Gyfannedd yn sôn fod llys eu noddwyr 'fry' ac 'ar dor glan' ('ar ganol llechwedd'). Ond lle bynnag ger Cefn Cenarth yr oedd union safle'r llys, ac er ei fod yng nghwmwd Gwerthrynion, mae'n werth cofio mai dim ond cwta ddwy filltir i ffwrdd i'r dwyrain yr oedd y ffin â Maelienydd.[19]

Mae natur y cyfeiriadau barddol at Owain a nodwyd uchod – yng nghywydd brud Robin Ddu a chywyddau Lewys Glyn Cothi i noddwyr o Faelienydd a Llythyfnwg – yn awgrymu'n gryf fod traddodiadau ym Maelienydd a'r cyffiniau yn y bymthegfed ganrif ynghylch Glyndŵr fel arwr a fyddai'n 'atgyfodi' (sut bynnag y dehonglir hynny). Mae'n ymhlyg yng nghyfeiriadau Robin Ddu a Lewys Glyn Cothi y cysylltid yr 'atgyfodi' â Maelienydd: ai oherwydd fod y beirdd yn credu mai yno y claddwyd Owain yr oedd hynny? Nid annaturiol fyddai dehongli'r ymadrodd 'ym Maelienydd' yng nghywydd Robin Ddu i olygu 'yn naear Maelienydd'. Yn y cyswllt hwn fe ellid dadlau y byddai yr un mor debygol fod Owain wedi llochesu ar ddiwedd ei oes gyda'i ferch a'i fab-yng-nghyfraith o wrthryfelwr yn eu cartref anghysbell yng Ngwerthrynion â chydag un o'i ferched yn Swydd Henffordd. Un anhawster sy'n peri na ellir bod yn rhy bendant ynghylch hyn, fodd bynnag, yw na wyddom pryd y ganed ac y priododd Gwenllian: gallwn fod yn hyderus fod merched eraill Owain yn wragedd priod yn 1415 pan fu farw Owain, ond a oedd Gwenllian yn ddigon hen i fod wedi priodi a chartrefu yng Nghenarth yr adeg honno? Os oedd Gwenllian yn byw yng Nghenarth adeg marw Owain, mae'n bosib nad nepell o'r fan honno – dros y ffin gyfagos ym Maelienydd – y'i claddwyd ac i hynny roi bod maes o law i draddodiadau yno ynghylch ei 'atgyfodiad'. Ond nid oes raid tybio bod Glyndŵr wedi llochesu yng Nghenarth ychwaith. Fe ellir dychmygu posibilrwydd arall: os datgladdwyd Glyndŵr – fel yr haerodd Adda o Frynbuga – ar ôl ei gladdu'n wreiddiol yn Swydd Henffordd, a gafodd ei gorff ei symud ar draws gwlad i orweddfan fwy diogel yn naear Cymru ym Maelienydd, nid nepell o ffiniau Swydd Henffordd?

Os chwilir am fan claddu i Owain ym Maelienydd, mae'n werth cofio – heb orbwysleisio dim – mai ym Maelienydd, ryw bum milltir a hanner yn unig o Genarth, yr oedd Abaty'r Cwm Hir, man claddu tebygol Llywelyn ap Gruffudd, yr olaf cyn Owain i arddel y teitl Tywysog Cymru. Fe allai'r cof am hynny fod yn ystyrlon yn 1415 pan fu farw Owain. Mae'n werth cofio hefyd fod hen gysylltiad rhwng Abaty'r Cwm Hir â theulu'r Mortmeriaid, noddwyr cynnar i'r abaty a theulu a fu'n arglwyddi Maelienydd am genedlaethau. Fe honnodd John Leland i Lyndŵr ddifrodi'r abaty, 'Al the howse was spoilid and defacid be Owen Glindour'; nid oes cadarnhad annibynnol i honiad Leland, ond, os dyna a ddigwyddodd, yn gynnar yn ystod y gwrthryfel y bu'r difrodi, ac fe ddamcaniaethwyd mai oherwydd cysylltiadau'r abaty â grym estronol y Mortmeriaid y bu hynny. Ond rhyfedd yw troeon yr yrfa. Maes o law, ar ôl cael ei drechu ym mrwydr y Bryn Glas, fe ddaeth Edmund Mortimer yn fab-yng-nghyfraith ac yn gynghreiriad i Lyndŵr a marw yn ei rengoedd yn amddiffyn castell Harlech yng ngwarchae 1409. Erbyn marw Owain yn 1415 fe allasai'r cof am y cynghreirio rhwng Mortimer a Glyndŵr fod wedi rhwyddhau'r ffordd ar

Rhan o adfeilion Abaty'r Cwm Hir

gyfer sicrhau gorffwysfan i Owain o fewn libart cysegredig Abaty'r Cwm Hir. Tybed ai Llywelyn ap Gruffudd oedd yr olaf o dywysogion Cymru mewn gwirionedd a roed i orwedd yn hedd yr abaty pellennig yn ucheldir Maelienydd?[20]

Fel yn achos posibiliadau eraill a drafodwyd yn y gyfrol hon, rhaid cydnabod nad yw'r dystiolaeth ynghylch claddu Glyndŵr ym Maelienydd – boed hynny yn Abaty'r Cwm Hir neu yn rhywle arall – yn derfynol. Ond os claddwyd Owain o gwbl yn naear Cymru, gellir mentro honni mai Maelienydd yw'r unig fan claddu Cymreig posib – o blith y nifer a awgrymwyd o bryd i'w gilydd – sy'n haeddu ystyriaeth ddifrifol.

4

Cymru: crynhoi

ER MAI NATURIOL fyddai tybio mai yng Nghymru – ei wlad enedigol a'r wlad a hawliodd yn Dywysogaeth ac yr ymladdodd yn wrol drosti – y gorffennodd Owain Glyndŵr ei ddyddiau, nid oes digon o dystiolaeth gennym i allu hawlio hynny'n bendant. Prin y gellir rhoi unrhyw goel ar y traddodiadau llên gwerin sy'n lleoli ei fedd yng Nghymru, er eu bod yn bwysig o ran tystio i'r argraff annileadwy a adawodd Owain a'i wrthryfel ar ddychymyg a chof ei genedl. Prin ychwaith y gellir credu'r awduron hynny o ddiwedd y ddeunawfed ganrif ymlaen a awgrymodd nifer o leoedd yng Nghymru fel mannau claddu Owain: yn wir, mae'n amlwg fod rhai ohonynt, fel Jonathan Williams, W. H. Cooke ac Alex Gibbon, yn cyfeiliorni'n ddybryd. Gellir ychwanegu at yr enwau hyn enw Iolo Morganwg, y mae ei honiadau ynghylch marw a chladdu Owain ym Morgannwg naill ai'n adlewyrchu traddodiadau llên gwerin, neu, yn fwy tebygol, yn gynnyrch dychymyg gwyllt a gorffrwythlon Iolo, gŵr a'i fryd yn ôl pob tebyg ar ddyrchafu bri ei sir drwy roi iddi ran amlwg yn hanes Glyndŵr heb falio gormod am y gwirionedd.

Mae modd honni bod tystiolaeth farddol Robin Ddu a Lewys Glyn Cothi o'r bymthegfed ganrif fel pe bai'n lleoli claddu Owain yng nghantref Maelienydd: o'r fan honno y dychmygodd Robin Ddu ei atgyfodi fel mab darogan. Mae'r dystiolaeth hon yn gynnar, yn gynt o gryn dipyn, yn wir, nag unrhyw dystiolaeth ynghylch diwedd Owain sy'n ymwneud ag unrhyw fan arall yng Nghymru neu yn Swydd Henffordd. Ond eto rhaid cydnabod nad yw'r dystiolaeth farddol hon yn derfynol: gallai amheuwr honni mai brud yw brud, ac mai'r cyfan a wna cywyddau Robin Ddu a Lewys Glyn Cothi yw tystio i gryfder traddodiadau brudiol ym Maelienydd, er na ddylid, wrth gwrs, anwybyddu arwyddocâd posib y ffaith fod cartref Gwenllian, merch ordderch Glyndŵr, a'i gŵr a fu'n bleidiwr i Owain yng Nghenarth yn agos iawn at ffin Maelienydd (er na wyddom pryd yr ymsefydlodd Gwenllian yno). Rhaid cydnabod mai dyfaliad – ond un y gellir dyfynnu rhesymau drosto – yw'r awgrym petrus yn y gyfrol hon y gall mai yn Abaty'r Cwm Hir y claddwyd Owain, a bwrw mai ym Maelienydd y claddwyd ef o gwbl. Mae'n bosib, wrth gwrs, iddo gael ei gladdu yn rhywle arall yng Nghymru mewn modd mor ddirgel fel na chadwyd unrhyw draddodiad gwerin na chofnod o fath arall ar glawr i oleuo cenedlaethau'r dyfodol ynghylch y fan. Os dyna a ddigwyddodd, mae'n bur sicr mai mewn tir wedi ei gysegru – mewn mynwent eglwys – yn rhywle y bu hynny, yn hytrach nag mewn tir gwyllt ac anghyfannedd fel y myn llên gwerin weithiau.

Gellir dyfalu ymhellach ynghylch diwedd Owain. Ar ôl i'w ymdrechion milwrol edwino fe all iddo dreulio blynyddoedd ar ffo gan lochesu mewn amryw fannau yng Nghymru lle'r oedd dilynwyr neu geraint iddo. (Diddorol yn y cyswllt hwn yw'r traddodiad – y gall fod rhywfaint o sail iddo – ynghylch ei lochesu gan Ednyfed ab Aron yn 'Ogof Owain'.) Ond pa mor gymwynasgar bynnag y bu rhai o'i ddilynwyr tuag ato, tybed, fodd bynnag, a ddaeth adeg pan fu'n rhaid iddo, oherwydd henaint neu lesgedd arall neu o'i wirfodd o dueddfryd naturiol, encilio ar ddiwedd y daith yn nes at ei geraint agosaf – ei ferched – a allai gynnig ymgeledd iddo ar eu haelwydydd? A fu'n bwhwman rhwng cartrefi ei ferched yn Swydd Henffordd, neu rhyngddynt hwy a chartref Gwenllian yng Ngwerthrynion? Ac wedi ei farw, os bu'n rhaid ei gladdu ddwywaith oherwydd llid ei elynion, fel yr honnodd Adda o Frynbuga, a gafodd ei gladdu'r ddeudro yn Swydd Henffordd neu'r ddeudro yng Nghymru, neu unwaith yn Swydd Henffordd a'r tro arall yng Nghymru? Ni allwn ateb: nid oes a ŵyr ddaearyddiaeth ddyrys ei ddiwedd.

Nodiadau

1 Dyfyniad o 'Hanes Owain Glyndŵr' (Vaughan/Ellis): LlGC 14587B, 66 (hefyd Panton 53, 58v; Caerdydd 2.71, 26v); anfon milwyr i Feirionnydd yn 1412: Davies, *Revolt*, 300; cywyddau Llywelyn ab y Moel: Daniel (gol.), *Gwaith Dafydd Bach ap Madog Wladaidd 'Sypyn Cyfeiliog' a Llywelyn ab y Moel*, 96–7, 100–1; cofnodion y Senedd Tachwedd 1414: *OGCasebook*, 148–51.

2 Dyfyniad o Daniel Defoe, *A Tour through the Whole Island of Great Britain*, gol. P. Rogers, 377 (cyhoeddwyd y rhan berthnasol o waith Defoe gyntaf yn 1725).

3 Dyfyniad o waith 'Bleddyn': *Y Brython*, IV (1861), 212–13 (ar William Jones, 'Bleddyn', gw. *Y Bywgraffiadur Cymreig*, 494–5); gw. hefyd D. E. Jenkins, *Bedd Gelert: Its Facts, Fairies & Folk-lore*); dyfynna Henken yr hanes yn *National Redeemer*, 101, a gw. ei sylwadau ibid., 103–5, 215, 32n. (a chymh. G. Johnston (cyf.), *The Saga of Gisli*, 42, 55–8); sylwer bod cyfeiriadau cynharach na'r un a geir gan 'Bleddyn' at Ogof Owain ar Foel Hebog, gw. Thomas, *Memoirs of Owen Glendower* (1822), 133–4 a T. Turner, *Narrative of a Journey* (1840), 104.

4 Sylw Richard Thomas: Y Coleg Arfau, llsgr. Protheroe XVII, 165 (ar y llsgr., copi o un a ysgrifennwyd yn 1766, gw. F. Jones, *A Catalogue of Welsh Manuscripts in the College of Arms*, 57–8; ar Thomas gw. *Y Bywgraffiadur Cymreig*, 902); dyfyniad o Pennant: *A Tour in Wales* (1778), 346; Ednyfed ab Aron: cysyllta Bartrum ef â Thonfannau (*Welsh Genealogies AD 300–1400*, d.e. 'Ednyfed ap Bradwen 2'), a thebyg mai camgymeriad yw ei nodi fel un o hynafiaid prif linach Peniarth, fel yn J. Y. W. Lloyd, *The History of Powys Fadog*, V, 102 (o'i frawd Gruffudd ab Aron y disgynnai llinach Peniarth; cysylltid Gruffudd â Chefncamberth, ger Tonfannau hefyd, ac fe'i cysylltwyd yntau hefyd â chuddio Glyndŵr yn yr ogof dan sylw, gw. Henken, *National Redeemer*, 78–9); darparu lluniaeth i Lyndŵr: D. H. Bennett, 'Ogof Owen Glyndwr', *Cymru'r Plant*, XVII (1908), 313, lle ceir llun o'r ogof (gw. hefyd W. Davies, *Hanes Plwyf Llanegryn*,

79); maint yr ogof: Bows, 'Owen Glendower's Cave', *Bye-Gones*, XII (1911–12), 148; Ednyfed ab Aron ac ymostyngiad y Bala (1414): D. H. Owen a J. B. Smith, 'Government and Society 1283–1536', yn Smith a Smith (goln), *History of Merioneth Volume 2*, 95; nith Ednyfed ab Aron yn fam i Gwenllian, merch ordderch Glyndŵr: gw. uchod t. 32.

5 Honni i Lyndŵr farw yn Fforest Haywood: Price, *Historical and Topographical Account of Leominster*, 27 (a gw. uchod t. 107); dyfyniadau o gyfrol Jonathan Williams: *The Leominster Guide*, 31.

6 Dyfyniadau o gyfrol Cooke: *Collections towards the History and Antiquities of the County of Hereford in Continuation of Duncumb's History*, 135, 137; dyfyniad o *Parochialia*: gol. R. H. Morris, II, 45; Pennant: *Tours in Wales by Thomas Pennant, Esq*, gol. J. Rhys, II, 196; Edward Jones: llsgr. LlGC 39B, 68; hyrddio dagr/cleddyf: dyfynnir enghreifftiau o'r chwedl yn Henken, *National Redeemer*, 140, 152–5; dyddio'r garreg: N. Edwards, *A Corpus of Early Medieval Inscribed Stones and Stone Sculpture in Wales*, Vol. III, North Wales, 378 (hefyd V. E. Nash-Williams, *The Early Christian Monuments of Wales*, 167).

7 Hywel Cernyw: *Hynafiaethau Edeyrnion*, 42; Dienw [?O. M. Edwards]: 'Owen Glyndwr', *Y Llenor*, IX (1897), 79; Adda o Frynbuga: Given-Wilson (gol.), *The Chronicle of Adam Usk*, 262 (hefyd uchod tt. 40–1); T. Matthews, 'Pumcanmlwyddiant Owen Glyndwr', *Cymru*, 47 (1914), 153–4.

8 Cofnod Edward Jones: llsgr. LlGC 39B, 68.

9 Browne Willis: *A Survey of the Cathedral Church of Bangor*: 35–6; sylwadau diweddarach (18g): *Memoirs of Owen Glendowr*, 74; Pennant: *Tours in Wales*, gol. Rhys, III, 79; *Britannia ... by William Camden*, cyf. a gol. R. Gough, 556; dyddio i ddiwedd y 13g.: *An Inventory of the Ancient Monuments in Caernarvonshire, Vol. II, Central*, 8, 'traditionally the sepulchre of Owain Gwynedd (*ob.* 1168) but in style late 13th-century' (awgryma M. L. Clarke, *Bangor Cathedral*, 11 y gall mai beddrod Anian I (esgob 1267–1307) ydyw).

10 Glyndŵr a Chastell y Marchog: 'Antiquarius', *The Gentleman's Magazine*, 55, December 1785, 936 (ar Castell y Marchog/Castell Coch gw. D. J. C. King, *Castellarium Anglicanum*, I, 174 ('Despite the military name, a farm-settlement'); Robin Goodfellow: gw. K. Briggs, *A Dictionary of Fairies*, arg. clawr papur, 341–3; dyfyniadau o lsgrau: LlGC 13152A, 28 (hefyd *Iolo Manuscripts*, gol. a chyf. T. Williams, 68); LlGC 13129A, 247; Glyndŵr a Lawrens Berclos:

Henken, *National Redeemer*, 95–7 (hefyd *Iolo Manuscripts*, 98–9).

11 Hoffwn ddiolch i Cledwyn Fychan am y cyfeiriadau at Carn Owen a Phen Bedd Owen; dyddio Carn Owen: C. S. Briggs, 'The Bronze Age', yn J. L. Davies a D. P. Kirkby (goln), *Cardiganshire County History*, Vol. 1, 187; Carn Owen fel bedd Owain Glyndŵr: 'Letters from a Travelling Antiquary. No. I', *Archaeologia Cambrensis*, New Series, V (1851), 159; Pen Bedd Owen: G. A. Fychan, 'Astudiaeth o Enwau Lleoedd Gogledd Cantref Buellt', traethawd PhD Prifysgol Cymru (2001), 624 (lle dyfynnir o lsgr. 1793, 128 (Evan Jones, Ty'n-y-pant) yn Amgueddfa Werin Cymru); cysylltu Pen Bedd Owen â Glyndŵr: yn Fychan, 'Enwau Lleoedd Cantref Buellt', 624 nodir y diweddar Brian Watkins o Lwynygwychwyr, Llanwrtyd fel ffynhonnell; honni i Lyndŵr farw gydag un cydymaith: Barber, *In Search of Owain Glyndŵr*, 147 (lle na nodir unrhyw ffynhonnell, a lle gelwir y safle yn 'Cefn Bedd Owain'); claddu mewn tir cysegredig: Daniell, *Death and Burial in Medieval England 1066–1550*, 103, 109.

12 Geni Glyndŵr yn Nhrefgarn: T. Thomas, *Memoirs of Owen Glendower*, 48n. (ei ffynhonnell oedd dyfyniad o lsgr. gan Edward Vaughan Pugh (m. 1781) o Fryneglwys, Sir Ddinbych, a gawsai Thomas gan Edward Jones, 'Bardd y Brenin'); sylwadau Lloyd: *Owen Glendower*, 18–19; cofnod ar Lantydewi: S. Lewis, *A Topographical Dictionary of Wales* (o dan 'St Dogwell's').

13 Cymysgu rhwng Glyndŵr a Jack/John of Kent: gw. tt. 86, 89 uchod a Gibbon, *Jack of Kent & Owain Glyndŵr*, *passim*; chwedlau y golomen a'r gigfran a'r claddu hanner y tu mewn a hanner y tu allan: gw. t. 87 uchod a *Jack of Kent & Owain Glyndŵr*, 196–7; arfbais: ceid brain, i ddynodi tras honedig o Urien Rheged, ar arfbais teulu Gruffudd ap Nicolas o Ddinefwr, ond nid oes tystiolaeth o'r fath ynghylch yr Arglwydd Rhys (Siddons, *The Development of Welsh Heraldry*, I, 98–100, 288); tynnu llinellau ar fap: *Jack of Kent & Owain Glyndŵr*, penodau 14 a 15 *passim* (yn arbennig tt. 215–17 a 221–30); cludo corff Glyndŵr i Lanwrda: ibid., 234.

14 Seiliwyd yr adran hon ar f'erthygl 'Cywydd Brud gan Robin Ddu a'i Berthnasedd Posibl i Hanes Owain Glyndŵr', *Dwned*, 19 (2013), 81–102, lle ceir ymdriniaeth fanwl â'r cywydd dan sylw; F. G. Payne ar Faelienydd: *Crwydro Sir Faesyfed: Yr Ail Ran*, 45–89.

15 Amseriad y cywydd: Williams, 'Cywydd Brud gan Robin Ddu', 81, 94.

16 Dyfynnir o'm golygiad o'r cywydd ibid., 84–6.

17 Lewys Glyn Cothi: Johnston (gol.), *Gwaith Lewys Glyn Cothi*,

186.5–6, 188.3–4, 187.17–18; Llawdden: Daniel (gol.), *Gwaith Llawdden*, 10.47–8 (ar gysylltu'r llinellau hyn â Glyndŵr gw. C. Fychan, 'Llywelyn ab y Moel a'r Canolbarth', *Llên Cymru*, 15 (1987–8), 303); Edwart Pilstwn: T. Roberts (gol.), *Gwaith Tudur Penllyn ac Ieuan ap Tudur Penllyn*, 42.18; englyn Rhys Pennardd: *OGCasebook*, 214 (ac uchod t. 44); englyn cyfarwyddyd anhysbys: ibid., 216.

18 Lewys Glyn Cothi: Johnston (gol.), *Gwaith Lewys Glyn Cothi*, 181.15–18, 173.37–8; Llythyfnwg: mae'n werth nodi y cynhwysid Llythyfnwg ym Maelienydd weithiau (*Owen's Pembrokeshire*, III, 331).

19 Ymwybyddiaeth farddol o'r cyswllt â Glyndŵr: gw. uchod tt. 32–3; Ieuan Gyfannedd a Llawdden ar Phylib ap Rhys: Payne, *Crwydro Sir Faesyfed*, II, 114; Daniel (gol.), *Gwaith Llawdden*, 10.47–8; lleoliad Cenarth: Payne, *Crwydro Sir Faesyfed*, II, 113–16; Daniel, *Gwaith Llawdden*, 13.1, 14.11 (diolch i Dr John Hughes, sy'n gyfarwydd â'r ardal, am drafod lleoliad y llys a pherthnasedd y dystiolaeth farddol â mi).

20 Y Mortmeriaid ac Abaty'r Cwm Hir: B. G. Charles, 'An Early Charter of the Abbey of Cwm Hir', *Transactions of the Radnorshire Society*, 40 (1970), 68–73; D. H. Williams, 'The White Monks in Powys I', *Cistercian Studies*, 11 (1976), 94 (sy'n nodi 'All in all, Cwmhir did reasonably well out of the Mortimers'); D. Stephenson, 'Llywelyn Fawr, the Mortimers and Cwmhir Abbey: the Politics of Monastic Rebuilding', *Transactions of the Radnorshire Society*, 80 (2010), 29–41; difrodi'r abaty gan Lyndŵr: honiad Leland: L. T. Smith (gol.), *The Itinerary in Wales of John Leland*, 52 (gw. hefyd E. Dunn, 'Owain Glyndŵr and Radnorshire', *Transactions of the Radnorshire Society*, 37 (1967), 30–1, lle awgrymir 1402 ar gyfer y difrodi a'i gysylltu â nawdd y Mortmeriaid i'r abaty); claddu posib Glyndŵr yng Nghwm Hir: yn nofel hanesyddol Dr John Hughes, *Glyndŵr's Daughter* (2012), lle mae Gwenllian yn brif gymeriad, mae'n ddiddorol y dychmygir claddu Glyndŵr yn Abaty'r Cwm Hir (darllenais y nofel ar ôl dechrau ysgrifennu f'erthygl yn *Dwned*, 19, y seilir yr adran hon o'r gyfrol arni).

RHAN IV

BRUD

1. 'Rhan fawr a ddywaid ei farw;
   y brudwyr a ddywedant na bu'

1

'Rhan fawr a ddywaid ei farw; y brudwyr a ddywedant na bu'

> MCCCCxv ydd aeth Owain mewn difant y Gwyl Vathe yn y kynhayaf. O hynny allan ni wybvwyd i ddifant. Rrann vawr a ddywaid i varw, y brvdwyr a ddywedant na bv.

DYMA GOFNOD A geir mewn cronicl byr dienw yn ymwneud yn bennaf â gwrthryfel Glyndŵr sy'n digwydd yn llawysgrif Peniarth 135, ffynhonnell y cyfeiriwyd ati sawl tro yn y gyfrol hon. Fe ysgrifennwyd y llawysgrif gan y bardd Gruffudd Hiraethog rywdro rhwng 1556 ac 1564, ond fe dybir bod y cronicl gwreiddiol wedi ei lunio yn ystod hanner cyntaf y bymthegfed ganrif, rywdro ar ôl y flwyddyn 1422. Os gellir credu'r croniclwr – a hawdd yw gwneud hynny – yr oedd dau ymateb cyferbyniol i 'ddifant' neu ddiflaniad Owain Glyndŵr ym mis Medi 1415. Priodoli ei ddiflaniad yn wangalon i'w farwolaeth a wnâi rhai – dyma ymateb naturiol y mwyafrif efallai – ond mae'n ymddangos bod carfan arall o Gymry, sef y 'brudwyr', chwedl y cronicl, a gymhellwyd er mwyn cynnal ysbryd a gobaith i roi'r argraff ar led nad felly y bu.[1]

Yr oedd brud neu ddarogan – proffwydoliaethau o ddyfodol gwell i'r genedl a thranc ei gelynion – yn rhan o'r meddylfryd gwleidyddol Cymreig am ganrifoedd cyn amser Glyndŵr ac yn wedd a adlewyrchwyd yn niwylliant llenyddol y genedl. 'Armes Prydein' o hanner cyntaf y ddegfed ganrif yw'r gerdd ddarogan gynharaf i oroesi: ynddi proffwydir y bydd y Cymry, dan arweiniad yr hen arwyr atgyfodedig Cynan a Chadwaladr, yn trechu'r Saeson a'u gyrru ar ffo o Ynys Prydain. Yn ystod y canrifoedd dilynol dan ormes Norman a Sais fe geir arwyr eraill yn ymddangos yng ngherddi'r beirdd fel gwaredwyr y genedl: enw poblogaidd iawn ar y mab darogan oedd 'Owain', math o ffigur arwrol cyfansawdd yn aml y bwriodd arwyr unigol fel Owain ab Urien, Owain Gwynedd ac Owain Lawgoch beth o'u lliw arno cyn dyddiau Owain Glyndŵr. Er na oroesodd canu darogan y gellir ei ddyddio'n gwbl bendant i gyfnod y gwrthryfel, mae'n sicr fod Glyndŵr yn cyfranogi o feddylfryd y daroganau ac wedi sylweddoli grym darogan i hyrwyddo'i achos ac ennyn cefnogaeth ei gyd-wladwyr. Yr oedd ganddo ei 'broffwyd' (*propheta*) – term diamheuol frudiol ei gysylltiadau – sef gŵr o'r enw Crach Ffinnant a oedd yn un o'i gefnogwyr a gynullodd yng Nglyndyfrdwy i'w gyhoeddi'n Dywysog Cymru ym Medi 1400; fe ymgynghorodd â Hopcyn ap Tomas o Ynysforgan, gŵr hyddysg yn y brudiau – 'maister of Brut' – i rag-weld ei dynged wrth ymgyrchu yn ne Cymru yn 1403, ac yr oedd meddylfryd y brudiau yn amlwg yn y llythyrau a anfonodd at frenin yr Alban a phenaethiaid Iwerddon i erfyn cefnogaeth yn 1401, ac yng Nghytundeb Tridarn 1405. Da y dyfarnodd Syr Rees Davies 'fod Owain yn cymryd "y broffwydoliaeth" o ddifri'. Yng Nghymru'r gwrthryfel byddai brud yn gyfrwng grymus i ysbrydoli a thanio gwlad; wedi methiant y gwrthryfel gallai gynnig elfen o gysur i genedl friwiedig a gobaith am fegino fflam unwaith eto o farwydos yr ymdrech a fu.[2]

Fe gofir am honiad Adda o Frynbuga fod corff Owain wedi ei ddatgladdu oherwydd i'w fedd gwreiddiol gael ei ganfod gan ei elynion ac nad oedd modd gwybod yn sgil y datgladdu ymhle'r oedd ei fedd. Fe all fod yr hanes a geir gan Adda yn gywir i raddau; eto, mae'n rhaid gofyn a yw'n cyfleu'r holl wirionedd o ran y cymhelliad dros gadw man claddu Owain yn gyfrinach. Tybed a oedd a wnelo'r cyfrinachedd rywfaint â chymhellion gwleidyddol a gofynion brud, yr angen i gelu'r dystiolaeth fod Owain wedi marw er mwyn cynnal y rhith ei fod eto'n fyw ac yn dal ar gael i arwain ei genedl? O ran y brudwyr, fe fyddai llai o botensial i arwr yr oedd lleoliad ei fedd yn hysbys a'i farw felly'n ddiymwad nag i arwr na cheid prawf gweladwy a phendant o'i dranc. Yn hyn o beth, fe geir tystiolaeth ddiddorol o'r ddeuddegfed ganrif gan ddau hanesydd o Sais am y gobeithion brudiol a grynhodd o gwmpas arwr arall o ddyddiau a fu. Adroddodd William o Malmesbury nad oedd beddrod Arthur i'w weld yn unman ac o ganlyniad fod hen gerddi'r beirdd yn adrodd y byddai'n dychwelyd eto. Ac yn 1139 fe adroddodd Henry o Huntingdon fod y Brytaniaid yn gwadu bod Arthur wedi marw a'u bod yn taer ddisgwyl ei ddyfodiad. Yn 1191 ar ddiwedd y ganrif nid rhyfedd i Harri II beri datgladdu dau gorff yn abaty'r Ynys Wydrin (Glastonbury) a honni mai gweddillion Arthur a'i wraig Gwenhwyfar oeddynt. Gobaith brenin Lloegr yn ddiau oedd y byddai canfod y cyrff yn tanseilio honiadau peryglus y brudwyr a'r bygythiad o du'r Cymry. Ddwy ganrif a mwy yn ddiweddarach, beth bynnag oedd y perygl y byddai gelynion yn amharchu corff Glyndŵr – neu'n ei arddangos i brofi ei farwolaeth, fel a ddigwyddodd pan ddatgladdwyd corff Henry Hotspur yn yr Eglwys Wen (Whitchurch) a'i gludo i'w ddangos ym marchnadle Amwythig yn 1403 – tybed nad oedd awydd i gynnal gobaith a grym y brud hefyd yn rheswm pam y trefnodd rhai o gefnogwyr neu geraint Owain i gelu man ei fedd? Fe ellir tybio y byddai'r cymhelliad i gynnal gobeithion brudiol yn arbennig o berthnasol yn ystod y blynyddoedd pan oedd Maredudd, mab Owain, yn dal i geisio ailennyn fflam y gwrthryfel cyn iddo dderbyn pardwn yn 1421.[3]

Yr oedd yn anorfod y byddai Owain yn bwrw ei gysgod ar y canu brud yn y blynyddoedd wedi'r gwrthryfel. Diddorol yn y cyswllt hwn yw cywydd a ganodd Rhys Goch Eryri, cefnogwr i Lyndŵr ac un a fu'n ei lochesu yn ôl traddodiad. Mewn 12 o'r 19 llawysgrif lle digwydd y cywydd fe'i disgrifir fel marwnad i Owain Glyndŵr ac mae pedair llawysgrif arall yn ei ddisgrifio fel marwnad ar y cyd i Owain a'r tywysogion Cymreig. Ond nid marwnad gonfensiynol yw'r cywydd mewn gwirionedd, ond yn hytrach cerdd yn nhraddodiad y canu brud. Nid yw'r gerdd yn enwi Owain fel y cyfryw ond yn ôl dehongliad argyhoeddiadol Dylan Foster Evans, golygydd gwaith Rhys Goch Eryri, mae'n gerdd sy'n perthyn i'r cyfnod o siom ar ôl y gwrthryfel ac ynddi elfennau sy'n cyfeirio'n gynnil at Owain. Mae'r gerdd ar ffurf ymddiddan rhwng y bardd a Myrddin a Thaliesin, ffigurau canolog yn y canu brud yn y traddodiad Cymreig. Er bod ynddi lawer o bethau tywyll iawn, yn null arferol y brudiau, fe geir hefyd ddarnau sydd ychydig yn fwy uniongyrchol:

'Bid di-hawl[a] gwaith nefawl naf[b],
A bid lle[c] y byd lleiaf
Am roi tydwedd[ch] ar gleddyf
Noeth cyn ddisgleiried â nyf[d].
Ni wn paham ond amwyll[dd]
(Nid oes gan ddyn cywir dwyll)
Yr aeth i dref dan nef nen
Y sarff, lle nid oes orffen.'

[[a]digwestiwn; [b]arglwydd; [c]trist; [ch]daear; [d]eira; [dd]ynfydrwydd]

Yr oedd cysylltiadau'r gair 'sarff' yn y traddodiad barddol – yn wahanol i lyfr Genesis a'r traddodiad Cristnogol – yn rhai cadarnhaol; fe ddefnyddid y gair yn y brudiau am y mab darogan hirddisgwyliedig. Er bod y sôn am roi 'tydwedd' ('daear') ar gleddyf fel pe bai'n awgrym o gydnabyddiaeth fod Owain wedi marw, fe awgrymodd Dylan Foster Evans fod yma yr un pryd gyfeirio at enciliad Glyndŵr i guddfan i aros dydd ei ddeffro, thema a ddaeth yn amlwg yn y traddodiadau amdano. 'Amwyll' neu ynfydrwydd yn ôl y bardd oedd encilio felly gan fod yr angen am waredwr yn parhau. Er bod y cywydd yn adleisio peth o siom y blynyddoedd ar ôl y gwrthryfel, mae'n gorffen yn obeithiol. Ar ôl i'r bardd nodi bod y Cymry bellach wedi eu bwrw i'r llawr, mae'n holi'r ddau broffwyd 'A oes obaith i'n iaith ni [= 'ein cenedl ni'] ... fyth gyfodi?' Mae'r ateb yn ddiamwys, 'Oes! Oes! ... byw yw'n gobaith', ac aiff y bardd rhagddo wedyn i rag-weld dyfodiad y mab darogan a fydd, ar ôl brwydro ffyrnig, yn adfer breintiau'r Cymry ac yn teyrnasu. Mae seicoleg y gerdd yn gymhleth. Gellir awgrymu ei bod yn amlygu tyndra y mae'n rhaid ei fod yn nodweddu meddylfryd llawer o Gymry wedi'r gwrthryfel, tyndra rhwng realiti a dyhead: er bod rheswm oer yn mynnu bod Owain wedi marw, fe losgai dyhead cyndyn hefyd am weld ei 'atgyfodi' – sut bynnag, ai'n llythrennol ynteu'n drosiadol, yr oeddynt yn synio am hynny – yn fab darogan i arwain ac i waredu ei genedl.[4]

Mae'r syniad am Owain fel un a oedd eto'n fyw neu'n un a allai atgyfodi yn brigo i'r golwg sawl tro ym marddoniaeth y bymthegfed ganrif. Fel y nodwyd eisoes, fe dystiodd Lewys Glyn Cothi am y modd y synnid am Arthur yn y dull hwn yng Nghernyw, gan ei gymharu â'r goel debyg ynghylch Glyndŵr ym Maelienydd:

> medd Cernyw, "Byw yw 'mhob wart[a]
> Arthur rasol", nerth Rhisiart;
> medd Melienydd, "Byw fydd fo,
> Owain Hen", wrth wyn[b] honno.
>
> [[a]amddiffynfa; [b]dymuniad, dyhead]

Wrth annerch Rhosier Pilstwn, uchelwr o ogledd-ddwyrain Cymru, pan oedd ar ryw berwyl ym Morgannwg – fe'i gelwir yn 'nai Owain' gan ei fod yn ŵyr i chwaer Glyndŵr – fe gyfeiriodd bardd o hen gynefin Owain, Rhys Goch Glyndyfrdwy, at fodolaeth yr un gred ym Morgannwg:

> A d'wedyd, a da ydyw,
> A wnân' fod Owain yn fyw.

Mae'n ddiddorol mai llawysgrif o Forgannwg oedd Peniarth 50 ('Y Cwta Cyfarwydd') a ysgrifennwyd yn ystod y degawdau yn union ar ôl y gwrthryfel. Fe geid yn y llawysgrif gasgliad o ganu darogan o fwy nag un cyfnod yn y mesurau rhydd. Mae llawer o gyfeiriadau yn y cerddi at Owain fel y mab darogan, ond yn aml iawn mae'n sicr mai'r Owain traddodiadol yw hwn, ffigur cyfansawdd a all fod yn gyfuniad o Oweiniaid enwog y gorffennol. Ond fe geir yn y llawysgrif hefyd gerddi ac ynddynt gyfeiriadau diamwys at Owain Glyndŵr:

> A chyfodi Arth o Sycharth o Eryri lechfa[a],
> Yng Ngŵyl Fair ddiwetha', a dial ar Sais ei drais a'i draha[b].
> Yna y bydd Lloegr yn ddiras, a Sais heb gyweithas[c],
> A baedd Glyndyfrdwy yn rhannu'r deyrnas.
>
> [[a]cuddfan; [b]gormes; [c]cwmni, mintai o ganlynwyr]

Hawdd y gallasai canu o'r fath fod wedi ei lunio i ennyn cefnogaeth yn ystod y gwrthryfel, ond mae'r sôn am Owain yn codi o guddfan yn Eryri – ynghyd â chyfeiriad blaenorol yn y gerdd at Hiriell, un y sonnir amdano yn y brudiau fel arwr a fyddai'n codi 'o'i hir orwedd' – yn awgrymu i'r gerdd hon gael ei chanu ar ôl y gwrthryfel, pan fyddai'r syniad o enciliad Owain a'r gobaith y byddai'n deffro neu'n atgyfodi wedi gwreiddio yn nychymyg y Cymry. Mae cerdd arall yn y llawysgrif yn sôn am ddyfodiad rhyfelwyr o Edeirnion – hen gynefin Owain – o dan ei arweiniad:

> Ac yn yr oes oesoedd, gwerinoedd[a] gwirion[b]
> A gaiff y gorfod[c], yn dyfod o Edeirnion ...
> Ac Owain fal blaidd ymlaen marchogion,
> A chad[ch] yn ei amgylch gweilch[d] gwisgruddion[dd].
>
> [[a]pobl, lluoedd; [b]cywir, ffyddlon; [c]buddugoliaeth; [ch]llu; [d]arwyr; [dd]a'u gwisgoedd yn waedlyd][5]

Yr oedd y syniad o'r mab darogan fel 'Gŵr o gudd' – ymadrodd sy'n digwydd mewn cerddi yn Llyfr Taliesin a Llyfr

Coch Hergest – a fyddai'n atgyfodi maes o law i arwain ei genedl a difa'i gelynion yn un cyffredin yng Nghymru'r oesoedd canol. Dyma'r wedd Gymreig ar fyth yr arwr dychweledig sy'n digwydd mewn sawl gwlad (ceir sôn tebyg, er enghraifft, am Siarlymaen a Ffredrig Barbarossa). Fe ddaethpwyd i synio am Arthur ac am Owain Lawgoch yn y dychymyg poblogaidd fel arwyr a oedd ynghudd ac yn cysgu gyda'u milwyr mewn ogofâu – weithiau'n gwarchod trysor – yn aros y dydd pan gaent eu deffro. Ar ôl ei wrthryfel a dirgelwch ei ddiwedd, nid oedd yn syndod bod rhai wedi synio am Owain Glyndŵr yn yr un modd. Elfen gyffredin yn y traddodiadau am yr arwyr hyn oedd y sôn am ganu cloch i'w deffro pan fyddai eu hangen ar eu cenedl. Mewn cywydd marwnad i Owain Tudur yn 1461, lle mae'n rhestru Owain Lawgoch ac Owain Glyndŵr fel rhai a ystyrid yn feibion darogan, fel 'Owain y Glyn, onwayw gloch' ['Owain y Glyn gyda'i gloch a bair ymladd â gwaywffon'] y cyfeiriodd Ieuan Gethin at Lyndŵr. Adleisio'r un syniad a wnaeth Tudur Aled yn llinell glo ei gywydd i Ruffudd Llwyd ab Elisau o Ragad, ŵyr i Lowri, merch Tudur, brawd Glyndŵr, sy'n annog: 'Cyw Owain Glyn, cân y gloch!' Fe ddangosodd yr ysgolhaig llên gwerin Americanaidd Elissa Henken gryfed oedd y traddodiadau diweddar am Lyndŵr fel arwr a oedd, fel Arthur ac Owain Lawgoch, ynghwsg mewn ogof nes 'dyfod y dydd'; ogofâu a gysylltid yn draddodiadol ag Owain fel hyn oedd Ogof y Ddinas – yr oedd mwy nag un ogof o'r un enw yn ne Cymru – a Chraig Gwrtheyrn yn Sir Gaerfyrddin. Ond pan oedd yn ymchwilio ar lawr gwlad ynghylch y traddodiadau am Lyndŵr yng Nghymru ddechrau'r 1980au, fe soniwyd wrth Henken am ogofâu mewn mannau eraill lle honnid bod Owain yn cysgu, ym mynydd yr Aran ger Llanuwchllyn, yn Llanarmon-yn-Iâl ac yn Eryri, gan ddangos poblogrwydd a hirhoedledd y dull hwn o synio am Owain:

> ma' 'na chwedl 'i fod o'n cuddio ar lethr y Wyddfa rhwla mewn ogof, a 'dyn, pan fydd angen ar Gymru, bydd Glyndŵr yn codi unwaith eto ac yn ailgychwyn y gwrthryfel.

'Rhai a ddywedant ei farw', mae'n wir, ond eto fe barhaodd Owain y brudwyr yn rhan annatod a chyndyn o'r darlun ohono yn nychymyg poblogaidd y Cymry.[6]

Nodiadau

1 Dyfyniad o'r cronicl: Peniarth 135, 65 (hefyd Lloyd, *Owen Glendower*, 154; *OGCasebook*, 174).

2 Brud: mae M. E. Griffiths, *Early Vaticination in Welsh with English Parallels* (1937) yn arweinlyfr defnyddiol i'r canu brud, er iddo ddyddio'n anorfod; am ymdriniaethau diweddarach â brud yn gyffredinol gw. J. B. Smith, 'Gwleidyddiaeth a Diwylliant Cenedl 1282–1400', *Efrydiau Athronyddol*, 38 (1975), 55–74, P. I. Lynch, *Proffwydoliaeth a'r Syniad o Genedl*, ac A. Ll. Jones, *Darogan: Prophecy, Lament and Absent Heroes in Medieval Welsh Literature* (ond camarweiniol yw'r modd y mae'r gwaith olaf yn gwahaniaethu rhwng *brud* a *darogan* ar sail fydryddol); Glyndŵr a'r brudiau: gw. fy sylwadau yn 'Gwrthryfel Glyndŵr: Dau Nodyn' (lle anghytunir â'r farn a fynegir gan Helen Fulton yn 'Owain Glyn Dŵr and the Uses of Prophecy', *Studia Celtica*, 39 (2005), 105–21, ond cymh. ymdriniaeth fwy cymesur Fulton yn 'Owain Glyndŵr and the Prophetic Tradition', yn *OGCasebook*, 475–88); Crach Ffinnant a Hopcyn ap Tomas: gw. 'Gwrthryfel Glyndŵr: Dau Nodyn'; y brud yn llythyrau 1401 a'r Cytundeb Tridarn: Fulton, 'Owain Glyndŵr and the Prophetic Tradition', 477-80 a M. Livingston, 'An "Amazing Claim": *The Tripartite Indenture*', yn Livingston a Bollard (goln), *OGCasebook*, 494–5; sylw Davies, *Owain Glyn Dŵr Trwy Ras Duw Tywysog Cymru*, 28 (cymh. hefyd idem, *Revolt*, 160).

3 Datgladdu corff Glyndŵr: Given-Wilson (gol.), *The Chronicle of Adam Usk*, 262 (a gw. uchod, tt. 40–1); William o Malmesbury a Henry o Huntingdon: Henken, *National Redemer*, 42 (hefyd Griffiths, *Early Vaticination*, 33); datgladdu cyrff tybiedig Arthur a Gwenhwyfar: Henken, *National Redeemer*, 42–3 (hefyd Griffiths, *Early Vaticination*, 36–40; ffynhonnell yr hanes yw *Speculum Ecclesiae* Gerallt Gymro); datgladdu ac arddangos corff Hotspur: S. Walker, 'Percy, Sir Henry [*called* Henry Hotspur] (1364–1403), *soldier*', *Oxford Dictionary of National Biography*, cyf. 43, 703.

4 Cywydd Rhys Goch Eryri: gw. D. F. Evans (gol.), *Gwaith Rhys Goch*

Eryri, rhif 13 (am drafodaeth ar agweddau perthnasol o'r cywydd gw. y nodiadau, ibid., 233–40, *passim*).

5 Dyfyniad gan Lewys Glyn Cothi: Johnston (gol.), *Gwaith Lewys Glyn* Cothi, 181.15-18; dyfyniad gan Rys Goch Eryri: llsgr. Peniarth 100, 417–18 (diweddarwyd yr orgraff); dyfyniadau o gerddi Peniarth 50: M. B. Jenkins, 'Aspects of the Welsh Prophetic Verse Tradition in the Middle Ages', traethawd PhD Prifysgol Caer-grawnt (1990), 264, 392–3 (diweddarwyd yr orgraff; testun gwreiddiol yn Peniarth 50, 18, 228); Hiriell: gw. Bartrum, *A Welsh Classical Dictionary*, 365–6.

6 'Gŵr o gudd': Henken, *National Redeemer*, 32 (hefyd Jones, *Darogan*, 27–8); myth yr arwr dychweledig: cymh. S. Thompson, *Motif-Index of Folk-Literature*, A580 a D1960.2; Siarlymaen, Ffredrig Barbarossa ac arwyr dychweledig eraill: Henken, *National Redeemer*, 20 (gw. hefyd A. D. Carr, *Owen of Wales: The End of the House of Gwynedd*, 92–4); Arthur ac Owain Lawgoch ynghudd ac yn cysgu mewn ogofâu: ibid., 84–5 (hefyd J. Rhŷs, 'Welsh Cave Legends', yn *Celtic Folklore Welsh and Manx*, 456–97 *passim*; Carr, *Owen of Wales*, 95–6); Glyndŵr ac ogofâu: Henken, *National Redeemer*, 70–88 *passim*, a Marchant, *The Revolt of Owain Glyndŵr in Medieval English Chronicles*, 111–12; cywydd Ieuan Gethin: *Gwaith Ieuan* Gethin, gol. A. P. Owen, 10.48; cywydd Tudur Aled: T. G. Jones (gol.), *Gwaith Tudur Aled*, XLVII.40; Ogof y Ddinas: Henken, *National Redeemer*, 69, 80 (hefyd Rhŷs, *Celtic Folklore*, 461–2); Craig Gwrtheyrn: Henken, *National Redeemer*, 80 (ar sail Rhŷs, *Celtic Folklore*, 487); tystiolaeth ynghylch ogofâu eraill: Henken, *National Redeemer*, 79–82; dyfyniad ynghylch cuddio mewn ogof 'ar lethr yr Wyddfa': ibid., 80 (o dâp maes a wnaed yn 1982).

ATODIAD I

Llun Cwrt Llan-gain

(i) 'Wyneb Owain Glyndŵr'
(ii) Siôn Cent/John of Kent?

ATODIAD I

Llun Cwrt Llan-gain

(i) 'Wyneb Owain Glyndŵr'

Ar Ddydd Gŵyl Dewi 2011 darlledwyd rhaglen ar S4C o'r enw *Wyneb Glyndŵr*, cynhyrchiad cwmni Wild Dream Films. Fe gafwyd rhaglen ddifyr lle'r aed ati ar sail llun yng Nghwrt Llan-gain (gw. tt. 84–6) i geisio adlunio wyneb Glyndŵr gyda chymorth technoleg fodern, gan ddefnyddio technegau delweddu cyfrifiadurol (*Computer Generated Imagery*). Yn anffodus, fodd bynnag, yr oedd camgymeriad sylfaenol yn yr wybodaeth hanesyddol y seiliwyd y delweddu cyfrifiadurol arni.[1]

Yn ei gyfrol *Owen Glyndwr and the Last Struggle for Welsh Independence* (1906), adroddodd yr hanesydd poblogaidd A. G. Bradley hanes brwydr y Pwll Melyn (1405) lle lladdwyd Tudur, brawd Glyndŵr, y dywedir ei fod yn debyg iddo o ran pryd a gwedd. Soniodd Bradley fel y tybiai'r Saeson eu bod wedi lladd Glyndŵr ei hun, ond wedi'r llawenhau cychwynnol fel y bu dadrith a siom:

> The spirits of the English were sadly damped when the absence of a wart under the left eye, a distinguishing mark of Glyndwr, proclaimed that their joy was premature, and that it was the dead face of his younger brother on which they were gazing.

Ar sail y darn uchod yn Bradley, trefnodd gwneuthurwyr y rhaglen archwiliad o'r darlun yng Nghwrt Llan-gain yr honnwyd ei fod yn llun o naill ai'r cymeriad John of Kent, y bardd Siôn Cent neu Owain Glyndŵr. O chwyddo'r llun a'i archwilio'n fanwl fe ganfuwyd marc o dan lygad chwith y gŵr a ddarlunnir a thybiwyd mai dafaden ydoedd. Ar y sail fod y ddafaden honedig yn y llun yn yr un man ar yr wyneb ag a nododd Bradley, fe gasglwyd mai llun o Lyndŵr oedd y llun yng Nghwrt Llan-gain ac ar sail y dybiaeth honno y ceisiwyd adlunio'i wyneb drwy ddulliau cyfrifiadurol.[2]

Mae hanfodion yr hanes a adroddodd Bradley yn hen, o leiaf mor hen â'r unfed ganrif ar bymtheg. Ond yr oedd un gwahaniaeth sylfaenol yn yr hanes fel y'i hadroddwyd ym mhob ffynhonnell o flaen Bradley, sef lleoliad y ddafaden ar ben Glyndŵr. Tra nododd Bradley fod y ddafaden o dan ei lygad chwith, noda pob ffynhonnell arall fod y ddafaden ar *dalcen* Glyndŵr neu *uwchben ei lygad*. Yn llawysgrif BL Additional 31055, a ysgrifennwyd rhwng 1594 ac 1596, fe geir dau bennill o gywydd dienw y dywedir mewn llawysgrifau diweddarach iddynt gael eu canu ar ôl i ŵr a lysenwid yn 'Madyn' ddod â phen honedig Owain at y brenin. Yn ôl yr hanes, pan welwyd nad oedd dafaden ar ei dalcen fe sylweddolwyd nad pen Owain ydoedd, gan ysgogi'r llinellau hyn:

> Celwydh a dhywad Madyn
> Ogloph am Arglwydh y Glyn,
> am na chad y dhavaden
> garllaw tal[a] y gwr llwyd hen.
> [[a]talcen]

Mewn llawysgrifau o'r ddeunawfed ganrif (Panton 11 a Peniarth 240) lle mae'r llinellau hyn yn digwydd, fe geir rhyddiaith ragarweiniol (nas ceir yn BL Additional 31055) lle dywedir am Lyndŵr fod 'dafaden ar ei iad' [*iad* = 'pen, talcen'].[3]

Ar wahân i'r ffynonellau lle digwydd y llinellau a ddyfynnwyd uchod, fe adroddir yr un hanes mewn ffynonellau rhyddiaith lle na cheir y farddoniaeth. Yn yr 'Hanes Owain Glyndŵr' a luniwyd gan Robert Vaughan a/neu Thomas Ellis yn yr ail ganrif ar bymtheg fe ddywedir a ganlyn am frwydr y Pwll Melyn:

> Among the dead bodies was found one much like unto Owen whom they supposed and gave out to be Owen that was slaine, but upon further enquiry it was found it was not Owen but his brother Tuder who very much resembled him and was often taken for him being hardly distinguished asunder. only Owen had a little wart above one of his eybrows, w[ch.] Tuder had not.

Fe geir ffynonellau rhyddiaith diweddarach – y mae eu gwybodaeth, mae'n bur sicr, i'w holrhain yn ôl i 'Hanes Owain Glyndŵr' – sy'n adrodd yr un stori. Ar wahân i'r ffynonellau sy'n cynnwys testun 'Hanes Owain Glyndŵr' ei hunan (llawysgrifau Panton 53 a Chaerdydd 2.71 a'r *Memoirs of Owen Glendowr* (1775)), gellir crybwyll Thomas Carte, *A General History of England* (1750), Thomas Pennant, *A Tour in Wales* (1778) a Thomas Thomas, *Memoirs of Owen Glendower* (1822). Y mae'r rhain yn gytûn mai *uwchben* llygad Owain y ceid y ddafad:

> a wart which Owain had over one of his eyebrows (Carte)
>
> on examining the dead body, it was found to want a wart over the eye (Pennant)
>
> it wanted a wart over the eye, which distinguished Owain from his brother (Thomas)

Mae'n debyg fod gwybodaeth Bradley yn deillio o un o'r ffynonellau printiedig hyn, yn fwyaf tebygol, efallai, naill ai cyfrol Thomas neu argraffiad 1883 o waith Pennant (mae Bradley yn cyfeirio at weithiau Thomas a Pennant yn rhagair ei gyfrol). Gellir tybio i Bradley naill ai fod yn esgeulus wrth drin ei ffynonellau neu iddo gamgofio'r hyn a ddarllenodd, gan leoli'r ddafad o dan lygad Glyndŵr yn hytrach nag uwchlaw iddi, ei lleoliad yn ôl pob ffynhonnell arall.[4]

Mae'n drueni i'r rhai a fu ynglŷn â'r rhaglen deledu gael eu camarwain gan yr hanes fel yr adroddwyd ef gan Bradley;

oherwydd hyn, nid oedd y rhagdybiaethau y seiliwyd y rhaglen arni na'r ddelwedd o 'wyneb Glyndŵr' a gynhyrchwyd ar gyfer y rhaglen yn ddilys. Mae'n hollol sicr na ellir defnyddio hanes y ddafaden – boed hwnnw'n hanes dilys neu'n ddychymyg llên gwerin – fel prawf mai Glyndŵr a ddarlunnir yn y llun yng Nghwrt Llan-gain.

(ii) Siôn Cent/John of Kent?[5]

Nid Owain Glyndŵr yw'r unig un y tybiwyd ei fod yn cael ei ddarlunio yn y llun yng Nghwrt Llan-gain. Mwy cyffredin fu honni mai llun o Siôn Cent/John of Kent ydyw, honiad a wnaed gyntaf mewn print gan William Coxe yn *An Historical Tour through Monmouthshire* (1801). Fel y dangosir isod, fodd bynnag, pwy bynnag oedd 'John of Kent' ymhlith y nifer o bobl bosib a grybwyllir gan Coxe, nid llun o ŵr lleyg a geir yn y llun hwn o gwbl ond llun sy'n darlunio cardinal yn yr Eglwys Gatholig. Mae'r gŵr yn y llun yn cael ei ddarlunio gyda het cardinal, neu *galero* fel y'i gelwid, yn hongian y tu ôl i'w ben gyda chortynnau coch yr het i'w gweld yn glir wedi eu clymu ar ei frest; mae'r *galero* yn cael ei adnabod yn Saesneg fel 'the pilgrim's hat', het y pererin. Yn anffodus, er bod y cortynnau a'r het goch i'w gweld yn glir yn y llun gwreiddiol, nid yw'r manylion hyn yn glir o gwbl ar gopïau du a gwyn o'r llun a ddefnyddiwyd mewn llyfrau fel *A Guide to Welsh Literature* a olygwyd gan Jarman a Hughes a llyfr Ian Skidmore ar Owain Glyndŵr. Ond pwy y mae'r gŵr cardinalaidd hwn yn ei gynrychioli?[6]

Yn 1935 fe ddatrysodd Nikolaus Pevsner y dirgelwch mewn adroddiad ar arddangosfa o gelf canolbarth Lloegr a gynhaliwyd flwyddyn cyn hynny yn Birmingham drwy ddatgan mai llun o'r bymthegfed ganrif ydoedd yn darlunio hen ddyn yn cynrychioli Sain Sierôm (*c.* 347–420), un o'r Tadau Eglwysig. Nid yw Pevsner yn esbonio sut y daeth i'r casgliad hwn ond y tebyg yw ei fod wedi sylwi ar yr het goch, y *galero*, yr oedd gwrthrych y llun yn ei gwisgo. Yn ddiweddar yn y bedwaredd ganrif ar ddeg fe ddaeth Sain Sierôm yn ffigur poblogaidd i'w ddarlunio gan arlunwyr ac un o brif nodweddion y lluniau ohono oedd ei fod yn cael ei ddarlunio fel cardinal, naill ai yn gwisgo het cardinal neu gyda'r het goch yn agos ato yn y llun. Mae Pevsner yn ychwanegu'r sylw, dan ddylanwad llyfr William Coxe mae'n debyg, fod cred ar led hefyd fod y llun yn cynrychioli 'Jack o'Kent'. Ni roddodd neb sylw i wrthrych y llun wedyn am bron hanner canrif. Yn 1984 fe dynnodd Nicholas Rogers sylw am y tro cyntaf mewn print at y ffaith fod y gwrthrych yn gwisgo het goch cardinal (er ei fod yn cyfeirio at yr het fel *cappa* yn hytrach na *galero*). Dadleuodd Rogers mai llun o gardinal ydoedd ac nad oedd sail o gwbl i'r gred y gallai gwrthrych y llun gynrychioli Siôn Cent/John of Kent. Fe geir enghraifft drawiadol o ddarlunio Sain Sierôm fel hen ddyn crychlyd yn gwisgo *galero* yn y Galleria Palatina (Palazzo Pitti) yn Firenze a briodolir weithiau i'r arlunydd Andrea Verrocchio (*c.* 1435–88).[7]

Mae lle i dybio mai llun a beintiwyd gan arlunydd o'r Iseldiroedd tua diwedd y bymthegfed ganrif neu'n fuan wedyn yw llun Cwrt Llan-gain. Fe'i dyddiwyd i'r cyfnod *c.* 1480–1510 gan Nicholas Rogers ac yn fras i'r un cyfnod ('yn hwyr yn y bymthegfed ganrif') gan Amgueddfa Genedlaethol Cymru pan archwiliwyd y llun yn 2004. Yn ystod y cyfnod hwnnw fe beintiwyd llawer o bortreadau crefyddol bychain o seintiau yn yr Iseldiroedd, ac mae'n debyg mai i'r *genre* hwn y perthyn llun Cwrt Llan-gain. Yn yr un cyfnod, nid oedd portreadau seciwlar lawn mor gyffredin ag y daethant yn ddiweddarach: fe berthynai gweithiau felly ar y cyfan i haen uchaf y farchnad a noddid gan deuluoedd brenhinol neu aristocrataidd neu ddosbarthiadau breiniol eraill. Yn y cyfnod pan gafodd y llun ei greu, ni châi llawer o bobl heb fod yn perthyn i ddosbarthiadau uchaf cymdeithas eu darlunio mewn portreadau; dyma reswm arall, wrth gwrs, o blaid credu ei bod yn annhebygol fod y llun yn cynrychioli unrhyw Siôn Cent/John of Kent. Ystyriaeth amlwg arall, wrth gwrs, yw fod Siôn Cent, y bardd o Gymro, a'r rhan fwyaf o'r rhai y mae'n debyg iddynt fod yn sail i'r cymeriad llên gwerin John neu Jack of Kent yn eu blodau yn llawer cynharach na chyfnod peintio'r darlun ac na allai'r darlun felly fod yn bortread byw o neb ohonynt.[8]

Wrth edrych ar fanylion eraill llun Llan-gain fe ddaw yn fwy clir fyth mai llun o Sain Sierôm ydyw. Ynddo fe geir llun pen ac ysgwyddau o hen ddyn hynod o grychlyd gyda het cardinal yn hongian y tu ôl i'w ben gyda chortynnau coch yr het wedi eu clymu ar ei frest; mae'r hen ddyn yn ysgrifennu mewn llyfr gyda phlufyn. Mae tirlun manwl i'w weld ar y chwith i'r hen ddyn, gyda choeden dal a main iawn yn y blaendir ac arni ychydig o ddeiliach tenau. Yng nghanol y tirlun y mae casgliad o adeiladau gyda wal o'u hamgylch. Y tu ôl i'r adeiladau y mae llwybr yn troelli i fyny bryn gydag adeilad arall ar y copa. Perthnasol iawn o ran pennu gwrthrych y darlun yw'r ffaith fod darlunio Sain Sierôm mewn tirlun ac iddo ddwy ran – iseldir ac ucheldir – yn gyffredin yng ngwaith arlunwyr gogledd yr Eidal yn ystod y bymthegfed ganrif ac i'r confensiwn, fe dybir, ddylanwadu ar arlunwyr yr Iseldiroedd.[9]

Wrth edrych ar dirlun heddiw mae ein meddyliau modern, iwtilitaraidd ni yn hwyrfrydig i ddarllen unrhyw beth ychwanegol i mewn i'r olygfa foel o flaen ein llygaid. Ond yn oes y dadeni pan beintiwyd llun Cwrt Llan-gain yr oedd tirluniau yn aml yn llawn symboliaeth. Fe allai'r goeden dal sydd mor amlwg ym mlaen y tirlun yn llun Llan-gain – ac y gwelir un debyg iddi ym mlaendiroedd llawer o dirluniau o'r Iseldiroedd o tua'r un cyfnod – gynrychioli Pren y Bywyd a oedd wedi marw o ganlyniad i'r pechod gwreiddiol ac a adfywiwyd o ganlyniad i Ymgnawdoliad a Chroeshoeliad Crist. Mewn astudiaeth o dirluniau un o arlunwyr enwocaf tirluniau yn oes y dadeni, sef Joachim Patinir (*c.* 1480–1524), mae R. L. Falkenburg yn dangos sut yr oedd yr arlunydd yn defnyddio tirluniau i gynrychioli cysyniadau crefyddol. Gan fod llun Llan-gain yn gynnyrch yr un wlad a'r un cyfnod, mae'n bosib nad ar hap a damwain y darluniwyd rhai elfennau yn y tirlun yn ein llun felly. Mae lluniau o'r math hwn, yn ôl Falkenburg, yn gynorthwyon gweledol ar gyfer myfyrio ar bererindod bywyd, trosiad crefyddol hynod boblogaidd ar y pryd. Gellir ystyried y ffigwr sanctaidd a duwiol yn y blaendir – Sain Sierôm yn achos llun Llan-gain – fel esiampl y dylai'r sawl sy'n gweld y llun ei chadw mewn cof wrth i'w lygaid grwydro drwy'r tirlun yn y cefndir.

Fe all un o'r llwybrau yn y llun gynrychioli ffordd y bywyd y mae angen i'r sawl sy'n edrych ar y llun fyfyrio arni a'i dilyn er mwyn cael iachawdwriaeth. Tybed nad dyna yw'r llwybr yn y llun sy'n troelli heibio'r adeiladau islaw i fyny bryn tuag at adeilad arall ar y copa? Os felly, mae tebygrwydd thematig rhwng y tirlun a *De Civitate Dei* Awstin Sant, sy'n cysylltu'r cyferbyniad rhwng y *civitas terrena* ('y ddinas ddaearol') islaw a'r *civitas Dei* ('dinas Duw') uchod â throsiad pererindod bywyd. Mae Falkenburg yn cyfeirio at ddwy enghraifft o luniau gan Albrecht Dürer a Raphael lle mae castell rhinwedd ar safle uchel yn cael ei gyferbynnu â thirlun islaw sy'n cynnwys dinas ar lan afon. Gellir awgrymu bod yr un trosiad i'w weld yn llun Llan-gain: mae'r het goch, het y pererin y mae'r gwrthrych yn ei gwisgo, yn gweddu'n berffaith i'r thema.[10]

Mae'n werth nodi bod y lliwiau a ddefnyddir yn llun Llan-gain yn drawiadol debyg i'r lliwiau a ddefnyddid gan Patinir ac arlunwyr eraill o'r Iseldiroedd yn eu tirluniau. Defnyddiodd arlunwyr yn y traddodiad hwn fformiwla drilliw yn aml: brown yn y blaendir, gwyrddlas yn y tir canol a glas golau yn y cefndir. Dyma fformiwla'r 'tri phellter' fel y'i gelwid, un a ddaeth yn gyffredin yn yr Iseldiroedd yn yr unfed ganrif ar bymtheg.[11]

Llun crefyddol yn darlunio Sain Sierôm gan arlunydd (neu arlunwyr) anhysbys o'r Iseldiroedd yw llun Cwrt Llan-gain felly, un a fwriadwyd yn wreiddiol i'w ddefnyddio gan berson defosiynol ar gyfer myfyrdod. Ni ellir ond dyfalu ynghylch hanes ei daith o'i greu yn yr Iseldiroedd chwe chan mlynedd yn ôl i blasty bonheddig ar ororau Cymru a Lloegr.

Nodiadau

1 Cedwir copi o'r rhaglen yn Archif Genedlaethol Sgrin a Sain Cymru yn y Llyfrgell Genedlaethol.

2 Dyfyniad o gyfrol Bradley: *Owen Glyndwr and the Last Struggle for Welsh Independence*, 249.

3 Llinellau cywydd: dyfynnir o'r testun a olygwyd yn *OGCasebook*, 216 (nodiadau ibid., 399–401); testunau llawysgrif: BL Additional 31055, 226; Panton 11, 69; Peniarth 240, 3.

4 Dyfyniad o 'Hanes Owain Glyndŵr': dyfynnir testun LlGC 14587B, 64 (yr un dyfyniad mewn ffynonellau eraill sy'n cynnwys yr un testun, Panton 53, 56v; Caerdydd 2.71, 21v–22r; *Memoirs of Owen Glendower*, 70–71); dyfyniad o gyfrol Carte: *A General History of England*, 665; dyfyniad o gyfrol Pennant: *A Tour in Wales*, 346; dyfyniad o gyfrol Thomas: *Memoirs of Owen Glendower*, 131–2; yr hanes yn argraffiad 1883 o waith Pennant: *Tours in Wales by Thomas Pennant, Esq*, gol. J. Rhys, III, 333–4; cyfeiriadau yn rhagair Bradley: *Owen Glyndwr*, iv.

5 Yr wyf yn ddyledus i'm gwraig, Éimear, am gymorth gydag ymchwilio'r rhan hon o'r atodiad.

6 Coxe: *Historical Tour*, II, 337 (ceir engrafiad o'r llun gyferbyn â 338); y *galero*: J.-C. Noonan, *The Church Visible: the Ceremonial Life and Protocol of the Catholic Church*, 151; Jarman a Hughes (goln), *A Guide to Welsh Literature Volume 2*, gyferbyn â 180; Skidmore, *Owain Glyndŵr*, gyferbyn â 165.

7 Pevsner: 'The Birmingham Exhibition', 30 (ceir ganddo gopi o'r llun uwchben y pennawd '*St. Jerome*, supposed to represent *Jack O' Kent*'); poblogrwydd lluniau o Sain Sierôm a'i ddarlunio fel cardinal: M. Meiss, 'Scholarship and Penitence in the Early Renaissance: the Image of St. Jerome', *Pantheon*, 32 (1974), 134; Rogers: 'The so-called portrait of Siôn Cent', 103–4; llun yn y Palazzo Pitti: *http://www.wikiart.org/en/andrea-del-verrocchio/st-jerome* (cyrchwyd Hydref 2014) [amheus yw'r priodoliad i Verrocchio ond mae'r llun yn perthyn i'w gyfnod ef].

8 Dyddio'r llun: Rogers, 'The so-called portrait of Siôn Cent', 104; Amgueddfa Genedlaethol Cymru, 'Art Department Condition Report' (2004) (diolchaf i Mr Oliver Fairclough o Adran Gelf yr Amgueddfa am ddarparu copi o'r adroddiad, a gyfyngir i gyflwr y llun heb ddadansoddi'r cynnwys); statws portreadau seciwlar: M. Ainsworth, 'The Business of Art: Patrons, Clients and Art Markets', yn M. Ainsworth a K. Christiansen (goln), *From Van Eyck to*

Bruegel: Netherlandish Painting in the Metropolitan Museum of Art, 24.

9 Darlunio Sain Sierôm mewn tirlun deublyg yn yr Eidal: W. S. Gibson, *'Mirror of the Earth': The World Landscape in Sixteenth-Century Flemish Painting*, 11.

10 Symbolaeth Pren y Bywyd: M. L. d'Ancona, *The Garden of the Renaissance: Botanical Symbolism in Italian Painting*, 22; cyfrol Falkenburg: *Joachim Patinir: Landscape as an Image of the Pilgrimage of Life* (gw. yn arbennig tt. 9 (pererindod bywyd), 78 (*De Civitate Dei*) a 80–81 (lluniau Dûrer a Raphael)).

11 Lliwiau tirluniau: R. A. Koch, *Joachim Patinir*, 18; Gibson, *'Mirror of the Earth'*, 7.

Llyfryddiaeth

Llawysgrifau a dogfennau

Aberystwyth, Archif Comisiwn Brenhinol Henebion Cymru

C17235.

Aberystwyth, Llyfrgell Genedlaethol Cymru

Llawysgrifau Ychwanegol: 39B; 1565C; 3054D; 7008E; 13129A; 13152A; 14587B; 16962A; 17990D; 20898E.

Panton: 11; 53.

Peniarth: 26; 50; 94; 128; 134; 135; 139, ii; 177; 239; 240; 287; 288; 327, ii.

Caerdydd, Llyfrgell Ganolog

18 (RMW); 50 (RMW); 2.71; 2.278; 5.51.

Henffordd, Herefordshire Record Office

B56/1.

Llundain, Y Coleg Arfau

Protheroe XVII; XVIII.

Llundain, Yr Archifdy Gwladol

TNA CP 25/1/83/50, rhif 55; TNA CP 25/1/83/52, rhif 38.

Llundain, Y Llyfrgell Brydeinig

Llawysgrifau Ychwanegol: 28033; 31055.

Harley: 35; 807; 1140; 1157; 1442; 1969; 1975; 2141; 2299; 2300; 5835; 6832.

Stowe: 440.

Rhydychen, Llyfrgell Bodley

Carte 125; Coleg Iesu 141; Wood F.39.

Llyfrau ac erthyglau

Ainsworth, Maryan, 'The Business of Art: Patrons, Clients and Art Markets', yn Maryan Ainsworth a Keith Christiansen (goln), *From Van Eyck to Bruegel: Netherlandish Painting in the Metropolitan Museum of Art* (New York, 1998), 23–37.

Allday, D. Helen, *Insurrection in Wales* (Lavenham, 1981).

An Inventory of the Ancient Monuments in Caernarvonshire: Vol. II, Central (London, 1960).

An Inventory of the Historical Monuments in Herefordshire: Vol. I – South West (London, 1931).

An Inventory of the Historical Monuments in Herefordshire: Vol. II – East (London, 1932).

An Inventory of the Historical Monuments in Herefordshire: Vol. III – North West (London, 1934).

'Antiquarius', [Llythyr di-deitl], *The Gentleman's Magazine*, 55 (12), December 1785, 936–7.

Bannister, Arthur Thomas (gol.), *Registrum Thome Spofford, Episcopi Herefordensis, A.D. MCCCCXXII–MCCCCXLVIII* (London, 1919).

——, 'Visitation Returns of the Diocese of Hereford in 1397', *English Historical Review*, 44 (1929), 279–89.

Barber, Chris, *In Search of Owain Glyndŵr* (Llanfoist, 1998).

Bartrum, Peter C., *Welsh Genealogies AD 300–1400*, 8 cyfrol (Cardiff, 1974).

——, *Welsh Genealogies AD 1400–1500*, 18 cyfrol (Aberystwyth, 1983).

——, *A Welsh Classical Dictionary* (Aberystwyth, 1993).

——, *Welsh Genealogies AD 300–1400, Additions and Corrections, Sixth List* (Aberystwyth, 1999).

Bennett, D. H., 'Ogof Owen Glyndwr', *Cymru'r Plant*, XVII (1908), 313.

Betts, Clive, 'Hero's riddle laid to rest', 'Glyndwr's last hideout', *Western Mail*, 5 Ionawr 1995, 1, 3.

Bows, 'Owen Glendower's Cave', *Bye-Gones*, new series, XII (1911–12), 148.

Bradley, Arthur Granville, *Owen Glyndwr and the Last Struggle for Welsh Independence* (New York & London, 1906).

Bradney, Joseph Alfred, *Llyfr Baglan or the Book of Baglan compiled between the years 1600 and 1607 by John Williams* (London, 1910).

Breverton, Terry, *Owain Glyndŵr: The Story of the Last Prince of Wales* (Stroud, 2013).

Brian, Anthea, *A Brief History of the Houses in the Parish of Bodenham, Herefordshire in the Township of Bodenham Devereux* (Little Logaston, 2004).

Briggs, Katharine, *A Dictionary of Fairies*, arg. clawr papur (Harmondsworth, 1977).

Brooks, Alan a Pevsner, Nikolaus, *The Buildings of England: Herefordshire*, arg. newydd (New Haven & London, 2012).

Bryant-Quinn, M. Paul, 'Chwedl Siôn Cent', *Cof Cenedl*, XX (2005), 1–31.

Burke's Genealogical and Heraldic History of the Landed Gentry, 18fed arg., 3 cyfrol (London, 1965–72).

Calendar of the Close Rolls Preserved in the Public Record Office, Edward III, Vol. xiii, A.D. 1369–74 (London, 1911).

Calendar of the Close Rolls Preserved in the Public Record Office, Henry V, Vol. i, A.D. 1413–1419 (London, 1929).

Calendar of the Fine Rolls Preserved in the Public Record Office, Richard II, Vol. x, A.D. 1383–1391 (London, 1929).

Calendar of the Fine Rolls Preserved in the Public Record Office, Henry IV, Vol. xii, A.D. 1399–1405 (London, 1931).

Calendar of Inquisitions Miscellaneous (Chancery) Preserved in the Public Record Office, Vol. vii, 1399–1422 (London, 1968).

Calendar of the Patent Rolls Preserved in the Public Record Office, Henry IV, Vol. ii, A.D. 1401–1405 (London, 1905).

Calendar of the Patent Rolls Preserved in the Public Record Office, Henry VI, Vol. ii, A.D. 1429–1436 (London, 1907).

Calendar of the Patent Rolls Preserved in the Public Record Office, Edward IV, Edward V, Richard III, A.D. 1476–1485 (London, 1901).

Camden, William, *Britannia, Newly Translated into English: with Large Additions and Improvements* (London, 1695).

Camden, William, *Britannia*, cyf. Richard Gough (London, 1789).

Camlan, Goronva (Williams, Rowland, D.D.), *Owen Glendower; A Dramatic Biography: being a contribution to the genuine history of Wales* (London, Edinburgh & Bristol, 1870).

Capes, William W. (gol.), *The Register of John Trefnant Bishop of Hereford (A.D. 1389–1404)* (Hereford, 1914).

Carr, A. D., *Owen of Wales: The End of the House of Gwynedd* (Cardiff, 1991).

Carte, Thomas, *A General History of England*, 4 cyfrol (London, 1747–55).

Cernyw, Hywel, *Hynafiaethau Edeyrnion* (Ty'nycefn, 1878).

Chapman, Adam, 'The King's Welshmen: Welsh Involvement in the Expeditionary Army of 1415', *Journal of Medieval Military History*, 9 (2011), 41–64.

Charles, B. G., 'The Welsh, their Language and Place-names in Archenfield and Oswestry', yn Henry Lewis (gol.), *Angles and Britons: O'Donnell Lectures* (Cardiff, 1963), 85–110.

Clark, Andrew (gol.), *'Brief Lives', chiefly of Contemporaries, set down by John Aubrey, between the Years 1669 & 1696*, 2 gyfrol (Oxford, 1898).

Clarke, M. L., *Bangor Cathedral* (Cardiff, 1969).

Cooke, William Henry, *Collections towards the History and Antiquities of the County of Hereford. In Continuation of Duncumb's History: Hundred of Grimsworth. Part II* (London, 1892).

Coplestone-Crow, Bruce, *Herefordshire Place-names* (Little Logaston, 2009).

Coxe, William, *An Historical Tour through Monmouthshire*, 2 gyfrol (London, 1801).

Croft, Lord, *My Life of Strife* (London, [d.d.]).

Croft, O. G. S., *The House of Croft of Croft Castle* (Hereford, 1949).

Curry, Anne, *Agincourt: A New History* (Stroud, 2006).

d'Ancona, Mirella Levi, *The Garden of the Renaissance: Botanical Symbolism in Italian Painting* (Firenze, 1977).

Daniel, R. Iestyn (gol.), *Gwaith Dafydd Bach ap Madog Wladaidd 'Sypyn Cyfeiliog' a Llywelyn ab y Moel* (Aberystwyth, 1998).

——, *Gwaith Llawdden* (Aberystwyth, 2006).

Daniell, Christopher, *Death and Burial in Medieval England, 1066–1550* (London, 1997).

Davies, R. R., *The Revolt of Owain Glyn Dŵr* (Oxford & New York, 1995).

——, *Owain Glyn Dŵr: Trwy Ras Duw, Tywysog Cymru* (Talybont, 2002).

Davies, William, *Hanes Plwyf Llanegryn* (Liverpool, 1948).

Defoe, Daniel, *A Tour through the Whole Island of Great Britain*, gol. Pat Rogers (Harmondsworth, 1971).

Devon, Frederick, *Issues of the Exchequer being a collection of payments made out of His Majesty's Revenue from King Henry III to King Henry VI Inclusive* (London, 1837).

Dienw, *A History of the Island of Anglesey* (London, 1775).

Dienw, 'Moccas Park', *Transactions of the Woolhope Naturalists' Field Club* (1870), 311–21.

Dienw [? O. M. Edwards], 'Owen Glyn Dwr', *Y Llenor*, IX (1897), 65–80.

Dienw, 'Report on Field Meeting – September 1st, 1974: Monnington Court, Vowchurch', *Herefordshire Archaeological News* (January 1975), 5.

Dienw, *St. Mary's Church Monnington-on-Wye* ([dim man cyhoeddi na dyddiad]).

Dienw, *The View from Here: A Colloquial History of Croft Castle* (Folkestone, [2012]).

Duncumb, John, *Collections towards the History and Antiquities of the County of Hereford*, Vol. I (Hereford, 1804).

Edwards, Nancy, *A Corpus of Early Medieval Inscribed Stones and Stone Sculpture in Wales*, Vol. III, North Wales (Cardiff, 2013).

Ekwall, Eilert, *The Concise Oxford Dictionary of English Place-Names*, 4ydd arg. (Oxford, 1960).

Evans, Dylan Foster (gol.), *Gwaith Rhys Goch Eryri* (Aberystwyth, 2007).

Evans, J. a Britton, John, *A Topographical and Historical Description of the County of Monmouth* (London, 1810).

Falkenburg, Reindert L., *Joachim Paintir: Landscape as an Image of the Pilgrimage of Life*, cyf. Michael Hoyle (Amsterdam & Philadelphia, 1988).

Faraday, M. A. (gol.), *Herefordshire Taxes in the Reign of Henry VII* (Hereford, 2005).

Forrest, Ian, 'The Politics of Burial in Late Medieval Hereford', *English Historical Review*, 125 (2010), 1110–38.

Fulton, Helen, 'Owain Glyndŵr and the Uses of Prophecy', *Studia Celtica*, 39 (2005), 105–21.

——, 'Owain Glyndŵr and the Prophetic Tradition', yn Michael Livingston a John K. Bollard (goln), *Owain Glyndŵr: A Casebook* (Liverpool, 2013).

G. W. M., gw. Marshall, George W.

Garnett, Oliver, *Croft Castle* (Swindon, [d.d.]).

Gibbon, Alex, *The Mystery of Jack of Kent & The Fate of Owain Glyndŵr*, arg. clawr papur diwygedig (Stroud, 2007; arg. cyntaf 2004).

Gibbs, Geoffrey, 'Hi-tech pointer to Welsh rebel's last resting place', *The Guardian*, 3 Gorffennaf 2000, 9.

Gibson, Walter S., *'Mirror of the Earth': The World Landscape in Sixteenth-Century Flemish Painting* (Princeton, NJ, 1989).

Given-Wilson, C. (gol.), *The Chronicle of Adam Usk 1377–1421* (Oxford, 1997).

Gough, Richard, *British Topography*, 2 gyfrol (London, 1780).

Grant, Raymond, *The Royal Forests of England* (Gloucester, 1991).

Griffiths, Margaret Enid, *Early Vaticination in Welsh with English Parallels*, gol. T. Gwynn Jones (Cardiff, 1937).

Griffiths, Ralph A., 'Some Secret Supporters of Owain Glyndŵr?', *Bulletin of the Institute of Historical Research*, 37 (1964), 77–100.

——, *The Principality of Wales in the Later Middle Ages: The Structure and Personnel of Government, I. South Wales, 1277–1536* (Cardiff, 1972).

Griffiths, Rhidian, 'Prince Henry's War: Armies, Garrisons and Supply during the Glyndŵr Rising', *Bwletin y Bwrdd Gwybodau Celtaidd*, 34 (1987), 165–73.

——, 'Y Tywysog Harri a Gwarchaeau Olaf Gwrthryfel Glyndŵr', *Dwned*, 20 (2014), 41–50.

Hair, P. E. H., 'Chaplains and Chapels of North-West Herefordshire c. 1400' [mewn dwy ran], *Transactions of the Woolhope Naturalists' Field Club*, 46 (1988, 1989), 31–64, 246–88.

Hall, Edward, *The Vnion of the two noble and illustre famelies of Lancastre & Yorke* (Londini, 1550).

Hearne, Thomas, *The Itinerary of John Leland the Antiquary*, 9 cyfrol (Oxford, 1770).

Henken, Elissa R., *National Redeemer: Owain Glyndŵr in Welsh Tradition* (Cardiff, 1996).

Hillaby, Joe a Hillaby, Caroline, *Leominster Minster, Priory and Borough c660–1539* (Little Logaston, 2006).

Hodges, Geoffrey, *Owain Glyn Dŵr: the War of Independence in the Welsh Borders* (Little Logaston, 1995).

Hughes, John, *Glyndŵr's Daughter* (Talybont, 2012).

Huws, Daniel, *Medieval Welsh Manuscripts* (Cardiff & Aberystwyth, 2000).

Inglis-Jones, Elisabeth, *Peacocks in Paradise* (London, 1950).

Inquisitions and Assessments relating to Feudal Aids with other analogous documents preserved in the Public Record Office A. D. 1284–1431, Vol. II. Dorsetshire–Huntingdon (London, 1900).

Jack, R. Ian, 'New Light on the Early Days of Owain Glyndŵr', *The Bulletin of the Board of Celtic Studies*, 21 (1964–6), 163–6.

Jackson, M. Newton (o dan yr enw 'M. N. J.'), *Bygone Days in the March Wall of Wales* (London, 1926).

Jarman, A. O. H. a Hughes, Gwilym Rees (goln), *A Guide to Welsh Literature Volume 2* (Swansea, 1979).

Jenkins, D. E., *Bedd Gelert: Its Facts, Fairies & Folk-lore* (Portmadoc, 1899).

Johnston, D. R. (gol.), *Gwaith Iolo Goch* (Caerdydd, 1988).

——, *Gwaith Lewys Glyn Cothi* (Caerdydd, 1995).

Johnston, George (cyf.), *The Saga of Gisli* (London, 1964).

Jones, Aled Llion, *Darogan: Prophecy, Lament and Absent Heroes in Medieval Welsh Literature* (Cardiff, 2013).

Jones, E. D. (gol.), *Gwaith Lewis Glyn Cothi: Y Gyfrol Gyntaf, Testun Llawysgrif Peniarth 109* (Caerdydd ac Aberystwyth, 1953).

——, 'Thomas Ellis and the "Memoirs of Owen Glendowr"', *Cylchgrawn Llyfrgell Genedlaethol Cymru*, 3 (1943–4), 165–7.

Jones, Francis, *A Catalogue of Welsh Manuscripts in the College of Arms* (London, 1988).

Jones, Owen, Williams, Edward, a Pughe, William Owen (goln), *The Myvyrian Archaiology of Wales*, arg. newydd (Denbigh, 1870).

Jones, T. Gwynn (gol.), *Gwaith Tudur Aled*, 2 gyfrol (Caerdydd, 1926).

Jones, William ('Bleddyn'), 'Plwyf Beddgelert: Pennod III, "Nant y Colwyn"', *Y Brython*, IV (1861), 212–16.

Jurkowski, Maureen, 'Who was Walter Brut?', *English Historical Review*, 127 (2012), 285–302.

Kemp, Brian, 'Some Aspects of the *Parochia* of Leominster in the 12th Century', yn John Blair (gol.), *Minsters and Parish Churches: The Local Church in Transition 950–1200* (Oxford, 1988).

Kidd, Charles, *Debrett's Peerage & Baronetage 2008* (London, 2008).

King, D. J. Cathcart, *Castellarium Anglicanum: an index and bibliography of the castles in England, Wales and the islands*, 2 gyfrol (Millwood, NY, 1983).

Kingsford, Charles Lethbridge (gol.), *The First English Life of King Henry the Fifth* (Oxford, 1911).

Koch, Robert A., *Joachim Patinir* (Princeton, NJ, 1968).

Langton, John a Jones, Graham (goln), *Forests and Chases of Medieval England and Wales c. 1100– c. 1500* (Oxford, 2010).

Latham, R. E., 'Hints on Interpreting the Public Records (1) The Feet of Fines', *The Amateur Historian*, I (1952), 5–9.

Leather, Ella Mary, *The Folk-lore of Herefordshire Collected from Oral and Printed Sources* (Hereford & London, 1912).

Lewis, Colin, *Herefordshire, The Welsh Connection* (Llanrwst, 2006).

Lewis, Henry, Roberts, Thos., a Williams, Ifor (goln), *Cywyddau Iolo Goch ac Eraill 1350–1450* (Bangor, 1925); arg. newydd (Caerdydd, 1937).

Livingston, Michael a Bollard, John K. (goln), *Owain Glyndŵr: A Casebook* (Liverpool, 2013).

Livingston, Michael, 'An "Amazing" Claim: *The Tripartite Indenture*', yn Michael Livingston a John K. Bollard (goln), *Owain Glyndŵr: A Casebook* (Liverpool, 2013).

Lloyd, J. E., *Owen Glendower: Owen Glyn Dŵr* (Oxford, 1931).

Lloyd, J. Y. W., *The History of the Princes, the Lords Marcher, and the Ancient Nobility of Powys Fadog*, 6 chyfrol (London, 1881–7).

Lynch, Peredur I., *Proffwydoliaeth a'r Syniad o Genedl* (Bangor, 2007).

M. N. J., gw. Jackson, M. Newton

MacLysaght, Edward, *Irish Families: Their Names, Arms and Origins*, 3ydd arg. diwygiedig (Dublin, 1978).

——, *More Irish Families* (Blackrock, 1982).

Marchant, Alicia, *The Revolt of Owain Glyndŵr in Medieval English Chronicles* (York & Woodbridge, 2014).

[Marshall, George], 'First Field Meeting Thursday, May 25th, 1933: Monnington and Moccas', *Transactions of the Woolhope Naturalists' Field Club* (1933), xi–xviii.

——, 'The Norman Occupation of the Lands in the Golden Valley, Ewyas and Clifford and their Motte and Bailey Castles', *Transactions of the Woolhope Naturalists' Field Club* (1938), 141–58.

Marshall, George W. (o dan yr enw 'G.W.M.'), 'Monumental Inscriptions at Sarnesfield, Co. Hereford', *The Genealogist*, new series, XII (1896), 7–18.

Matheson, Lister M., *The Prose Brut: the Development of a Middle English Chronicle* (Tempe, AZ, 1998).

Matthews, John Hobson, *Collections towards the History and Antiquities of the County of Hereford. In Continuation of Duncumb's History: Hundred of Wormelow (Upper Division. Part II)* (Hereford, 1913).

Matthews, T., *Welsh Records in Paris* (Carmarthen, 1910).

——, 'Pumcanmlwyddiant Owen Glyndwr', *Cymru*, 47 (1914), 153–7.

Meiss, Millard, 'Scholarship and Penitence in the Early Renaissance: the Image of St. Jerome', *Pantheon*, 32 (1974), 134–40.

[Moore, H. Cecil], 'The Burial Place of Owen Glendower', *Transactions of the Woolhope Naturalists' Field Club* (1894), 226–7.

Morris, Rupert H. (gol.), *Parochialia: issued by Edward Lhwyd*, 3 cyfrol (London, 1909–11).

Nash-Williams, V. E., *The Early Christian Monuments of Wales* (Cardiff, 1950).

Nicolas, N. Harris (gol.), *De controversia in curia militari inter Ricardum Le Scrope et Robertum Grosvenor milites*, 2 gyfrol (London, 1832).

Noonan, James-Charles, *The Church Visible: the Ceremonial Life and Protocol of the Catholic Church*, arg. diwygiedig (New York, 2012).

Norr, Vernon M., *Some Fabulous Pedigrees: Combined from Most Available Sources, 1958–1968* (Arlington, VA, 1968).

Owen, Ann Parry (gol.), *Gwaith Ieuan Gethin* (Aberystwyth, 2013).

Owen, D. Huw a Smith, J. Beverley, 'Government and Society 1283–1536', yn J. Beverley Smith a Llinos Beverley Smith (goln), *History of Merioneth Volume II: The Middle Ages* (Cardiff, 2001), 60–136.

Owen, William, *Hanes Owain Glandwr, Blaenor y Cymry mewn Rhyfel* (Caernarfon, 1833).

Oxford Dictionary of National Biography, 60 cyfrol (Oxford & New York, 2004).

Palmer, Roy, *Herefordshire Folklore* (Little Logaston, 2002).

The Parliament Rolls of Medieval England 1275–1504, 16 cyf., gol. cyffredinol Chris Given-Wilson (Woodbridge & London, 2005).

Parry, Charles, *The Last Mab Darogan: The Life and Times of Owain Glyn Dŵr* (London, 2010).

Parry, Joseph H. a Bannister, Arthur T., *Registrum Edmundi Lacy,*

Episcopi Herefordensis. A.D. MCCCCXVII–MCCCCXX (London, 1918).

Payne, F. G., *Crwydro Sir Faesyfed: Yr Ail Ran* (Llandybie, 1968).

Pennant, Thomas, *A Tour in Wales* MDCCLXXIII (London, 1778).

——, *Tours in Wales*, gol. John Rhys, 3 cyfrol (Caernarvon, 1883).

Pevsner, Nikolaus, 'The Birmingham Exhibition of Midland Art Treasures', *The Burlington Magazine for Connoisseurs*, 66 (1935), 2, 30–5.

——, *The Buildings of England: Herefordshire* (Harmondsworth, 1963).

Phillips, D. Rhys, *A Select Bibliography of Owen Glyndwr* (Swansea, 1915).

Phillips, J. R. S., 'When did Owain Glyndŵr die?', *The Bulletin of the Board of Celtic Studies*, 24 (1970–72), 59–77.

—— (gol.), *The Justices of the Peace in Wales and Monmouthshire 1541 to 1689* (Cardiff, 1975).

Plomer, William (gol.), *Kilvert's Diary 1870–1879* (New York, 1947).

Price, John, *An Historical & Topographical Account of Leominster and It's Vicinity* (Ludlow, 1795); adarg. (Leominster, 2012).

Pryce, Huw, 'The Medieval Church', yn J. Beverley Smith a Llinos Beverley Smith (goln), *History of Merioneth Volume II: The Middle Ages* (Cardiff, 2001), 254–96.

Rees, A. M. a Jones, Eurfyl, 'Dr John Elis' School, Dolgellau and its Successors, 1665–1965', *Cylchgrawn Cymdeithas Hanes a Chofnodion Sir Feirionnydd*, 5 (1965–8), 112–15.

Report on Manuscripts in the Welsh Language, Vol. I (London, 1898–9).

Richards, Melville, 'Rhaniadau Eglwysig', yn Geraint Bowen (gol.), *Atlas Meirionnydd* (Y Bala, 1974).

Roberts, Brynley F., '"Memoirs of Edward Llwyd, Antiquary" and Nicholas Owen's *British Remains*, 1777', *Cylchgrawn Llyfrgell Genedlaethol Cymru*, 19 (1975–6), 69–87.

Roberts, Elwyn, 'Awr golau hir ddirgelwch', *Y Cymro*, 4 Awst 1999, 29–30.

Robinson, Charles J., *A History of the Mansions and Manors of Herefordshire* (1872), adarg. (Little Logaston, 2001).

Roderick, A. J., 'Villa Wallensica', *The Bulletin of the Board of Celtic Studies*, 13 (1948–50), 90–92.

Rogers, Nicholas, 'The so-called portrait of Siôn Cent', *Bwletin y Bwrdd Gwybodau Celtaidd*, 31 (1984), 103–4.

Rosenthal, Joel T., *Old Age in Late Medieval England* (Philadelphia, 1996).

Roskell, J. S., Clark, Linda, a Rawcliffe, Carole (goln), *The History of Parliament: The House of Commons, 1326–1421*, 4 cyfrol (Stroud, 1992).

Rhŷs, John, *Celtic Folklore: Welsh and Manx*, 2 gyfrol (London, 1901).

Shoesmith, R., 'Reports of the Sectional Recorders, Archaeology, 2000', *Transactions of the Woolhope Naturalists' Field Club*, 50 (2000), 93–116.

Shoesmith, Ron a Richardson, Ruth (goln), *A Definitive History of Dore Abbey* (Little Logaston, 1997).

Siddons, Michael Powell (gol.), *Visitations by the Heralds in Wales* (London, 1996).

——, *The Development of Welsh Heraldry*, 4 cyfrol (Aberystwyth, 1991–2006).

Simpson, Jacqueline, *The Folklore of the Welsh Border* (London, 1976).

Skidmore, Ian, *Owain Glyndŵr*, arg. clawr papur (Llandybie, 1992).

Skidmore, Warren, *Scudamore/Skidmore Family History* [CD] (Akron, OH, 2006).

Smith, J. Beverley, 'The Last Phase of the Glyndŵr Rebellion', *The Bulletin of the Board of Celtic Studies*, 22 (1966–68), 250–60.

——, 'Gwleidyddiaeth a Diwylliant Cenedl 1282–1400', *Efrydiau Athronyddol*, 38 (1975), 55–74.

Smith, Llinos Beverley, 'Yr Iaith Gymraeg cyn 1536', yn Geraint H. Jenkins (gol.), *Y Gymraeg yn ei Disgleirdeb: Y Gymraeg cyn y Chwyldro Diwydiannol* (Caerdydd, 1997), 15–44.

Southall, J. E., *Wales and her Language* (Newport, 1892).

Stevenson, Judy, 'Hereford Museum Acquisitions 1998–99', *Transactions of the Woolhope Naturalists' Field Club*, 49 (1999), 479–82.

Taylor, A. J., *Minster Lovell Hall, Oxfordshire* (London, 1939).

Thomas, Thomas, *Memoirs of Owen Glendower (Owain Glyndwr) with a Sketch of the History of the Ancient Britons* (Haverfordwest, 1822).

Thompson, Stith, *Motif-Index of Folk-Literature*, 6 chyfrol (Bloomington & Indianapolis, 1955).

Thorn, Frank a Thorn, Caroline (goln), *Domesday Book, 17: Herefordshire* (Chichester, 1983).

Tibbott, Gildas, 'A Brief History of the Hengwrt-Peniarth Collection',

Handlist of Manuscripts in the National Library of Wales, Vol. I (Aberystwyth, 1943), iii–xi.

Timmins, H. Thornhill, *Nooks and Corners of Herefordshire* (London, 1892).

Turner, Thomas, *Narrative of a Journey* (London, 1840).

Turton, Eric, gw. [Williams, Jonathan].

Tylden-Wright, David, *John Aubrey: A Life* (London, 1991).

Watt, H., '"On account of the frequent attacks and invasions of the Welsh": The Effect of the Glyn Dŵr Rebellion on Tax Collection in England', yn Gwilym Dodd a Douglas Biggs (goln), *The Reign of Henry IV: Rebellion and Survival 1403–13* (York, 2008), 48–81.

Weaver, Frederic William (gol.), *The Visitation of Herefordshire made by Robert Cooke, Clarencieux, in 1569* (Exeter, 1886).

Williams, David H., *White Monks in Gwent and the Border* (Pontypool, 1976).

——, 'The Abbey of Dore', yn Ron Shoesmith a Ruth Richardson (goln), *A Definitive History of Dore Abbey* (Little Logaston, 1997), 15–36.

——, *The Welsh Cistercians* (Leominster, 2001).

Williams, Gruffydd Aled, *Ymryson Edmwnd Prys a Wiliam Cynwal* (Caerdydd, 1986).

——, 'The Literary Tradition to *c.* 1560', yn J. Beverley Smith a Llinos Beverley Smith (goln), *History of Merioneth Volume II: The Middle Ages* (Cardiff, 2001), 507–628.

——, 'Gwrthryfel Glyndŵr: Dau Nodyn', *Llên Cymru*, 33 (2010), 180–7.

——, 'The Later Welsh Poetry Referencing Owain', yn Michael Livingston a John Bollard (goln), *Owain Glyndŵr: A Casebook* (Liverpool, 2013).

——, 'Cywydd Brud gan Robin Ddu a'i Berthnasedd Posibl i Hanes Owain Glyndŵr', *Dwned*, 19 (2013), 81–102.

Williams, Ifor (gol.), *Gwaith Guto'r Glyn* (Caerdydd, 1939).

——, *Enwau Lleoedd* (Liverpool, 1945).

[Williams, Jonathan], *The Leominster Guide: Containing an Historical and Topographical View of the Ancient and Present State of Leominster* (Leominster, 1808); 2il arg., gol. Eric Turton (Leominster, 2000).

Williams, Rowland, gw. Camlan, Goronva.

Williams, Taliesin (gol. a chyf.), *Iolo Manuscripts. A Selection of Ancient Welsh Manuscripts in prose and verse* (Llandovery, 1848).

Willis, Browne, *A Survey of the Cathedral-Church of St. Asaph* (London, 1720).

——, *A Survey of the Cathedral Church of Bangor* (London, 1721).

W. W. E. W. [= W. W. E. Wynne], 'Date of the Death of Owain Glyndŵr', *Archaeologia Cambrensis*, third series, IX (1863), 170.

Y Bywgraffiadur Cymreig hyd 1940 (Llundain, 1953).

Traethodau Ymchwil

Coe, Jonathan Baron, 'The Place-Names of the Book of Llandaf', traethawd PhD Prifysgol Cymru, 2001.

Jenkins, Manon Bonner, 'Aspects of the Welsh Prophetic Verse Tradition in the Middle Ages', traethawd PhD Prifysgol Caergrawnt, 1990.

Kightly, Charles, 'The Early Lollards: A Survey of Popular Lollard Activity in England, 1382–1428', traethawd PhD Prifysgol Caerefrog, 1975.

Phillips, Neil, 'Earthwork Castles of Gwent and Ergyng AD 1050–1250', traethawd PhD Prifysgol Sheffield, 2005.

Gwefannau

http://www.e-gymraeg.co.uk/enwaulleoedd/amr/cronfa.aspx (cyrchwyd Mai 2014).

http://etheses.whiterose.ac.uk/2528/1/DX197636.pdf (cyrchwyd Ebrill 2014).

http://www.gutorglyn.net (cyrchwyd Medi 2014).

http://htt.herefordshire.gov.uk/docs/HA49_SHE18473_CroftVol1.pdf (cyrchwyd Mai 2014).

http://htt.herefordshire.gov.uk/smrSearch/FieldNames/FieldNamesSearch.aspx (cyrchwyd Mehefin 2014).

http://htt.herefordshire.gov.uk/smrSearch/Monuments/Monument_Item.aspx ID=6324 (cyrchwyd Awst 2014).

http://www.medievalgenealogy.org.uk/fines/abstracts/CP_25_1_83_50.shtml (cyrchwyd Ionawr 2014).

http://www.medievalgenealogy.org.uk/fines/abstracts/CP_25_1_83_52.shtml (cyrchwyd Ionawr 2014).

http://www.medievalsoldier.org/search_musterdb.php (cyrchwyd Mawrth 2014).

http://apps.nationalarchives.gov.uk/a2a/records.aspx?cat=044-c99&cid=0#0 (cyrchwyd Awst 2014).

https://www.princeofwales.gov.uk/sites/default/files/documents/DuchyReview1-11.pdf (cyrchwyd Awst 2014).

http://www.skidmoregenealogy.com/images /OccPap_no._13_reformatted_by_cbs.pdf (cyrchwyd Ebrill 2014).

http://db.theclergydatabase.org.uk/jsp/search/index.jsp (cyrchwyd Mai 2014).

http://www.wikiart.org/en/andrea-del-verrocchio/st-jerome (cyrchwyd Hydref 2014).

Mynegai

Mae * yn cyfeirio at luniau. Rhestrir cyfeiriadau at lyfrau o dan deitl y llyfr. Rhestrir cyfeiriadau at ddeunydd yn y llawysgrifau gyda'i gilydd o dan 'llawysgrifau'. Ni fynegeiwyd y Nodiadau.